シュッツと宗教現象学

宗教と日常生活世界とのかかわりの探究

著 ✣ ミハエル・シュタウディグル
マイケル・バーバー
ルーツ・アヤス
マー・グリエラ
ケイジ・ホシカワ
イリヤ・スルバール

訳 ✣ 星川啓慈

明石書店

To Dr. Michael Staudigl,
who extended my research life for several years
through his encouragement
when I gave up continuing my research.

Keiji Hoshikawa

シュッツと宗教現象学——宗教と日常生活世界とのかかわりの探究　目次

第二論文
生活世界、下位世界、死後の世界――多元的現実の多様な「現実性」
ルーツ・アヤス　97

シュッツと宗教現象学——宗教と日常生活世界とのかかわりの探究

はじめに

「宗教現象学」ということばを聞いて、読者はどういう学問／研究を想像するだろうか。巻末の「あとがきに代えて」でも論じるように、宗教現象学はその守備範囲や研究方法が専門家にも判然としない研究分野である。すなわち、「〈宗教現象〉について比較などを駆使する学問」なのか、それとも「〈宗教〉についての〈現象学的〉研究をする学問なのか」といったことである。

訳者には、わが国におけるこれまでの宗教現象学の研究には、人物研究と歴史的研究が多いように見受けられる。さらにいえば、全体として過去志向型である。もちろん、これが悪いというのではは決してないが、もう少し新たな視点を持ち込むとか、未来を志向する研究が増えてもいいのではないか。そうでなければ、宗教現象学は消滅するであろう。

わが国の宗教現象学をリードする研究者たちは「宗教現象学の歴史的変遷と地域性に関する包括的研究の研究」を行っている（二〇一六年―二〇二〇年）のだが、その学術的意義について「本研究は、一九九〇年代以降急速に廃れたこの学派（＝宗教現象学派）を単純に再興しようとするものではなく、学術的意義は、宗教学史の理解に一石を投じたところにある」と述べている。[1] この研究は、タイトル、研究意義、多数の研究成果から判断できるように、「歴史的アプローチ」が濃厚なのだが、訳者が気になるのは「一九九〇年代以降急速に廃れたこの学派（＝宗教現象学派）」という部分である。これが事実か否かは大いに議論のあるところだが、ここでは素直にそのように宗教現象学の現状を理解しておこう。

宗教現象学を「単純に再興しようとする」必要はないけれども、宗教現象学にもう少し「新たな視点」を持ち込むのはどうだろう。これこそが訳者の密かな狙いであり、訳者のささやかな願いは「宗教現象学にシュッツの視点を導入して、建設的なかたちで宗教現象学を活性化させる」ことである。本訳書の出版がそのための一助となれば、まことに幸いである。

あらためていうと、本訳書は現象学者・アルフレッド・シュッツの諸理論を「宗教現象の応用現象学的理解」に適用するものである。ここに収められたすべての論文は、歴史研究や人物研究ではなく、主として理論的な研究である。シュッツは宗教についてはあまり書いていないのだが、編者のシュタウディグル氏もいうように、「シュッツの諸著作は宗教の統合的な説明を精緻化するために使用できる包括的枠組みをまさに提供しているように見える」のだ。余談だが、シュッツが宗教についてあまり書いていないのは、ひょっとすると、反ユダヤ主義、とりわけ一九世紀以降の反セム主義のせいかもしれない……。

編者のシュタウディグル氏による各論文の解説が「序論」にあるけれども、訳者も一言で各論文を紹介しておきたい。もちろん、シュッツの「限定された意味領域」「日常生活世界」などの重要概念が駆使されていることはいうまでもない。

(1)バーバーの論文――文学作品・(主として)科学理論・宗教という「限定された意味領域」をとりあげ、それらが、苦しいことも多い/実利主義が幅をきかす「日常生活世界」への「抵抗」をおこなうという趣旨の論文。「定位零点」「働きかけの世界」「根源的不安」など、本論文集の基本概念についての説明もある。

(2)ルーツ・アヤスの論文――一口に「限定された意味領域」とはいっても、「現実性の度合い」は異なることを指摘し、その中でも死後の世界である「来世」「あの世」を特別に重要な意味領域＝「至高の意味領域」として分析する。この意味領域にいったん入ると、われわれはもう日常生活世界にもどることはできない。

(3)グリエラの論文――欧米の「刑務所」ではヨーガが教えられ、それが刑務所で暮らす人々に精神的に好影響を与えている(ただし、再犯率まではフォローされていない)という論文。スペインの刑務所での参与調査の観察が中心だが、「刑務所」という特殊な場所でのエスノグラフィーであり、調査結果に驚く読者も多いであろう。

(4)ホシカワ/シュタウディグルの論文――「祈り」を、日常生活世界のなかに「飛び地」としての意味領域を構成することとして分析した論文。従来、現象学と分析哲学は折り合いが悪いとされてきたが、シュッツの理論と、ウィトゲンシュタインやオースティンたちの理論とを合わせ、意識と言語の両側面から「祈り」にアプローチしている。

(5)スルバールの論文――世界中でさかんに議論されている「宗教と暴力」の関係を、ウェーバー、ルーマン、ジラールなどの先行研究を活かしながら論じた論文。「宗教と暴力は不可分の関係にある」と結論されるが、この結論への論証に「宗教的物語」「意味論」などをとりこみ、従来のものとは異なるアプローチがなされている。

なお、シュッツについては、H・ワーグナーの重厚な伝記『アルフレッド・シュッツ』（明石書店、二〇一八年）が出ている。[2] これを読めば、シュッツについて、心が動かされること／知らなかったことがいくつもあるだろう。例えば、(1)彼の誠実な人柄、(2)アメリカでの現象学を広める努力、(3)フッサール現象学にたいする造詣の深さ、(4)日本ではあまり注目されないライプニッツとの関係、(5)銀行員としての重責と研究生活による過労死（享年六〇歳）、などである。

翻訳そのものについては至らない部分もあるかもしれないが、読者には「宗教現象学の未来は暗くない」ことを感じとっていただきたい。また、各論文の最後で紹介されている膨大な文献は、最近の宗教学や宗教現象学の動向を示唆してくれるだろう。

本訳書に収録された論文は、独立性が高いので、どれから読み始めていただいてもかまわない。シュタウディグルの序論やバーバーの論文の冒頭は抽象的でややとっつきにくいかもしれないので、むしろ、読者の興味にあわせて、グリエラやアヤスの論文から読み始めるのがよいかもしれない。

実は、本訳書の発行日はシュッツ（一八九九－一九五九）の六二回目の命日である。コロナ禍もふくめて山あり谷ありの翻訳作業であったが、彼の命日に間に合って安堵している。訳者としては、

「シュッツも、自分に好意をよせる現代の世界の研究者たちが、自分の遺した遺産を生産的に引き継いでくれているのを知って、喜んでくれるに違いない」と信じている。

1――「宗教現象学の歴史的変遷と地域性に関する包括的研究」https://kaken.nii.ac.jp/ja/grant/KAKENHI-PROJECT-16H03354/ 二〇二一年二月二〇日閲覧。

2――訳者による書評は、『アリーナ』第二一号、二〇一八年に掲載されている。

凡例

一、引用文中の「……」は「中略」を意味する。

一、引用文中の「〔　〕」は訳者の補足を表わす。

一、引用文中の「傍点」は強調（原文ではイタリック体）を表わす。

一、「傍点引用者」と書かれていないものは、すべて原著者による傍点である。

一、原文の引用文の冒頭に「……」（前略）がある場合、訳文では、不要と思われるうえに見た目に煩わしいので、削除した。

一、三文字下げの長い引用の冒頭は、機械的に一文字下げた。

一、「〈　〉」は、読みやすさを考慮して、訳者が付した。

一、原文の一文が長文で文意を理解しにくい場合、一文を分割したり、便宜的に、⑴⑵⑶という数字をふったりした。

一、原文で著者が補足をしている場合には「〔　〕」が使用されているが、訳文では「〔　〕」を使用した。その理由は、見た目に煩雑であり、両者を厳密に区別する必要はないと思われるからである。

一、シュッツの著作集のように、邦訳のある文献もある。しかしながら、この著作集の一部を参照することを除いて、訳出は原則的に訳者が行なった。

一、本文中にある出典を示す（　）内の表記は、上から順に、(1)著者名、(2)出版年／掲載年、(3)頁数である。これらのうち、(1)(2)が、各論文の最後にある文献一覧の著者名と著書・論文のタイトル名とに対応している。

一、本文中にある出典を示す（　）内の著者名については、本訳書では以下のようにする。(1)シュッツの文献の場合には、Schutz を省略する。(2)シュッツ以外の著者の場合には、原文にはなくとも（原文では不要である）、(James 1890) などと著者名を入れる。その理由は、論文の最後にある文献一覧の著者名と対応させるためである。

一、本訳書全体で膨大な文献が挙げられている。しかし、すべての文献について邦訳書の有無を調べて、邦訳書のあるものの引用頁数を明記することは、訳者には負担が大きすぎるので、邦訳書には一切言及しない。

一、一冊の訳書としての統一感を出すために、寄稿された論文そのものにはない「節」や「見出し」などをくわえた部分がある。

一、シュッツが使用する術語の訳語は、邦訳者によってかなり異なるうえに、一つに確定するのが困難な場合が多い。本訳書では、特に問題となる主要な術語とその訳語の対応は、以下のようになる（順不同）。

(1) world of working↕働きかけの世界、(2) relevance↕関連性、(3) stock of knowledge↕知識のストック、(4) fundamental anxiety↕根源的不安、(5) finite province of meaning↕限定された意味領域、(6) contemporaries↕同時代者（たち）、(7) consociates↕共在者（たち）、(8) predecessors↕先行者（たち）、(9) successors↕後続者（たち）、(10) pragmatic↕（主として）実利的。

序論

アルフレッド・シュッツと宗教現象学
――曖昧な領域の探究

ミハエル・シュタウディグル

第一節　アルフレッド・シュッツの現象学

アルフレッド・シュッツの社会‐現象学的論述は、社会世界の〈非基礎づけ主義的現象学〉または〈脱基礎づけ主義的現象学〉と呼ばれてきたものにとっての模範である（Steinbock 1995; Mensch 2001）。ここ数十年にわたって、社会‐現象学的論述が適用されてきた関連するさまざまな問題は、幅広く、文化的・政治的・技術的（最近では社会‐技術的）現象を網羅している。このように見ると、〈応用現象学〉はまさしく隆盛をきわめ、種々の事例で、人文諸学や社会諸科学における学際的な研究の繋がりをいまだに脅かす溝を埋めるのに、役立っている。しかしながら、興味深いことに、宗教はこのような幅広い学際的な調査や脱基礎づけ主義的分析方法を実際に必要としている問題なのだが、宗教〔学〕にはこれまで活気をあたえるシュッツ流の展望がほとんど欠如していた。

一見、この展望の欠如は驚くべきことに見えるかもしれないが、理解できないわけではない。そして、シュッツが、(1)「自然的態度」の構成様式と、(2)「日常生活世界」（彼はこの表現を好む）の関連〔性〕構造とに全体的焦点をあてていたとすれば、〈宗教がシュッツの諸著作において明示的に議論されていない〉という事実がよく理解できるだろう。少なくともいくつかの伝統的な現象学的観点からみると、宗教は頻繁に、異常なもの、「限界を超えるもの」、「まったく他なるもの」などをめぐる諸体験に関連づけられながら、概念化されている。こうして、シュッツがある種の

「大いなる超越」と呼ぶものの視点からみると、その〈現象学的〉分析は、⑴主観的なもの〈とりわけ感情と情動的応答〉の領域、⑵神学的なもの〈「啓示」〉の分野、⑶生活世界の一般的な社会-論理に象徴的に統合される必要のある「限界現象」をめぐる問い、のいずれかに関係づけられている。したがって、いかなる「宗教現象学」（phenomenology of religion）も次のような窮地におちいる。すなわち、「〔宗教の〕主観的側面」に焦点を当てることは、しばしば「宗教的現象学」（religious phenomenology）を裏切るように思われるが（Janicaud 2000 を見よ）、宗教の還元できない〈異質性〉を具体的に明確にすることを過度に強調することも、最終的にきわめて早いうちに、社会的-理論的な解説のレベルに堕してしまうのだ。疑いもなく、宗教は、日常的なものを克服し再構成する力において、社会統合の過程に影響をあたえる強い力を見せつけるが、宗教の機能的説明（デュルケムからルックマンたちにいたるまでの説明）が主として取り組んできたのは、まさにこの問題である。しかしながら、この種の機能的な説明は、社会を説明するその分析力によって宗教に焦点を当てる傾向があるのだが、まさに〈宗教現象それ自体〉を直視することをほとんど避けている。

このように考えると、〈シュッツが正面から宗教を論じていない事実〉は、どうしてわれわれにとって驚くべきことのように映るのだろうか。この事実は、〈シュッツの諸著作は宗教の統合的な説明を精緻化するために使用できる包括的枠組みをまさに提供しているように見える〉からこそ、驚くべきなのである。その包括的枠組みは、機能主義および主観主義のどちらの犠牲にもならないし、問題となっている〈宗教〉現象についての実体主義者の前提の犠牲にもならない。[1]〔すなわち、宗教を研究するシュッツの包括的枠組みは、主観主義と社会学的機能主義とを生産的に統合し、神などの宗教的対象を実体化する必要もないのである。〕とはいえ、シュッツが宗教現象について言及した機会はごくわずかである。それでも、彼は、非常に明確な文脈で宗教に言及することで、個々の社会ー現象学的論述をどのように進め発展させるかについて、貴重な指針を残したのだ。これらの文脈において最も重要な考え方は、(1)「多元的現実」についての論述と、(2)これと関連する、そうした「現実」間の架橋／往来／意思疎通を可能にする「象徴」の理論とにある。周知のように、シュッツは〈いわゆる「多元的現実」の役割は生活世界の全体的な説明の本質的な部分である〉ことを強調した。宗教もまた多元的現実のうちの一つとして言及されているのは、明らかにこの文脈においてである。

一般的に見れば、シュッツの「下位宇宙」、「多元的現実」、〔彼が好む名称を使えば〕「限定された意味領域」への理論的傾注は、それらの有意味な構成と認知上の整合性とに焦点を当てている。彼は、それらを存在論的特色として理解するのではなく、それらを内在的に整合性のある体験的態度ないし「認知様式」――これは、相互作用の習慣化した形態、自己体験の典型的な様式、社会性の形態などをふくむ――という観点から考察する。そうした整合性のある体験的態度ないし「認知様式」の周りを、「下位宇宙」「多元的現実」「限定された意味領域」は循環するのである。シュッツの基本的な前提についていえば、〈すべての「意味領域」は、〔何ものにも〕還元できないそれらの「中心」としての「日常性」に依存している〉ということになる。別の言い方をすれば、シュッツにとって、日常生活世界はまさにわれわれの存在の「至高の現実」(1962: 226)であり、それ以外の種々の「諸現実」に関連する仕方を形成する。彼にとって、生活世界は、常にあらかじめ社会的に導かれた〔すなわち、前もって解釈され容認された〕世界である。生活世界は、前もって与えられた〈関連性構造〉の網状組織と類型化された「知識のストック」の周りを循環しているのだが、その網状組織と知識のストックは、一体となって生活世界と実際に折り合いをつける能力をわれわれにもたらす。シュッツがさらに主張するように、この世界の主要な意味産出様式は、われわれの「根源的不安」という基本的体験と、それに伴ういわゆる「実利的動機」とに関係している。いいかえれば、「私は、自分が死ぬこと、および、自分が死ぬことを恐れているのを知っているので」(1962: 228)、私の行動はこの「実利的動機」によって導かれる。「実利的動機」とは、生活世界と連動することによって、また生活世界を変革することによって、世界と折り合いをつけることが必要であるという「原初的予想」である。しかしながら、それは〔われわれの限界のために〕常に、生活世界によって削減不可能な影響を受けている。

こうしたことを踏まえると、他の〔日常生活以外の〕「限定された意味領域」〔例えば、ファンタジーの世界・科学理論・遊び・宗教など〕の重要性は、次の二つの可能性の組み合わせに向かって開かれているように思われる。(1)その可能性は、日常生活世界への実利的対処という厳しい要求から〔アヤスがこの論文集で主張するように〕ある種の「小休止」を人々に与えるという機会にあるだろう。(2)その可能性は、「実利的動機」の意味産出原則に〔後にバーバーが主張するのを見るように〕一種の「抵抗」[2]をもたらすことにあるだろう。「小休止」を取るという選択肢は、すぐに、日常性がもつ実利性に戻ってしまうかもしれない。だが、その日常性に休息と安心とのリズムのある余剰価値を備えさせることによって、〔実利性に対する〕「抵抗」の体験を動機付ける力は、より深い影響を及ぼすように思われる。すなわち、意味の諸領域は異なる体験の「認知様式」を具体化するという事実によって〔相互に〕区別されるがゆえに、小休止を取ることは、日常的な存在についての凝固した（おそらく石化した）意味構造——人はほとんどそれを省みることなく生きている——を超越するのを実際に助けることができるのである。その結果、「実利的動機」の基本論理から「〔人々を〕自由にする」解放の力、および、時としてまさに啓示的な力は、さまざまな影響を及ぼしうる。(1)何よりもまず、そうした力は、日常性がもつ実利性に付随している、社会的に導き出された解釈を「見通す」のを助けることができる（1962: 257; Augustine 1991: 184を見よ。「ローマの信徒への手紙」1章20節を見よ）。(2)その結果、そうした力は、局所的に制限を課す関連性を意志的な関連性に変えるのを助けることができる。(3)そうした力は、（自己確信的であれ、疎外的であれ、抑圧的であれ）効力をもつ（道を踏み誤りつつある）実利主義支配の社会的機能を集合的に衰えさせるように、他者と共同して努力するように人を動機づけるかもしれない。

最初は右の説明が適切だと思えるかもしれないが、われわれは「宗教的な限定された意味領域」がつたえる種類の「抵抗」も省みる必要がある。なぜなら、宗教的な限定された意味領域は、日常性の一般的な（社会的）論理に一時的に対抗する（時にはこの論理と明らかに矛盾する）こと以上のことを行なうからである。さらに、宗教的な限定された意味領域は一種の応答行動を求めている。

すなわち、(1)このような抵抗を有意味に表現することができ、(2)日常生活世界のまっただなかにおいて、日常性の諸傾向や諸関連性を「見通す」能力を社会的に確立することができる行動である。宗教的な限定された意味領域の抵抗の究極の目的は、抵抗を異なった光の中におくこと、つまり、（どのような呼び方がなされるにせよ）「聖なるもの」「超越」「絶対的な人格」「絶対的な愛」という解放の光の中におくことである。それゆえ、確たるシュッツ流の観点から見れば、「宗教」について真に興味深いことは、「宗教的な真理主張」にかかわるものではないし、（「開示された」形においてかもしれないが）理性の限界への潜在的な直面にかかわるものでもない。もしもシュッツが、この（宗教）現象のより詳細な分析に着手していたとすれば、おそらく、「宗教的な限定された意味領域」を（それ以外の意味領域から）区別する特有の「認知様式」、とりわけ、それが伴う特有の「宗教的エポケー」に焦点を当てていただろう。このエポケーの文脈では、宗教は、それが想定する〈あの世〉の指示対象の存在／非存在にかかわるものではまったくない。すなわち、宗教は「宗教的前提」をめぐる「存在論的主張」とは関係ないのだ。むしろ、宗教は、信仰や霊的実践――それらは、自分自身・自分の世界・自分にとっての他者を、真に異なった視点、つまり超越的な／超越する視点から見ることを可能にする――の本質的な理解にかかわっている。宗教は、その日常性を「見通す」ことができるようになる「間接呈示的な思考態度」（Barber 2017）の構成や象徴的制度にかかわるものである。そうした思考態度の構成や象徴的制度は、〈ショック〉や〈畏敬〉のような独特の限界現象を介するかもしれないし、通過儀礼の儀式や典礼のような周期的な象徴的実践を通すかもしれない。われわれが知っているさまざまな宗教伝統についていうと、こうしたことは、非営利的な賦与の論理――それは、「まったくの他者」の啓示、キリスト教の救済の教義、イスラム教の「慈悲深い／慈愛多き」（特別な種類の慈悲）という概念、仏教の「法」という概念などといったものである――によってもたらされるであろう。したがって、真にシュッツ流の宗教の論述がこうした「見通すこと」――これは種々の伝統においてしばしば「第二の誕生」として言及されている――が動機づけられるさまざまな仕方を体系的に記述する必要があると考えられるのは、この脈絡においてである。すなわち、⑴「見通すこと」が主体の「認知様式」にどのような影響を及ぼすか、ことによると、どのように主体の認知様式を変えるか、⑵そのことによって、「見通すこと」がどのように比類なき「宗教的な限定された意味領域」を創出するか、である。このように、シュッツの「限定された意味領域」の論述は、宗教現象に実り多いかたちで向かい合い、それを探求するために利用することができる。その主な任務は、以下のようなものである。⑴「宗教的な限定された意味領域」がともなう、（それ特有の「エポケー」をふくんだ）特有の体験様式（および相関する「間接呈示的な思考態度」）を際立たせること。そして、その意味領域の主要な形態の「意識の緊張」、自発性、社会性、時間体験と自己体験の様式を際立たせること。⑵この（宗教的な限定された）「意味領域」が、日常生活世界と（場合によっては他の「下位宇宙」とも）関連づけられ、日常生活世界と相互作用するさまざまな仕方を叙述すること。その叙述には、（意味領域へ）接近するための物語／媒体、（意味領域間の）移行にかかわる社会‐文化的規則／政治的規則、および、制度の生きられた実践に、焦点をあわせることも含まれる。(3)「限定された宗教的意味領域」と（これが「見通す」ことを保持している）日常生活世界の実利主義との相互作用や交流に焦点を当てることはまた、（まだ考えられていない）宗教とその「他者」との絡み合いに、何らかの光を投げかけるのに役立つことを示すこと——たとえ、これが宗教と科学技術とのやっかいな関係だとしても。この関係が、今日の「宗教的なものの復活」において、もしくは、今日、宗教と暴力をひじょうに密接に結びつけるように見える当惑させられる相関関係において、最も重要なものである。別の言い方をすれば、主要で切実な問題は〈宗教の「超越する力」が、人々を解放するその力を確保するために、日常生活世界においていかに（例えば、シュッツが「飛び地」と呼んでいるものによって）象徴的に制度化されうるか〉に関係している。そして、このことは、まさに、今日の宗教（学）理論と宗教哲学で議論されている最も有意味な問題と関連しているのである。

第二節　本書に収められた各論文について

この論文集に寄稿された諸論文は、宗教と向かい合うために、右のようなシュッツの思索のいまだに底知れぬ潜在的な可能性を詳述することに乗り出す。この論文集に収められた諸論文は、〈シュッツ現象学の概念的・方法論的資源を評価する〉という任務を引き受けたのみならず、さらに、〈応用現象学／社会‐現象学の観点から「生きられた宗教」の諸現実を具体的に探求する〉という意図ももちながら、この任務をひき受けたのである。詳しくいうと、それらの寄稿論文は、以下の四つの目的を遂行するために、シュッツの「多元的現実」の理論、彼の象徴についての論述、彼の「関連性」という概念の潜在的可能性を、明示的に探っている。その目的とは、⑴とりわけ「宗教的な限定された意味領域」と向かい合い、これを記述すること、⑵宗教的実践に特有な現象を研究すること、⑶宗教と、世俗的な諸生活世界およびいわゆる「ポスト世俗主義」の変わりつつある諸現実との、危うい相互関係について生産的に考え抜くこと、⑷ある特定の観点から、話題となっている宗教と暴力との相関関係を論じること、である。ここで、〔本論文集をめぐる〕簡潔で系統的だがやや抽象的なこの概要から、本論文集に掲載された著者たちの寄稿論文〔自体に〕に見られる、さらに具体的な〔シュッツ現象学の宗教現象の解明への〕応用へと、目を転じる必要がある。

最初の寄稿論文で、マイケル・バーバー（セント・ルイス）は、〔この論文集の〕全体的目論見を最高度の精確さをもって論じている。彼の論文は、シュッツの「宗教的な限定された意味領域」という観点から宗教を研究するための、基本的ながらも包括的な大要を読者に提供している。著者は、「宗教的エポケー」を行なうことが意味する特有の〔実利的世界に対する〕「抵抗」を明確に強調する。さらに、「文学的な意味領域」や「〔科学上の〕理論的観照」の領域と比較することにより、「宗教的な意味領域」に固有のいくつかの一般的な特徴を叙述する。このことによって、バーバーが焦点を当てているのは、三つの事柄――⑴日常的な存在の形相的特徴（とくに、行為する自我によって日常的な存在が〔日常〕世界の実利的支配力を中心に循環している仕方）、⑵日常的な存在を体験する習慣、

(3)他人に対処する類型化された方法——が修正されて、多かれ少なかれ整合性のある「宗教的な限定された意味領域」に変容される仕方である。さら歩みを進めて、彼は〈どのようにして、この「意味領域」は特有の「宗教的エポケー」によって接近されうるのか〉を探究する。そして、〈どのようにして、その〔実利主義に対する〕抵抗および〔それゆえ〕宗教についての決定的「理解」が日常性のなかに弁証法的に構築される必要があるのか〉を問う。また、〈どのようにして、「宗教的な意味領域」はこの〔日常〕世界の実利的構造基盤と折り合いをつけるのか〔またはつけられないのか〕〉とも問う。[3] こうした〔探究の〕必要性を示唆して、この論文は、右のような〈宗教的な限定された意味領域〉がもっている潜在的力、つまり「働きかけの世界」やこの世界がその周りを循環している実利的要請との「釣り合いをとる」ための潜在的力を強調している。バーバーによって言及された「弁証法的な相互作用」が必然的に暴力をともなうか否か、それとも、むしろ「開かれた弁証法」のままであるか否かは、当然、彼の研究範囲を超えた問題である。関心のある読者が、そのような問題提起をするように促される感じをもつとすれば、この寄稿論文は、間違いなく、宗教の社会-現象学的論述の範囲と可能性を示している。

ルーツ・アヤス〔以前はクラーゲンフルト、現在はビーレフェルト〕も、「限定された意味領域」の概念を彼女〔の論文〕の出発点として取り上げている。しかしながら、アヤスは、その意味領域の一般的特徴を際立たせることに関心があるのにくわえて、別の目的も追求している。最終的に、彼女の関心の的は、(1)〈限定された意味領域〉という概念を意味の諸領域のさまざまな「現実／現実性」をめぐる問題に関連付けること、⑵シュッツのレンズを通して「死後の世界」という概念を解釈することにある。彼女は、「究極の意味領域」という観点から、「来世」や「楽園」という概念について考えることを提案している。〔シュッツの論文である〕「多元的現実について」の彼女の解釈を通して、アヤスは「限定された意味領域のプラグマティックス」、またはそれがともなう「存在論的問題」に強く焦点を合わせる。すなわち、「限定された意味の諸領域が、それら自体を日常生活に組み込み、日常生活に影響をあたえる仕方」に焦点を合わせるのだ。それゆえ、⑴どのように人は意味領域の間を「往来」できるのか、⑵どのように存在論的問題が日常性に「埋め込まれている」のか、⑶どのように「日常的方法」が存在論的問題に対処しうるのか、ということが最も興味ぶかい。これは〈日常生活のまっただなかで「宗教的な限定された意味領域」への接近を実利的に確保するためのさまざまな試みが、実際には「社会構造と物質的事実を生み出し〔…〕、引き続いて、それらは種々の閉じた意味領域への接近を具体化し、そこへの道を切り拓いている」〔つまり、実際に、聖なる時間や場所などを創出する〕〉という〔右の問題と〕関連する洞察を含んでいる。こうした思索の方向に沿いながら、最終的に、アヤスは〈このような種類の「境界での往来」が、次の二つの理由を説明するのを助ける〉と主張する。すなわち、来世や楽園という概念に関係した特定の姿勢が、⑴これらの「現実」〔＝来世や楽園〕から出発して、その後、日常生活世界に戻って来られる理由、⑵実際に本質的な仕方でこれらの現実に影響を与えられる理由である。カルヴァン主義者の倫理や宿命の教理という例が示すように、本当に「宗教的な限定された意味領域」と日常性の世界とは影響を及ぼし合っている。時には、〔日常世界とは〕別の〔宗教的な〕「現実」でつくられた姿勢は、日常的な存在に対して、永続的でありかつ実際にそれを変容させる影響を与えているほどである。

マー・グリエラ（バルセロナ）の論文は、いわゆる「新しいスピリチュアルな想像力」の研究に、シュッツの諸概念を創造的に応用している。[4] 彼女の主な関心は、自身が民族誌的研究を行なってきた〈刑務所〉という状況における、ヨーガの実践にある。この論文において、彼女は〈身体的かつ精神的な〉技術としてのヨーガの役割と可能性に焦点を当てている。そのヨーガの技術とは、実践者が、(1)他の〔日常生活世界以外の〕意味領域に入っていくこと、(2)「超越」を内省的に体験すること、(3)〈人格的な変革〉という生産的な過程に導いていく「精神的な旅」に乗り出すことを、目指すものである。グリエラは、これらの仮説の実現可能性と整合性を証明するために、シュッツの「限定された意味領域」の概念を用い、「知識のストック」という概念をスピリチュアルな知識をもふくむものにまで広げる。最終的に、グリエラは〈刑務所におけるヨーガの実践には、身体レベルだけでなく、〈認知的変容〉という視点からも、実際にさまざまな休息をもたらす潜在力および〈おそらく〉治癒的潜在力さえも伴っている〉ことを実証するのに成功している。彼女が主張するように、このことは〈誰かが自分自身の「真の自己」を見ること〉を可能にする、別の「現実」への入口を開くのに役立つであろう。この過程は、実際に、著者が論じているように、〔ヨーガの〕実践者と相互主観的に維持された〈超越を体験する〉方法とを結びつける「ホリスティックな霊性」という観点から理解することができる。一方で、グリエラの議論全体は〈西洋の「世俗化後」の「宗教」理解において、今日、西洋人が目撃している〔宗教の〕根源的変容をはっきりと映し出す〉という体験の証明となっている。他方で、このような世俗化後の社会は、しばしば、たんなる「〔種々の〕超越の商品市場」の開拓としてけなされてきた。この現象自体は、「社会学的事実」または見下された（哲学的）遺物として扱われるとしても、明らかにさらなる分析を必要とする。そして、実際に、この論文はこの〔分析の〕必要性について人々を敏感にさせるのである。

ホシカワ（東京）とシュタウディグル（ウィーン）は〈具体的な宗教現象、つまり〔キリスト教の〕祈りを社会－現象学的に分析しよう〉とする論文を寄稿している。実際に、しばしば、祈りは宗教研究一般のための一種の試金石とみなされ、時には、ことに宗教現象を代表するとさえいわれている（例えば、クレティエン）。著者たちはこの問題に長く取り組んでいるわけではない。だが、祈りの主要現象の輪郭を研究するために、シュッツの枠組みを創造的に応用するように努めている。しかしながら、祈りは基本的に意識と言語の双方を構成様式としてふくむので、著者たちはシュッツ流の論述と言語哲学の観点（つまり、オースティン、エヴァンス、ウィトゲンシュタインの観点）とを対峙させることを選んだ。本論文集に収められた他の論文の中で、より深く説明されている「宗教的な限定された意味領域」の現象学的輪郭を描写しながら、著者たちは〈祈りはシュッツの意味における一種の「飛び地」として機能する〉という現象学的評価から話を始める。いいかえれば、祈りは、日常性のまっただなかから「宗教的な限定された意味領域」に入る手段として提示されるのだ。さらに進んで、著者たちは、この移行を「飛躍」という観点から解釈する。したがって、祈りは、

⑴意識の流れの方向を質的に変化させる力、⑵体験のまさに中核において、日常性の疑似存在論的等質性のなかで沈黙している有意味な含蓄の複定立的な豊かさを再活性化する力、という観点から考察される。祈りは、一種の「宗教的エポケー」と見なされ、人がこの日常世界以外の「現実」へ「通う」ことを可能にする「注意的態度」を（再）確立するために提示される。シュッツ自身が「注意的態度」におけるこうした変化を象徴的表現の問題に関連づけているという事実は、この文脈で言語がはたす特別な役割を明確に示している。それゆえ、著者たちは、言語哲学の立場をとりいれて、祈りが「自己関与的」または「行為遂行的」言語行為を核心にして循環していることを説明する。祈る者の中心的な役割は、個々の「言語ゲーム」の包括的「体系」との非命題的関係の回復をもたらす。したがって、祈っている人々が「信じることの無根拠性」と向かい合うことや、「行為すること」（ウィトゲンシュタイン）の優位性についての洞察を得ることが許される。これは〈「内部ゲーム／外のないゲーム」を営むことの内在性に帰着する〉と解釈されるかもしれない。だが最終的に、著者たちは、問題は、⑴異なる「現実」間の架橋／往来／意思疎通（シュッツの言葉では「変換公式」を見つけること）に関わるのではなく、⑵心をかき乱す他の（祈り以外の現実の）光の中で、祈る者が祈り自体に（自分自身を）結びつける能力に関わっている、という見解を擁護している。

イリヤ・スルバール（エアランゲン）の寄稿論文は、話題になっているが難しい〈宗教と暴力の関係〉に焦点を当てている。それは、最近の社会理論と宗教哲学のもっとも広範囲にわたって重要な問題に、生活世界をめぐるシュッツの実利的理論を結びつけるための、真の試みである。この論文において、スルバールは、しばしば〈暴力に対する宗教のスタンスの本質的な部分である〉とみなされている、還元できない〈相反性〉に批判的に立ち向かっている。彼が主張するように、〈暴力を宗教の「構造的属性」とみなす〉という流布している理論的習慣、あるいは反対に、〈暴力をある特定の宗教伝統の物語の意味論によって偶発的に動機づけられた「一時的に誤った行動」とみなす〉という流布している理論的習慣を、解体する必要にせまられている。〔前者は〈宗教そのものが暴力をひきおこす原因である〉、後者は〈宗教そのものは暴力をひきおこす原因ではない〉という主張に結びつく。〕スルバールは、説明においてこのようないかなる種類の還元主義にも陥らないように、〈宗教と暴力の関係を、異なるけれども相互に関連した三つのレベルで、批判的に分析する〉ことを提案する。最初の最も基本的なレベルについて、彼は〈暴力は、（例えば、救世主の顕現や啓示で生じている）人間の「聖なるものとのコミュニケーション」のさまざまな形態における構成様式として理解されるべきである〉と主張している。暴力は、最初に、「超越的なもの」の圧倒的な力に対する人の身体的露呈の最も基本的なレベルで体験され、つづいて、「聖なるもの」との「非記号論的なコミュニケーションの媒体」として確立される。第二のレベルでは、スルバールは〈暴力は生活世界の宗教的に形作られた（つまり、社会的包含と排除という観点から形作られた）領域において存在する〉と主張している。純粋／危険のような区別が、正統／異端または正統宗教／邪教のような〈規範－異種〉の二分法に置き換えられるのは、この第二のレベルにおいてである。この脈絡では、暴力は「聖なるもの」の体験に投影される一種の「真理主張」の強制として現われる。最後に〔第三のレベルでは〕、暴力は、宗教的知識システムの「物語的意味論」に取り込まれ、かつ、批判的に省みられている。すなわち、〈宗教的知識システムにおける有意味なコミュニケーションの非記号論的媒体〉として一般に理解されている暴力が、社会統制と解釈の権威に従属するのは、このレベルにおいてである。しかしながら、著者が（一例として）神義論の諸概念に言及しながら主張しているように、このレベルでの暴力の調停は、しばしば異なる形をとる〈反‐暴力〉を合法化するが、本質的に不安定である。著者が結論づけているように、この不安定さは、宗教の「物語的意味論」と、宗教的知識システムで関わりをもつ「〈宗教〉本来の活性化力」との双方に寄生しているがゆえに、世俗化された現代においてさえも存続している。このことは、スルバールが行なっているように、いわゆる「政治宗教」に関連してのみ実証されるだけではないだろう。さらに、「世俗化後の」政治理論の脈絡、および、その政治理論が「絶対政治」（Staudigl 2014）に後戻りする仕方においても、その証拠を見出すであろう。

〔本論文集には収められていないが、〕二つの書評がこの論文集を完成させる。最初に、ジェイソン・アルヴィス（ウィーン）は、アンソニー・J・スタインボックの画期的な現象学的研究である『現象学と神秘主義——宗教体験の垂直性』（二〇〇七年）を批判的に論評し、その限界を議論すると同時に、その前例のない現象学的可能性を明らかにした。もう一つの書評において、ヤン・フライは、ミハエル・レーダーの『世俗社会における宗教——政治哲学における宗教への新たな注目について』（二〇一三年）を吟味している。そして、(1)その著作の膨大な主題の範囲、(2)現代の日常生活世界における宗教の変化しつつある役割に関するさまざまな仮説について、有益な展望をしている。このように、フライは〈この論文集をまとめるための基本的な動機をもたらした〉一般的な脈絡に関連する問題を論じている。

註

1――この重要な論述は、リーゼブロト（Riesebrodt 2007）によって示された、宗教研究における問題をはらんだ方法論の評価からの抜粋をくり返して述べているだけである。この著者は、宗教現象との一般的かつ比較的適格とみなされる対立を納得させるために、〈行動‐理論的説明〉を選ぶ。この理論的選択は、有望であると思われるが、残念なことにまったく「身体化されていない」ままであるがゆえに、現象学的な具体化をただちに必要とする理論選択である。ここで提示されたシュッツの論述は、たとえ彼の思索の中で「生きられた身体」の認知された役割が未確定のままであっても、このような企てのための膨大な可能性を提供しているように思われる。それゆえ、私（＝シュタウディグル）は、〈宗教の現象学的理論を精緻化する〉という課題について、身体化と相互身体性の現象学における現代の議論を取り込むことによって、さらに拡張されるシュッツの枠組みを必要とするだろう。

2――当然のことながら、われわれは〈この概念が要約する宗教体験の「垂直性」（Steinbock 2007）は、一つの特定の種類の「抵抗」のみを具体化している〉ことを意識すべきである。通常の「実利的方向付け」の支配から逃れようと人を動機付けることができる同種の「抵抗」はまた、〈倫理的な出会いの場合のように〉〈行為する自我〉に対する並外れた〈水平的〉相互主観的要求を強いることにもあるかもしれない。もしくは、そうした「抵抗」は〈生態系の崇高さの場合のように〉圧倒的な身体的無限感という崇高な体験にあるかもしれない。哲学における全伝統につきまとってきた、とくに倫理的なものと宗教的なものとの間にある〈類似性と相違点〉にかかわるやっかいな問題について、ここで心配する必要はない。それでも、〈この問題をシュッツの思索の枠組みのなかに位置づけると、その問題の先鋭さの大部分を失う〉と主張したい。倫理学は、「形成期のエートス」というもっとも基本的な意味で、その発祥の地はまちがいなく日常生活世界にあり、「日常的な道徳性」のなかで発展している（Waldenfels 2013）。一方、宗教は、日常性と想像力による日常性の再製との相互作用に依存する、まったくさらに複雑な現象である。そして、宗教は、「倫理的宗教」と「汎神論〈自然崇拝〉」とに関する適切な議論が明確に示しているように、倫理的なものと生態系的なものへの関係をふくんでいる。

3――バーバーが、とかくするうちに、この問題に関するまるまる一冊の著書（Barber 2017）を出版したことに言及する必要がある。その著書において、この論文で概説した基本的な概念的枠組みを、はるかに深くて具体的な方法で適用している。とりわけ興味をひかれるのは、「ユーモラスな意味領域」と対峙させることによって、宗教に特有の性格に光をあてるための、彼のそこでの努力である。その対峙は、(1)宗教に特有の性格とユーモラスな意味領域とがもっている〈解放する力〉、(2)それらが相互作用し、たがいに肯定的に影響しあう仕方をめぐる、多くの重要な洞察を読者に提供する。

4――グリエラの論文は、出版過程の手違いにより、*Human Studies* の前号（40/1, 2017: 77-100）に掲載されている。

謝辞

本論文集〔＝『ヒューマン・スタディーズ』の特集号〕を編集するという私〔＝シュタウディグル〕の申し出を受け入れてくださった、マーティン・エンドレス氏に感謝します。また、同氏には、〔寄稿論文の〕レビュー過程・修正・最終的な出版準備へと進めていくなかで、注意深いご指導もいただきました。また、ジェイソン・W・アルヴィス氏にも感謝します。同氏は、〔寄稿者たちの〕英語の訂正および本論文集の編集作業のすべてにわたる支援において、寛大な援助をしてくださいました。本論文集は、オーストリア学術基金（FWF）からの二つの研究助成金による惜しみない援助によって編集されました。すなわち、本論文集は、「神話と啓蒙を超えた宗教」というプロジェクト（FWF P 23255）の体制下で構想・開始され、「世俗主義とその不満――宗教的暴力の現象学に向けて」と題された別のプロジェクト（P 29599）によって完成されたのです。

文献一覧

Augustine (1991). *Confessions* (H. Chadwick, Trans.). Oxford: Oxford University Press.

Barber, M. D. (2017). *Religion and humor as emancipating provinces of meaning.* Cham: Springer.

Janicaud, D. (2000). The theological turn of French phenomenology. In D. Janicaud, J.-F. Courtine, J.-L. Chrétien, M. Henry, J.-L. Marion, & P. Ricoeur (Eds.), *Phenomenology and the "Theological Turn"* (B. G. Prusak, Trans.) (pp. 16–103). New York: Fordham University Press.

Mensch, J. (2001). *Postfoundational phenomenology. Husserlian reflections on presence and embodiment.* University Park: Pennsylvania State University Press.

Reder, M. (2013). *Religion in säkularer Gesellschaft. Über die neue Aufmerksamkeit für Religion in der politischen Philosophie.* Alber: Freiburg & Munich.

Riesebrodt, M. (2007). *The promise of salvation. A theory of religion.* (S. Rendall, Trans.). Chicago: The University of Chicago Press.

Schutz, A. (1962). On multiple realities. In M. Natanson (Ed.), *Collected papers, Vol. 1. The problem of social reality* (pp. 207–259). The Hague: Nijhoff.

Staudigl, M. (2014). Unbedingte Ansprüche im Widerstreit. Die Zerstörung der Buddhas von Bamiyan als Fallbeispiel. In B. Liebsch, & M. Staudigl (Eds.), *Bedingungslos? Zum Gewaltpotenzial unbedingter Ansprüche im Kontext politischer Theorie* (pp. 275–298). Baden-Baden: Nomos.

Steinbock, A. J. (1995). *Home and beyond. Generative phenomenology after Husserl.* Evanston: Northwestern University Press.

Steinbock, A. J. (2007). *Phenomenology and mysticism. The verticality of religious experience.* Bloomington: Indiana University Press.

Waldenfels, B. (2013). Everyday morality. Questions with and for Alfred Schutz. In M. Staudigl (Ed.), *Schutzian phenomenology and hermeneutic traditions* (pp. 181–198). Dordrecht: Springer.

第一論文

〈宗教的な限定された意味領域〉における〈働きかけの世界の実利的傾向〉への抵抗

マイケル・バーバー

論文要旨

本論文では、(1)〈働きかけの世界の活動〉における基本的な〈実利的傾向〉のいくつかについて説明し、(2)〈理論的観照と文学という限定された意味領域が、それらの実利的傾向に対してどのように抵抗するか〉を提示する。この分析は〈宗教的意味領域が、独特の仕方で――とはいえ、〔理論的観照と文学の意味領域の仕方と〕類似しているけれども――それらの実利的傾向に対してどのように抵抗するか〉を理解するための方法を準備する。それら三つの限定された意味領域〔＝理論的観照・文学・宗教〕は、(1)行為する自我の方向づけの中心〔＝定位零点〕とは別の方向づけの中心から世界を見ること、(2)〈超越〉を到達可能な範囲にもたらすその傾向を見ることを可能にする。そして、このことによって、自分自身を〈根源的不安〉からある程度解放し、もはや活動の実利的命令に服していない自分や他者の比類なさを明らかにする。

キーワード

働きかけの世界、限定された意味領域、類型化、文学の意味領域、〔科学〕理論の意味領域、宗教の意味領域

序論——形相と至高の意味領域

アルフレッド・シュッツは、束の間のものだが、〈限定された意味領域としての宗教〉への言及をくり返している。だが、彼は、⑴「多元的現実について」という論文において、ファンタジー・夢・理論的観照という領域について行なっているほど、また、⑵ゲーテの『ヴィルヘルム・マイスターの遍歴時代』に関する論文（1962a, 2013）において、文学的現実の意味領域ついて行なっているほど、宗教という限定された意味領域についての記述を展開させることは決してない。シュッツによるこれらの限定された意味領域の説明を注意深く読むと、それらのすべてが、働きかけの世界——これを彼はいつも「至高の現実」（1962a: 226）と呼んでいるが、「われわれの現実の体験の原型」（1962a: 233）と呼ぶこともある——における体験の実利的次元への、ある種の抵抗をふくむことを示している。

本論文では、まず、⑴働きかけの世界の基本的な実利的傾向をいくつか説明し、つぎに、⑵理論的観照および文学という限定された意味領域で、〈これらの実利的次元がどのように「異議を唱えられる」か〉を説明する。実際、この異議申し立ては、これら二つの領域の認知様式の「広くいきわたっている自発性の形態」（1962a: 230）において重要な役割をはたしている。こうした実利的傾向に対するこの対立姿勢をふまえながら、著者は〈シュッツの宗教的な限定された意味領域という概念が、働きかけの世界に対して同様の抵抗をふくんでいた可能性がある〉ことを示すつもりである。

したがって、著者は〈宗教的な限定された意味領域〉の説明を展開するつもりはない。それゆえ、すべての限定された意味領域の「認知様式」を説明するために、そのような領域のすべてを構築する六つの基本的特徴の抽象的なパラダイム（1962a: 230f.）を書き込むことによって、論文「多元的現実について」におけるシュッツの〔概念〕規定に追従するつもりはない。もちろん、働きかけの世界の実利的側面に抵抗する宗教の領域の特徴のいくつかを明確にすることにおいて、著者は〈宗教の領域の構成要素とみなされる可能性があるいくつかの特徴〉を精確に指摘するつもりである。しかし、この議論を始める前のいくつかの〔かなり長い〕注意点は次の通りである。

形相

〈何が本質的に宗教的意味領域に属し、何が属さないのか〉を決定するためには、充分な数の不特定の諸事例に精通していなければならないだろう。それゆえ、当然、「典型的な」宗教的意味領域について述べることは危険なことである――その領域について述べることは、その領域に対して何か形相的なリングを持っていることになる。世界中の多種多様な宗教を思いうかべるとき、膨大な数にのぼる諸事例に精通することは、実に困難な作業である。そのような不特定の諸事例の網羅的な整理をするには、宗教人類学者でなければならないだろう。さらに、ロベルト・ベルナスコーニは、自分自身の宗教をこっそり一般的宗教とみなすかもしれない、宗教哲学について話す場合におこりうる〈こじつけ〉を警戒している。そして、「もし哲学者が宗教について話すのであれば、そのような話をする人の義務だと思うが、その話は複数の宗教についてであることが望ましい」と警告する（Bernasconi 2009: 223）。それゆえ、宗教という限定された意味領域の内部から、働きかけの世界の実利性に対しておこなう異議申し立てを再構成するにあたって、著者がよく知っているユダヤ教とキリスト教から例を引くことにしたい。著者の限られた体験から知っていることだが、仏教・ヒンドゥー教および非理神論的諸宗教のような他の宗教も――たぶん、キリスト教やユダヤ教ほど個人主義的に焦点が当てられていないにもかかわらず――そのような働きかけの世界に対するある程度の抵抗にかかわっている。そのような抵抗が宗教の形相の本質的特徴を構成しているか否かは、これらの異なる宗教伝統にかかわりながら、別の徹底的な調査を必要とするだろう。したがって、本論文は現象学が通常〔それに向かって〕努力する形相的な達成のようなものを手中に収めることはできないだろう。だが、ひょっとすると、読者は本論文を〈働きかけの世界の実利的次元への抵抗が宗教的意味領域の一つの形相的特徴を構成する〉という仮説を前進させるものとみなすかもしれない。

さらに、論文「多元的現実について」にある、シュッツ自身の限定された意味領域をめぐる分析の形相的性質をめぐるさらなる疑問もある。その論文のどこにおいても、〔シュッツが〕〈自分が（いかなるものといえども）一つの領域の形相的な記述をした〉と主張するところはない。そのうえ、これまで〈自分が描く限定された意味領域の配列がすべての生活世界の形相的特徴である〉と述べているところもない。たしかに、理論的‐観照的な意味領域が欠けている生活世界を想像することができる。それにくわえて、〈エポケーが、シュッツが示唆しているような仕方では生じていないかもしれない〉とも想像できる。例えば、〔シュッツにならって、〕美術館に入って額装された絵の前に立っていることが、働きかけの世界から芸術という限定された意味領域を区切るエポケーを構成するかもしれない、と考えてみよう（1962a: 231を見よ）。この場合、次のような議論が可能である。この種のエポケーは現代世界に特有の特徴である。なぜなら、他の文化や時代においては、種々の視覚芸術は、美術館内で周囲の世界から絵画を分離する額縁によって区別された絵画とともに、美術館に封じこめられていなかっただろうからである。例えば、ラスコーの有名な古代の洞窟絵画は、論文「多元的現実について」が示唆しているように、〈常に芸術は、一種のエポケーとして機能する博物館や額縁を介して、周囲の働きかけの世界からきわめてはっきりと切り離されたものではなかった〉ことを示している。さらに、〈芸術は、他の文化圏では、働きかけの世界の中によりいっそう密接に織り込まれてきた〉ことを示している。シュッツは彼自身の主張の多くに対して形相的地位を求めることに消極的な姿勢をとっている。このことは、〈限定された宗教的意味の領域における反実利的な事柄を重視する分析のために、あらゆる形相的主張をする〉ことへの警告を保証する。

至高の意味領域

シュッツが宗教的意味領域をどのように構成したのかを議論するまえに、働きかけの世界がどのような意味で「至高の現実」または〈現実の体験の「原型」〉であるのか、を理解することも重要である。シュッツは〈働きかけの世界（外的世界とかみあう世界）は、自分自身の身体だけでなく他の人々をふくむ諸対象とかかわっている〉と主張している。人は、自分の実利的目的を達成するために、働きかけの世界とかかわらなければならない。すべての意思疎通は、外的世界とかみあい他者とかかわる行為者をふくむのだが、働きかけの世界で行なわれる。意思疎通は、例えば、人が理論的な領域にいるとき〈自分の研究結果を伝えることが必要だ〉と気付くときのように、自分が他の〔働きかけの世界以外の〕意味領域の内部から〔働きかけの世界へと〕移行していることを自覚するものである。さらに、働きかけの世界は、われわれがそこで「生活の基本的要件を順守しなければならない」（1962a: 227）ので、「非常に実用的な関心」（1962a: 227）をもっている世界である。〔実用的な関心をもつというのは、〕われわれが、食物を確保し調理し食べ、賃金を稼ぎ、家を建て、健康を維持し、命を犠牲にするような事故を避ける、といったことをする必要があるという意味においてである。これらすべてのことは、われわれの世界の物事や他者たちと交渉することを要求する。働きかけの世界は、他の限定された意味の諸領域に付随する〈社会的層〉を提供する〔例えば、著者が他の人々と意思疎通する必要がある場合、その層はそれらの意味領域で利用できる〕。あるいは、他の限定された意味領域に立ち入ることなく、目下の実用的目的に集中することによって、この〔働きかけの〕世界で単純に生きることができる。

〈なぜ働きかけの世界が至高の現実であるか〉についての誤った考えを正すことが重要である。シュッツにとって、実利的な生活が理論的観照〔〔働きかけの世界の〕代替の意味領域〕よりも「高い尊厳」を持っているかのように、〈働きかけ〔の世界〕は他の意味領域よりも高く評価されている／されるべきである〉という意味で〈至高〉だというわけではない。これは明らかである〔1962a: 247, footnote 32〕。また、働きかけの世界が歴史的／時間的に最初に生じ、その後、別の意味の領域に入るために、〔働きかけの世界の〕エポケーを実行しなければならないというわけでもない。人は〈このような歴史的／時間的な先行順位がある〉と考えるかもしれない。その理由は、〔自然的態度に没入することで明らかに成功する〈意図的なエポケー〉をふくんだ〉現象学的還元の方法の〔行使の〕あとに、働きかけの世界から代替の〔意味〕領域へ移行することを、過度に解釈するからである。シュッツ自身の論文「多元的現実について」での提示は、最初に働きかけの世界について記述し、次にそれに向けて採用されたエポケーについて記述しているため、〔そのように〕誤解されているのかもしれない。だが、この手際のよい連続的な哲学的解説は、必ずしも〈いかにこの移行が歴史的／時間的に生きられているか〉を提示しているわけではない。シュッツ自身もこのことをよく認識している。それゆえ、彼は、〔魂の新しい世界への移住をふくむものとしての〕代替の意味領域への〈乗り換え〉ではなく、むしろ限定された意味領域を精査しているのである。

〔限定された意味領域とは、〕ただたんに同一の意識が示す異なった緊張に対して与えられた名称にすぎない。しかも、さまざまに変容した注意が向けられるのは、誕生から死にいたるまで、分割されえない同一の生に対して、つまり現世の生に対してなのである。先に述べたように、私の精神は、ある時には労働行為のなかで生を営み、次には白昼夢を体験し、今度はある絵画が創出する世界に浸り、さらに引き続いて理論的観照にふけるといったように、一日のうちで、さらには一時間の間でさえも、意識の緊張の全域を体験することがあるだろう。(1962a: 258)

そこで、〈働きかけの世界が最初の独立した「体験の社会的層」であり、他の種々の意味領域が——あたかもそれらが〔適切なエポケーを実行する方法を見つけるときにのみ現われる〕たんなる随伴現象的な「アドオン」であるかのように——それに修正を加える〉というのは事実ではない。シュッツは、実際に、右の引用と同じように述べている。

限定された意味領域という概念は〈あたかもわれわれは、そうした意味領域のうちの一つを、そこに住まいそこから出発しそこに帰ってくる、われわれの拠り所として選定すべきであるかのような〉固定的な含意をまったく伴っていない。そのようなことは決してないのである。われわれの意識は、一日のうちで、また一時間の間でさえも、実にさまざまな緊張を体験しうるだろうし、したがって、生に対する実にさまざまな注意的態度をとりうるだろう。
(1962a: 233, footnote 19)

さらに、シュッツは、夢の世界への入口としての眠りに落ちること、あるいは、観照的な領域に入ることとして学説を立てる科学者の決心といった、特色のあるエポケーを説明している。けれども、再度〈シュッツの正式な説明は、人々がこれらのエポケーを体験する精確な方法を反映していないかもしれない〉ことを認識する必要がある。何世紀にもわたって、人々は、眠りに落ちることをエポケーとして識別することなく、眠りに落ち、夢を見始めたのである。同様に、人は、理論的・空想的・宗教的な態度を〈それらについて考えることなく〉突然とることができ、その後、自分がそのような態度にあったことに気づくことがある。そして、この態度をとったときの、ある〈エポケーのような時間〉をふり返るであろう。現象学者であるシュッツは、〈異なる意識の緊張が働いている〉という事実に注目し、それから、〈問題となっている態度または意識の緊張の採用が、ある種の〈実行された〉エポケーにどのように向かうか〉を記述するために、歩みを進めるのである。しかし、シュッツがこれらの多様な意識の緊張を識別し、それらの特色のあるエポケーを描写したときよりもずっと前に、これらの多様な意識の緊張は存在していた。そして、そういうものとして、人は〈それらの意識の緊張は働きかけの世界と起源をともにする〉と主張するかもしれない――一日を過ごすときに、自分自身を没入させるかもしれない、〔働きかけの世界の〕代替としてのたがいに絡み合っている多種多様な意味領域。

おなじく、働きかけの世界の関連性は、生命の保全とかかわるので特に強い印象をあたえる。それでも、どの個人またはどの集団にとっても、実用的な〈働きかけの関連性〉が彼らの計画の中で最も高くランク付けされているわけではない。なぜならば、その関連性は、〔例えば、〕(1)芸術を楽しむための可能性の条件をたんに提供するだけのもの、(2)自分の宗教的価値観をまもるために殉教する必要がある場合には無視されるかもしれないもの、として見られるためである。

働きかけの世界を、(1)ある優位性をもつものとして、(2)より価値のあるものとして、(3)他のすべての意味領域に歴史的／時間的に先行するものとして、考えないでおこう。その代わりに、働きかけの世界を、人が一時間ないし一日のうちで占有する〈種々の意味領域うちの一つ〉とみなすことには価値がある。間違いなく、シュッツは彼の説明のための「原型」としてこの世界を理解している。というのは、彼は、働きかけの世界以外の意味領域を、働きかけの世界を修正することによって説明するからである。さらに、例えば科学者（理論的観照の領域）や修道士（宗教的意味領域）のように、人生において働きかけの世界以外の意味領域を優先すべきであっても、働きかけの世界は

「至高」である。結果として、たとえ人が、自分の人生の大部分を働きかけの世界以外の領域で過ごすとしても、他者や物事に対処する必要性、他者と意思疎通する必要性、生命を維持するための措置を講じることの必要性から、逃れることはできないのである。中世の修道士はほとんど常に宗教的意味領域に（それを他のどの意味領域よりも尊びながら）住んでいるであろう。しかし、彼は火をおこしたり、食事をつくったり、他の人を納得させたり、部屋を掃除したりなどしなければならない。そのような時には、宗教上の問題が彼の意識の地平のほうに後退するかもしれないので、〈働きかけの世界は彼の人生の中で際立ったものである〉とみなさなければならないだろう。文学の領域と理論的観照の領域をモデルとする本論文は〈シュッツがこれまでに説明を行なってきた宗教的意味領域は、それらの他の領域と同じように、働きかけの世界で際立っていると思われる実利的な諸傾向に対する抵抗をふくんできた〉と主張する。たぶん、その抵抗は、働きかけの世界がわれわれを支配している力（の存在）の証拠であり、ほとんどの代替の意味領域は、異なる仕方で、この種の抵抗を例証している。

働きかけの世界の実利的性格

日常生活世界の〈自然的態度〉（実利的動機に支配されている態度）において、隠れた思考をこえて外的世界とかみあう身体的行動、そして、計画された事態を実現しようと努める身体的行動、こうした行動が「働きかけ」として特徴づけられる。そのような行動は、他者の行動とともに「働きかけの世界」を作り上げることになる（1962a: 226-228. 208f., 211f., 218も見よ）。働きかける自己は、自らを反省する自己とは対照的に、進行中の行為に起源をもち、〈分割されていない全体的な自己〉としてふるまう。その結果、自らを反省する自己は、自分自身に対して、（G・H・ミードによって「主我」に対置された「客我」とみなされる）過去の自己／部分的自己として現われる（1962a: 216）。

働きかけの世界における〈実利志向の自己〉は、以下のような特徴を持っている。

(1)自分自身を〈定位零点〉――これに連動して、すべての時間的・空間的な座標が精密にしるされる――とする世界の組織化。
(2)行為する自我が、時間的・空間的な超越者を到達可能な範囲にもたらす能力において、運動し体験する力の感覚。
(3)究極的には〈自分は死ぬであろう〉という根源的不安にもとづく、実用的な関心によって支配されている一連の関連性。
(4)その実利的効能ゆえに、類型的なものに焦点をあて、独特で非類型的なものを無視する傾向。
(5)(a)自分自身にとって実利的に役立つがゆえに、他者の類型化に基礎をおき、(b)しばしば、他者の比類なさ、他者と自己との相違、意思疎通の限界を見落としている、相互主観的関係。

〈定位零点としての自己〉を中心とする世界の組織化
——働きかけの世界における〈実利志向の自己〉の特徴1——

充分に覚醒している自己は、⑴その身体の位置、⑵その実際の〈ここ〉、⑶その空間的座標体系（例えば、上下、左右）の中心である〈定位零点〉を出発点とする。そして、その覚醒している自己の現実の〈今〉は時間的座標の原点であり、それを通して、自己は出来事を〔時間的に〕組織化する（過去／未来、同時）。

行為する自我は、たんに空間的に離れているものを観察したり、それについて考えたりするだけではない。それは、活動という行為（主に移動運動）によって、この距離を克服することができる。また、記憶とか未来への企図という行為によって、時間的な距離を克服することもできる。ミードが「操作領域」と呼んでいたものや、視覚と聴覚が働く範囲内にある諸対象をふくめて、行為する自我は〈実際に手が届く範囲〉内の世界に存在している。そして、人が行くことのできる〈回復可能な範囲〉内にある、より遠い世界が存在する。そこに行くためには、自分の座標の定位零点を移動させること、すなわち、物理的に自分の〈ここ〉から〈そこ〉へと移動することによって、過去の場所や過去の出来事を再現するのである。記憶を通して、遠い過去の時間的瞬間をとりもどすこともできる。最後に、未来において〈到達可能な範囲〉の世界に向かうこともできる。それには条件がある。すなわち、⑴自分が今までに居たことのない離れた場所に向かうことができるかぎりにおいて、⑵未来把持や企図によって、現在を通して向かうことのできる状況を予想できるかぎりにおいて、という条件である。また、個人的な関係も、自分の定位零点を基準にして、次の二つに分かれる。(1)われわれが（時間的に、および／または、空間的に到達可能な自分の範囲内に存在している）〈共在者〉や〈同時代者〉――彼らの到達可能な範囲内の世界は自分の到達可能な範囲内にある――について議論する場合、(2)われわれが（その到達がどれほど不完全であろうとも、ある程度、回復可能なもしくは到達可能な範囲内に存在している）〈先行者〉や〈後続者〉について議論する場合、である。一組の空間的・時間的・社会的座標の中心に位置している行為する自我は、遠く離れた物・場所・出来事・人々を、時間的・空間的に自分の座標にもちこむことができることを、くり返して体験している。自我がそうしたことを体験するのは、自分の物理的な位置を変えたり、過去を思い出したり、これから向かう未来を予測したりすることによってである。これらすべての方法で〈到達可能な範囲に〔種々のものを〕もちこむことができる〉というこの感覚は、自己や環境に対する〈支配力〉として体験される。人は、この支配力を躊躇することなく継続的に行使しているし、フッサールは、「～など」という術語、および、その主観的な相関物である「私はそれをもう一度おこなうことができる」という術語をもちいて記述している（1962a: 222-226）。

〈超越〉を到達可能な範囲に取り込むこと
――働きかけの世界における〈実利志向の自己〉の特徴2――

到達可能な範囲内にあるものを現在の時間的／空間的近接にもたらすための、行為する自我の能力にたいする別の見方は、種々の超越を克服する能力に関係する。これは、シュッツの象徴理論にとくに関連している克服である。超越を克服することは、例えば、ある対象についてのあらゆる体験は、〈家の正面がその裏側を〈間接呈示〉しているときのように〉現在は存在しておらず地平において現在を超越している、潜在的な体験を予示する。山腹の煙や自動車のダッシュボードの上のガソリンの〈残量をしめす〉針のような〈指標〉は、現在は〈自分の眼前に〉存在しないもの〈＝火やガソリンタンクの状態〉を表わしている。こうした指標により、火とか空《から》のガソリンタンクから、自分を隔てている空間的境界をこえることができる。同様に、数日後に現在読んでいる本にもどったとき、読み終えた場所を自分自身にしめすために、本に残している栞のような自分自身の「目印」をつけることができる。これらの例では、〈指標〉は遠いところにあるものを空間的に近づけ、〈目印〉は過去〈私が読むのをやめた時点〉を時間的な現在につれもどす。目印を残していなければ、困難なしに、〈過去のことを〉思い出したり現在にもどしたりするのは不可能であろう。これらの〈小さな超越〉とは対照的に、〈中程度の超越〉は、われわれの共‐存在者を理解し、共‐存在者と意思疎通することと関係している。共‐存在者の体験には、限界はあるけれども、「記号」を介して到達することができる。〈だが、〉たとえ実用的目的のために他者の体験を記号を通して理解するとしても、われわれは他者の体験を他者がもった最初の体験とともに体験することは決してない。最後に、〈大きな超越〉は象徴を通して象徴される。大きな超越は、働きかけの世界をこえた他の限定された意味領域においてもたらされるものである。それゆえ、働きかけの世界の内部にある記号を通して与えられる他者の体験よりもはるかに遠いところでもたらされるものである。象徴には、(1)神の存在を予示する〈ヤコブの石〉、(2)一国全体の体験を間接呈示する旗〔＝国旗〕、(3)宇宙の秩序を代表するために自らを挙げる国〔初期の帝国など〕（1962a: 355）といったものがある。定位零点は、その周囲に他のすべてのものがあり、そこから人が自分自身をこえて手を伸ばす出発点である。この定位零点に位置する〈行為する自我〉という理念は、指標・目印・記号・象徴を通してさまざまな超越を克服しながら、〈働きかけの世界がいかに象徴化の理論と関連づけられうるか〉を示している。

実用的関連性と根源的不安
――働きかけの世界における〈実利志向の自己〉の特徴3――

われわれが身体的にかみあう世界は、思考の対象ではなく、支配すべき領域である。その世界は、〔私に〕抵抗をもたらし、私が目的を達成することを潜在的に可能にし、私の計画を共有したり妨げたりする他者と共有される。行為する自我、および、その自我が世界とかかわることを動機づけることにとって、最も重要なのは、その自我が行動するための〈関心〉ないし〈関連性の体系〉である。われわれの関連性の体系は、私は〈自分はいずれ死ぬこと、そして、それを恐れていること〉を知っている、という基本的な体験に基づいている。シュッツはこれを「根源的不安」として説明している（1962a: 228）。シュッツが説明しているように、根源的不安とは、他のあらゆることがそこから生じてくる、根源的な予想である。この根源的不安から、希望と恐怖、欲望と満足、好機と危機といった相互に関連する多くの体系が生じる。そして、自然的態度のうちにある人は、それらに駆り立てられて、世界を支配しようと試みたり、障害をのりこえたり、計画を立てたり、その計画を実現したりするのである。(1962a: 228)

〈人の計画〉が以下のようなことを意味しているか否かは、定かではない。⑴自分自身を護ることによって死を追い払うこと、⑵死ぬまでに残された自分の時間が生産的に使われるのを確実にすること、⑶自分が達成することによって自分が〔他者に〕記憶されること、⑷これら以外の結果を生み出すこと。言及されているこれらの計画はすべて、さしせまった死と折り合う方法である。したがって、多くの可能性があるので、シュッツは〈人の計画がその人の根源的不安とどのように関連するか〉を特定する必要はない。

この働きかけの世界では、〈世界が実際に存在するか否か〉についての哲学的な関心がその中に入りこまないこと、に留意するのが重要である。われわれは〈過去の体験は一般に過去に現われたのと同じように現われ、新しい体験は現在の知識のストックに包摂されうる〉と信じている。その結果として、〈自然的態度のエポケー〉は、外的世界の存在についてのいかなる疑念も遮断することを含んでいる(1962a: 226–229)。

類型的なものに焦点をあてること
――働きかけの世界における〈実利志向の自己〉の特徴4――

日常生活を管理する実利的命令は、われわれの注意の選択（何に焦点をあわせ、何を無視するか）を決定するさいに、大きな役割をはたす。このことは類型を使用するとき特に明確になる。例えば、状況C'で、事態S'をもたらすために、行動A'に初めて取り組むとき（例えば、初めて、学校に行くために家をでて、学校でその日をすごすとき）、われわれはその結果についてまったく確信をもてないし、その新しさにおいてあらゆる物事がやや衝撃的である。二日目には、結果S''をもたらすために、状況C''で、行動A''を実行にうつすが、最初の日に体験したのと同じ体験が多数ある。しかし、少なくともわずかな変化がいくつかある――例えば、二日目には、家を少し遅くでる、やや違う道をえらぶ、少し速く歩く、わずかな時間だが道をふさいでいるトラックに遭遇する、クラスで〔昨日と〕異なることをする――が、核心的な違いは〈二回目のほうが確信をもてないことがはるかに少ない〉ことである。三日目にも、この行動（A'''、C'''、S'''）をくり返す。しかし、決まった状況で学校に通うことや、他の日とまったく同じ一日を過ごすことは決してないことを示すために、われわれは「〔毎日異なる〕最良の部分」を保持している。学校に行く一日一日はそれぞれ一度限りのもので取り戻せないとしても、日々学校に行くようになると、類型的な行動の観点から考えることがよくある――「学校で一日を過ごすために、一定の状況で学校に行く」。そして、われわれは、毎日、個性的で一度限りの物事をすべて考慮しない〔＝類型的に物事をとらえる〕のである。われわれの行動・状況・結果は、⑴通常の状況Ⓒにおいて、⑵授業に出席することの通常の結果Ⓢをともなう、⑶類型化された「学校に行くこと」Ⓐという事柄として考えられる。というのは、おのおのの一日を他の一日から区別することが、必ずしも実際に役に立つわけではないからである。私が前日の夜に「明日学校に行く」というとき、⑴〔これまでの〕他のすべての〈学校に行く〉体験の仕方の多くを思い出すことは無意味であり、⑵〔これまでの〕他のすべての〈学校に行く〉体験の仕方は、私が明日〈学校に行く〉体験の仕方とは異なるだろう、と予測することも無意味である――それぞれの体験は過去の他のすべての体験とは異なるのだ。人は、実利的目的のために、「〔毎日異なる〕最良の部分」を無関係だとして抑圧するのである。シュッツは「これは、偶然にも、あらゆる種類の類型の特徴である」と正しく述べている（1962a: 21. 20も見よ）。

われわれは、常に「木」「犬」「柵」に言及するために類型を使用している。そのさい、目の前にある木・犬・柵と、これらの他のすべての実例――それらの一つひとつは、他のものと全く同じであることは決してない――とを区別することはない。なぜなら、もしもわれわれがそうした区別をしなければならないならば、生活と言葉は全く非実用的なものになるだろうからである。われわれは誰かに〔たんに〕〈柵のそばや木の下に立つように〉ということはできず、その人に立つことを望む柵や木がほかの木や柵と異なる点をすべて明確に説明しなければならないだろう――これは信じられないほど面倒な仕事である。類型化は、この面倒な仕事から、われわれが解放されることを可能にするのである。

しかしながら、学校に行くという例について興味ぶかいことは、毎日学校に行くことを構成するすべての豊かな時間的意識過程を考慮しないことである。例えば、次のようなものである。⑴増減する恐れや不安、⑵初日に学校へ一歩ずつ向かって行くとき、期待や驚きだったものが失望に変わること、⑶ある時には心を集中させるけれども、他の日（例えば、右の例でいうと、四日目）には消えている、種々の心配や喜び。人は、最近のすべての体験を、あたかも同じであるかのように、単純に類型化するのだ。

われわれは〈他者の意図した意味――おそらく、他者との日常会話や相互影響において、何らの問題もなく、われわれが類型的に到達するもの――を容易に理解できる〉と想定しているかぎりにおいて、⑴体験を類型化すること、⑵あらゆる体験にふくまれる豊かな時間の流れを無視することを、実利的に強調することは一種の最高潮に達する。しかしながら、われわれが他者を理解することの安易さ（日常生活の実利的な必要性）は、各個人を構成する豊かな時間の過程を考慮しない。それゆえ、シュッツは〈他者の意図した意味を理解することは制限つきの概念である〉ことを思い出させる。

だから、〈私は、他者の主観的体験を、他者が観察するのと全く同じように観察することができる〉という仮定は不合理である。というのは、その仮定は〈私自身が、この〔他者の〕体験が構成されている意識状態や意図的行為をすべて生き抜いてきた〉ことを前提としているからである。……そして、私のこの体験は、〔他者のもった〕印象、それを取り囲む未来把持と過去把持の領域、反省という行為、空想などをふくんだ、最も微細な詳細にいたるまで、他者の体験を複写しなければならないだろう。しかし、これで終わりではない。すなわち、私は他者のすべての体験を思い出すことができなければならないので、他者が生き抜いたのと同じ順序でこれらの体験を生き抜かなければならなかったのだ。最後に、私は、他者が向けたのとまったく同じ程度の注意をそれらの体験に向けなければならなかったはずである。要するに、私の意識の流れは他者の意識の流れと一致しなければならないであろう。これは〈私はその他者と同一人物でなければならない〉というのと同じである〔＝これは不可能である〕。（1967: 99）

〈実利的目的のために類型的なものに焦点をあてる〉という活動態度の世界で育まれた傾向を考慮すると、少なくとも、〔右の一節でシュッツによって展開された〕現象学的還元のような〈反省過程〉が個人の意識の流れを可視化するまでは、その個人の意識の流れの比類なさを見失うことが多いのも不思議ではない。シュッツがさまざまな定式化で論じているように、「実利的動機が支配する自然的態度では、これらの〈非類型的な〉、つまり独自的で再現不可能な体験の側面は、一般的に、関心をもたれない」（Schutz and Luckmann 1973: 237. 50, 146, 240 も見よ。また、Schutz and Luckmann 1983: 63, 109 も見よ）。のちほど示すが、宗教的な限定された意味領域では、体験の類型性のかわりに、体験の独自性とその再現不可能性に焦点を当てることが多い。また、個人の比類なさが〔実用的なものの圧力による〕その隠蔽状態からどのようにして際立つようになるか（Schutz and Luckmann 1973: 237）も示したい。

他者を類型化すること
――働きかけの世界における〈実利志向の自己〉の特徴5――

もちろん、われわれの多様な生活史の状況や関連性体系をふくんだ意識の流れは、われわれ一人ひとりを根本的に個別化する。そして、その意識の流れは、〔情報の〕伝達者と解釈者のあいだで使用される解釈図式を、その図式が〔両者で〕完全に一致できないような仕方で変形させる。「悪魔のような」〔という言葉〕の客観的な意味は、例えばゲーテがそれを使うとき、あらゆる種類の主観的な含蓄とともに与えられる。しかし、これらの〔ゲーテに特有の〕主観的な含蓄は他の人々によって使われるときには現われないであろう。これは、あらゆる話者や作者の主観的な枠組みの内部でとりあげられる、すべての客観的意味にとっての事実である。一人ひとりの時間的な意識の流れが、その人の〔言葉の〕含蓄が他者の〔言葉の〕含蓄と決して一致しないままで、その人を個別化するとしよう。そうすると、このことが相互主観的意思疎通で生じるとき、「理想的な意味で完全に成功する意思疎通〔の実現〕にはのりこえられない限界がある」（1962c: 323）ように思われる。しかし、ここでもまた、日常生活の実利的命令がわれわれを導く。すなわち、〈いったん、他者を充分に理解してしまえば、その人が使用する記号によって意味されることを、それ以上に厳密に追求してはいけない〉ということである（1967: 38を見よ）。動機と目標の類型的な結合は、双方の当事者たちの合意を保証し、日常生活の実用的必要性には充分である（Schutz and Luckmann 1983: 86）。われわれは他者とわれわれとの間で異なる事柄を無視する。そして、主観的意味構造は、「括弧でくくられ」、共有された記号体系にぞくする客観的な意味におきかえられる（Schutz and Luckmann 1973: 282f.; Schutz and Luckmann 1983: 109）。ある意味で、他者を理解するためにわれわれが求める精確さの程度は、われわれがもっている実利的目的に左右される。

視点の互換性および関連性の一致——これらは一緒になって視点の相互性の一般定立を構築する——がもたらされれば、〈われわれの双方が意図している実用的目標を達成できるように〉なるために、われわれの異なる生活史的状況から生じる理解と説明とに見られる相違は無意味となる。くり返しになるが、われわれの特殊性と独自性の認識は、働きかけの世界で問題となっている最優先の実用的価値に従属しているのだ。他の多くの点で、働きかけの世界では、⑴単定立的な結果につながる複定立的な過程よりも、単定立的な成果に固執するかぎりにおいて、⑵最終的な説明を理解すること（例えば、電話機の操作の背後にある物理学の理解）への好奇心を追い求めないかぎりにおいて、実利的動機が優先する。同様に、次のような場合にも、〈個性〉に対する注意は制限される。すなわち、⑴われわれが類型としてかかわっている同時代者・後続者・先行者たちと関わりをもつとき、⑵空間と時間の隔たりが人間関係にもたらす違いを無視するとき、⑶同時代者の個性を不明のままにするとき――例えば、その同時代者（例えば郵便配達員）をわれわれのために遂行している実利的な働きという観点からのみ考えるとき――である（Schutz and Luckmann 1973: 77, 90f., 117, 121f., 139; Schutz 1962b: 25f.）。さらに、行動の仕方を決める前に自分たち自身の計画を熟考するときのように、働きかけの世界における実用性の直接的な圧力から逃れているとき、こうしたときの時間でさえも実用的目的と結果に向けられている。これは、科学理論における観照が、働きかけの世界の実利的命令を無効にするのとは異なる（1962a: 245）。類型化はそれ自体が実用的であることが証明されているので、個性を考慮しない類型化が日常生活の中で習慣的に使用されていることを、心に留めておくべきである。類型化は、過去に効果的に利用された類型化をよびおこす、類似した現在の状況によってよびおこされる〈受動的総合〉を介して、即座に、自動的に、疑いなく、適用される。

働きかけの世界の〈知識のストック〉はくり返し確認されている。だが、この知識のストックの妥当性についての根本的な疑いは、つねに可能であり、容易に克服できない危機によって生起する可能性がある。これらの危機は、〈働きかけの世界の知識のストックが不適切である〉と思われるという観点から、働きかけない限定された意味領域への「飛躍」を動機づけるかもしれない。しかしながら、その他の場合には、働きかけない意味領域への移行はそれほど劇的なものではないだろう。例えば、ますます意味を失いつつある世界において何らかの〈意味〉を見つけるために、血まみれの内戦や破壊的なテロ攻撃が、文学・哲学・宗教に目を向けるように文化をうながすかもしれない。ここで、働きかけの世界に対する抵抗について考察するために、〈理論的‐科学的な限定された意味領域〉および〈文学的な限定された意味領域〉に目をむけよう。これは〈シュッツがどのように宗教という限定された領域についての議論を展開させることができたか〉(Schutz and Luckmann 1973: 122-125, 169-171) を推測するための前置きである。

第一部　実利的傾向に対する、〈理論的‐観照的な限定された意味領域〉と〈文学的な限定された意味領域〉における抵抗

世俗的な働きかけの実利主義に対する、理論と文学における一般的抵抗

科学理論の意味領域は「いかなる実用的目的にも役立たない」。なぜなら、その意図は「世界を支配することではなく、それを観察してできるかぎり理解すること」だからである (1962a: 245)。たしかに、次のようなことを望む理由によって、人は働きかけの世界から科学的な領域に移行し、その領域に入るのであろう。(1)働きかけの世界をより良くすること、(2)働きかけの世界とわれわれが折り合うための新しい技術を発明すること、(3)(おそらく哲学の場合には、)根源的不安によって生み出された恐怖をやわらげること。しかしながら、いったん理論の領域に入ると、実際の世界への影響とは関係なく、人は当面の理論上の問題を解決することに専念する。人は証拠を修正したり、

真実であると認識したことを変更したりすることはできない。というのは、それが実用的により有益だからである（自然科学でそのようなことをしてしまうと、最終的に、導き出された結論がまったく無益となるだろう）。

同様に、文学の領域は、実利的な働きかけの世界からの命令から逃れることによって、境界が定められる。例えば、シュッツは、ヨハン・ヴィルヘルム・ゲーテの『ヴィルヘルム・マイスターの遍歴時代』の第二版（一八二九年）にある短編物語に登場する人物たちが、その小説の本体に突然登場するようすを考察しているのだが、シュッツは、その小説および文学の領域全体が〈いかに日常的な働きかけの世界の規則に縛られていないか〉について熟考している。その小説が答えない実利的細目をめぐる一連の問いを投げかけたあとで、シュッツは文学の領域の特殊性を説明している。

これらの問いかけはすべて無意味である。〔文学の領域における〕支配的な動機づけは、日常生活の現実の脈絡には関係がなく、日常生活の領域の論理と通約できない。その〔文学の領域における〕動機づけは全く別種のものであり、夢の体験の動機づけに似た動機づけである。夢の体験においては、〈いかに〉〈どこから〉〈なぜ〉をめぐる驚くべき問いに人を導くような事象なしに、種々の夢のイメージが混ざり合い、押し合いへし合いし、お互いに通り抜ける。この時点まで、夢の内容が何も知らなかった〈矢印付きの地図〉は、夢見る人が現実生活では両立しえない内容間の関係を想像するのに充分な動機である。詩的な出来事の論理がある。これは、(1)合理的思考の論理と衝突するように、(2)叙情詩の言語には日常会話の文法と衝突する文法的範疇さえもあるように、日常生活の風潮と衝突する。(2013: 356)

理論的観照における〈働きかけの世界の五つの特徴〉の逆転

基本的な定義が〈日常生活の働きかけの世界の実利的命令〉に束縛されないことをふくんだ、限定された意味領域に人がはいると、働きかけの世界に存在する実利的な諸側面(および「至高の意味領域」で説明した諸側面)の多くが見つからないか、修正されていることがわかる。例えば、理論の領域では、理論家は、自分の物理的存在と、すべての空間的・時間的座標の〈定位零点〉としての自分の身体とを括弧に入れる。その理論家は、働きかけの世界で実利性を志向している行為者のように、「外の世界とかみあう」ことはない。〈働きかけの世界において〉種々の時間的・空間的超越と折り合いをつけるという計画は、次のような場合に、その妥当性を失う。すなわち、(1)理論家が、働きかけの世界とのそうしたかみあいや、自分の個人的な環境に現われる個人的な問題を解決することに、無関心であるとき、(2)その代わりに、〈理論の世界において〉「それ独自の権利により、あらゆる場所で、あらゆる時に、あらゆる人にとって妥当である」問題やその解決に興味があるとき(1962a: 248)。

さらに、理論家の関連性は根源的不安によって形作られることはない(ただし、その理論家が、哲学者として例えば根源的不安に対処するために、理論家(哲学者)になった可能性はある)。いったん理論の領域内に入ると、理論家はすべての不安や恐怖を無視する。そして、妥当なもの、将来の検証試験に耐えうるものを、実直に発見することを模索する。それゆえ、理論家は、(1)〈私心のない観察者〉になり、(2)働きかけの世界の諸関連性を科学者の諸関連性とおきかえ、(3)働きかけの世界の内部にいる日常的行為者の行動を支配する価値から自分自身を切り離すことによって、マックス・ウェーバーが〈社会科学の客観性〉と呼ぶものを追求している。

実利的な観点から類型的なものに焦点をあて、非類型的なものを無視することがなくなるかぎりにおいて、たしかに、理論家は〈科学に着手しよう〉という決心によって、自分が追求する科学の伝統に基礎をおく、その科学の普遍的な流儀を共有する。しかしながら、事前に構成された〈科学者が解決しようとしている〉諸問題が組み立てられた仕方を、受け入れたり拒否したりすることは許される。ただし、当然のことながら、その科学者はそのような仮定に従ってはならない理由を述べなければならない。科学者は、証拠にもとづいて「それ自体が真実であること、理想化されたもの」（Husserl 1972: 286）を追求するために、「前もって与えられたいかなる意見も伝統も、疑うことなく、受け入れない決意」（Husserl 1972: 286）を採用している。これは、フッサールが初期のギリシアにおける哲学理論の創始期から〈哲学理論にとって批判的だ〉とみなす態度である。このような態度のために、理論家は〈問題を定式化し解決策を見つける〉という類型的に受け入れられている方法を超えたものを見る目、すなわち、新奇で思いもよらないものを見る目を（少なくとも働きかけの世界の住人よりも）持たなければならない。さらに、理論の領域の内省的姿勢の特徴は、個人の比類なさと非類型性に焦点を合わせられることである。もっとも、それは、その姿勢が、⑴フッサールが超越論的自我の研究で吟味した時間的な意識の流れ、⑵シュッツが指摘したように、他者の〔意識の〕流れをその順序と生活史において決して再現しえない時間的な意識の流れを、浮上させるかぎりにおいてである。

最後に、理論家は〔理論的観照のさい〕、自分にとっての実利的な有用性にもとづいていない他者へのアプローチを採用するが、その理論的姿勢に特有の一種の孤独がある。たしかに、理論家の論議領界は、他の人々によってもたらされた問題・結果・解決策・方法に依存している。だが、〈他の人々の信念または自分自身の信念を、疑うことなく、受け入れたりはしない〉という決意は、働きかけの世界における他者への実利的アプローチとの調整を必要とする。理論家は、受動的総合や〔円滑に展開する諸関係を構築する〕文化的に承認された類型化によって、ほとんど疑うことなく単純に、他者にアプローチすることはできない。実際、理論家は、「究極の証拠にしたがった事実上の自律性」(Husserl 1960: 6)によって自分自身を形作りつつ、他者の主張を批判的に問わなければならない。この自律性は、理論家が自分自身のために生み出し、理論的な意味領域の本質をなす〈責任ある孤独〉をもたらした。さらに、他者はたんに〈自分の実利的目的を達成できる人〉として考えられているわけではない。そうではなく、理論家は、〈根拠の確実なもの〉を見つけるための自分の探求ゆえに、他者が、⑴その理論家自身の諸信念を疑問視すること、⑵それらの信念〔の保持〕をさまたげること、⑶それらの信念の当然視を動揺させてしまうことに、心を開いていなければならない。これは、働きかけの世界――そこでは、他者同士が自分の目的に対する実利的有効性という観点から関係を築いている――の環境〔における態度〕とは、かけはなれた態度でなされるべきである。これらすべての事柄において、科学理論の意味領域は、日常的な働きかけの世界を構成する基本的特徴に反しており、そのことによって、働きかけの世界における実利性の強調から切り離されているのだ（1962a: 246-248, 250; 1962d: 63）。

文学的意味領域における〈働きかけの世界の五つの特徴〉の逆転

〔理論的な意味領域と〕同様に、文学的な意味領域は、働きかけの世界を特徴づける五つの特徴と相反する特徴を示している。読者は、ある程度、小説・演劇・詩がそれらとの関係において提示される〈定位零点〉を保持している。だが、読者には〈読者を案内し導くための作者が選んだ方法に自分が依存している〉という感覚がある。間接呈示された過去や未来をとおして、あるいは、間接呈示された近い場所や遠い場所をとおして、作者は読者を魅惑するのだ。文章および文章の空隙において、作者によって示された離れた空間／時間という〈小さな超越〉は、読者を先へと導く地平に入ったとき、読者の好奇心と今後の期待を高める（Iser 1980: 43, 72f, 82, 87f, 92, 109, 130, 132, 141–143, 148, 158, 168f, 183, 186, 189, 192, 194, 197, 202–204, 206, 212, 220. Barber 2014 も見よ）。読者は小説や演劇の登場人物たちとの関係を築くこともできる。その登場人物たちは、作者が〈彼らが自分自身をさらけだすのが良い〉と思う程度によって、読者が〈中程度の超越〉を克服することを可能にする。そして、〈大きな超越〉つまり〈小説全体が間接呈示する意味〉も作者が伝えることに依存している。読者は〈あらゆるレベルの超越を克服するために前進している〉と感じるかもしれない。だが、〈そのような克服は作者によって導かれている〉と感じるかもしれないし、〈作者と一緒に小説を作り上げている〉と感じるかもしれない。文学的な類型である詩・演劇・小説の鑑賞が進むにつれて、しだいに、作者の存在は希薄になっていく（1998: 4-7）。さらに、読者は、小説を読むことで、その視点が作者自身の視点と一致したりしなかったりする、〈小説の〉語り手の視点や特定の登場人物の視点に頼っている〈自分〉を見つけることもある。それゆえ、読者の方向づけの定位零点は自分自身のものであるように思われるが、しばしば、他の誰か／作者／登場人物の定位零点と同一視されている。したがって、小説を読み進めるにつれて、超越を克服することにおいて読者がもっている力の感覚は、〈文学的な舞台を設定するのは作者である〉という事実と著しい対照をなす。くわえて、文学の領域に入るさい、読者は、働きかけの世界にある自分の時間・空間の座標を放棄し、働きかけの世界に入りこむことをやめる。そして、読者が想像するように、登場人物たちが自分たちの働きかけの世界に入りこむのを見る。くわえて、多様な登場人物の視点を楽しむとき、おそらく、読者は多数の方向づけの定位零点に立つのである。最後に、〈ヴィルヘルム・マイスターの小説などの〉小説を読んだり演劇を見たりするさいに、しばしば、読者は〈〔登場人物の〕行動が、時間の流れにしたがって、決して意図されなかった結果をいかにもたらすか〉を認識するようになる。これらの結果は、自分自身の統制を超えた、自分自身の宿命や運命の作用についての熟考をひきおこす（「主人公に計画はないが、その演劇は完全に計画されている」）（2013: 330）。そのことによって、小説は、読者が働きかけの世界でもっている〈力の感覚〉（自分が偶然を実利的に支配できるという感覚）を弱体化させる。そして、〈自分が本当に自身の運命を全面的に支配しているのか〉という疑問を生じさせるのである。それは、あたかも、より広い視点が、読者がそこから自身の実利的な計画を実現しようとする定位零点を包摂し脈絡化するようなものである。読者は、文学の領域において、小説のなかで〈超越を克服する〉という感覚をもっている。だが、その領域では、自己は多くの点で時間・空間の座標にとっての定位零点としての地位をうしない、行為する自我として自己が行使する力は減少させられるか、疑問に付されるのである。

文学を読むさいに、読者は、働きかけの世界に身体的に介入しないかぎり、働きかけの世界の実用的命令にしたがわない。実用的な関連性は、⑴文学を鑑賞すること、⑵現在かかわりをもっている詩・演劇・小説に注意深く没頭すること、⑶象徴やそれが間接呈示する意義を分析すること、にかかわる関連性にとってかわられる。読者は根源的不安に動揺している自分自身を見つけることはもうない。だが、（文学ほど想像的ではないが）理論的観照の研究方法の場合と同じく、作者や小説・演劇・詩における多種多様な登場人物に応じて、根源的不安の意義をめぐって反省的な態度をとる。〔つまり、〕働きかけの世界を支配している自分自身の根源的不安から、反省的に距離をとるのだ。

さらに、文学は、働きかけの世界が無意味だとみなす〈非類型的なもの〉に焦点を合わせる力を持っている。例えば、ヴィルヘルム・マイスターの小説は〈歴史の変わり目と驚異がどのようにしてあらゆる個人を比類なきものに形作るか〉を示している。すなわち、われわれが通り抜ける諸体験を統合するための自由を必ずしも否定することなく、「われわれにたまたま起こるあらゆる物事は、その背後に、いくらかの痕跡をのこす。あらゆる物事は、われわれを形成するのに、気づかないうちに貢献している」（2013: 324）のである。くり返すが、文学は、理論の領域がたよらない仕方で、イメージにたよっている。だが、それが個人の比類なさについて提起する諸問題は、意識の流れと超越論的自我に関する現象学的 - 理論的反省と相互に接近しあう。それで、現象学者のシュッツが、ゲーテの『ヴィルヘルム・マイスターの遍歴時代』と彼の詩の中にみられる〈時間性〉という主題に多くの紙幅を費やすのは、当然のことである。時間的展開（安定性の儚さ）という主題は、独自的で個性的な意識の発展と関係がある。さらに、ヴィルヘルム・マイスターがある場所から他の場所へとさまようことは、精神の形而上学的な彷徨を象徴している。なぜなら、それはある体験から別の体験へと絶え間なく移り変わるからだ（2013: 336, 347, 368–371, 401f.）。

最後に、文学の領域内部の相互主観性は、作者との関係において読者をふくんでいる。そして、ちょうど『遍歴時代』における短編小説の登場人物たちが、小説本体の登場人物たちの仲間になるのと同じように、小説の登場人物たちは小説の読者の人生における仲間となるのである。これらの相互主観的関係においては、読者は〈働きかけの世界でみなすように〉他者を〈実利的に有用である〉とみなすことはほとんどない。その代わりに、読者は、作者と登場人物の意義を解読し、彼らによって教えられるように努める。読者にとって、登場人物たちと交流しながら関わり合うようになることは、諸個人同士がお互いを対比することにより、諸個人の比類なさを認識し、諸個人に対するその人自身の比類なさを理解するようになることである。登場人物の〔行動の〕展開が、人が登場人物について懐いていた表面的な類型化を無効にするとき、すなわち、⑴登場人物が小説の偶発的な状況において、読者が期待しなかったように行動するとき、⑵意思疎通のへだたり――これは、独特の個性をもった登場人物の心の中に入っていける読者のみが充分に認識できる――をめぐる痛みを読者が発見したとき、驚くべきことになる。いいかえれば、文学は根源的不安から解放され、それについて熟考することになるのだ。そして、文学は諸個人（自分自身）の比類のない驚くべき性格と、意思疎通の妨げ――これらこそが、実利的動機が抑制するようにわれわれを導く、働きかけの世界の特徴である――とに注意を集中する。

第二部　宗教的な意味領域

宗教的な意味領域における、実利主義的なものに対する一般的抵抗

理論ないし文学の意味領域のように、宗教の意味領域は実利的な働きかけの世界に特徴的な特定の傾向に抵抗する。〈聖なる時間と空間〉はこの意味領域を世俗世界から区切ることがよくある。例えば、人は、蠟燭を灯したり、特別な服や衣装を身につけたり、祈りの初めに瞑想的な姿勢をとったりするのである。これらはすべて、人が働きかけの世界から距離をとり、宗教の領域への入口を

確立する〈一種のエポケー〉を実行する方法として機能する。それは、理論化しようという決意や小説の冒頭が、それらの特別な領域への入口を示すのと同じである。ただし、いかなる明示的なエポケーもおこなわずに、たんに人生に対して宗教的態度をとるようになることも可能である。また、マーティン・エンドレスは、エポケーが作動するさまざまな仕方を詳しく述べている。すなわち、エポケーは、(1)計画された態度変更として、(2)方法論的に実行された〈翻身〉〔住んでいる世界を変えること〕として、(3)突然の破滅的な跳躍として、(4)〔何事かの〕激化の絶頂として、(5)たんに自分自身を新しい気分にさせることなどとして、作動するのである（Endress 2006: 87）。〔これらの「エポケー」はフッサール本来のものとはかなり趣を異にしている。〕

たしかに、過去と現在の多くの宗教的実践の源が、神に〈自分たちのために、作物がよく実るように、雨が降るように、手術が成功するように、実利的な行為をしてくれるように〉と訴える嘆願者の願望にあるかぎり、人は〈宗教の領域は理論／文学の領域よりもはるかに実利主義的に方向づけられている〉と主張するかもしれない。現実には、実用的関心事が理論／文学の領域にどのように侵入するかも想像できる。それは、例えば、(1)特定の実利的関心事が理論化を支配するとき〔〈利潤を追求する〉イデオロギー的小冊子の生産によって、〈真理の問題〉が最終的に無意味になるとき〕、(2)作者の芸術性を忘れて、たんに教訓的な目的のために文学作品を書いたり読んだりするとき、である。

しかしながら、宗教の領域を働きかけの世界からより明確に区別する、他の宗教体験がある。〈畏敬〉〈神聖なる美しさ〉〈感謝〉の体験は、何らかの実利的な目標の達成から完全に切り離されることがある。瞑想の体験もある。そこでは、神が臨在するなかで、あるいは、実用的状況によって引き起こされた不安が平穏に消滅するなかで、静かに休息をとるために、実用的衝動とそれにともなう落ち着かない思考とが放棄される。さらに、種々の宗教体験には、自分自身の実利的関心とまったく対立するかもしれない仕方において、〈キング、ガンジー、ロメロのような道徳的英雄たちが示したような〉他者や神に奉仕するための召喚もふくまれる。そうした人々は、レヴィナスが述べているように、宗教的かつ人道主義的な動機のために、彼ら自身の死よりも他者の殺害を恐れることができたのである（Levinas 1979: 246f.）。もちろん、〈そのような英雄は、永遠の報酬を得るという実利的希望のために、自らの死に向かうことしかできない〉と主張する人もいるかもしれない。だが、これらの道徳的英雄たち自身の証言は、永遠の報酬のために自分たちの命を投げ出すためのいかなる実利的計画よりも、他者への関心がはるかに彼らを夢中にさせたことを示唆している。

実利的目的に抵抗し宗教の領域で人を動機づける、動機づけの呵責のない例が「ダニエル書」の物語に現われている。そこでは、三人の青年が、ネブカドネザル王の像を崇拝しなければ、王の燃えさかる炉に投げ込まれる。この物語は、三人の青年が次のように語るとき、実利的目的に全く対立するように見える、神へのある種の忠誠を示している。

わたしたちのお仕えする神は、その燃え盛る炉や王様の手からわたしたちを救うことができますし、必ず救ってくださいます。そうでなくとも、御承知ください。わたしたちは王様の神々に仕えることも、お建てになった金の像を拝むことも、決していたしません。（「ダニエル書」3章17―18節）。

宗教の領域は〈明らかに働きかけの世界の実利的動機づけと対立するように設定されている〉と思われる体験をふくんでいる。そして、その体験は、実利的な品物を得るために神を利用することに熱心な宗教的な人〔実際は非宗教的な人〕を支配している動機〔による体験〕とは、大きく異なる。実際に、〈もっとも粗野な実用的言葉で神に近づく人々、すなわち、望むものを手に入れるかあるいは神との関係を放棄するかのいずれかの人々は、宗教伝統自体が「報いられない祈り」という問題にアプローチする方法を無視する〉といえよう。そのような伝統では〈祈りで表現される〔神への〕依存は、人が欲しいものを受け取れないときに試されるかもしれない――だが、必ずしも損なわれるとは限らない――より広い〔神との〕信頼関係の一部である〉としばしば主張される。完全に実利主義化された宗教的関係は、けっきょく、〈報いられない祈り〉という試金石に直面するだろう。厳密な実利の論理にしたがうならば、祈りが報われない人は、宗教的実践を完全に放棄することを選ぶかもしれない。なぜなら、その〔祈りという〕宗教的実践は実利的な品物を期待どおりに提供できないと思われるからである。反対に、その人は、信仰を、神との関係をより非実利的にすること／完全に非実利的にすることを要求するものとして、心に描きはじめるかもしれない。

理論の領域を徹底的に実利主義化した人の場合にも、同じような種類の変化がおこるかもしれない。それは、イデオロギー的小冊子を書いている人が〈そのような小冊子内の議論は真実であると見せかけているだけであり、そのために、真理という理想に寄生している〉ことを認識するときのような場合である。その時点で、そのイデオロギー的理論家は、(1)自分のイデオロギーに固執するかもしれないし、そうでなければ、(2)理論的 - 観照的態度を完全に受け入れ、たとえその態度が自分の実利的利益に反しても、真理を追求するかもしれない。ある意味で、〈報いられない祈り〉は宗教の信者をきわだった整合性のある二つの選択肢に直面させる。すなわち、(1)宗教の領域を、その実利的な〔観点からの〕無効力さと当てにならなさとのために、放棄すること、(2)その論理が、働きかけの世界を支配している諸規則に真っ向から反している、宗教の領域にさらに深く入りこんでいくこと、という二つの選択肢である。

宗教的意味領域と〈働きかけの世界の五つの特徴〉

宗教の領域を、実利的志向への抵抗によって一般的に形作られた領域としていったん画定したならば、理論と文学の領域の場合と同様に、日常的な働きかけの世界の多くの特徴を逆転する方法を考えることができる。

実利的な働きかけの世界では、世界はすべての時間・空間の座標にとっての定位零点としての人の自己を中心に編成されている。〔これが働きかけの世界の第一の特徴である。〕だが、宗教の領域では、自分を中心に対象や出来事が編成されているのではなく、〔神などの〕自分以外の中心点を中心に編成されている。シュッツは、ウェーバー流の社会科学の核心である〈客観的意味および主観的意味という基本的問題〉から予想されるように、〈神中心〉の観点へのこの移行を説明している。

存在するすべてのものに対する主観的な意味をさがす傾向は、人間の心にふかく根ざしている。あらゆる対象の意味を探すことは〈その対象はかつて何らかの精神によって意味を与えられた〉という見解と密接に結びついている。それゆえ、世界のうちに存在するあらゆるものは、創作品として、したがって、神の心の中で起こったことの証拠として、解釈することができるのである。本当に、宇宙全体が神の創造物とみなすことができ、宇宙全体が神の創造行為の証拠となる。もちろん、これは、厳密な諸科学の外部にある諸問題の全領域にさしあたり言及するためだけのものである。いずれにせよ、主観的意味と客観的意味をめぐる問題は、すべての神学と形而上学への開かれた扉である。(1967: 138)

宗教的意味領域では、中心としての〈私〉から展開されてきた事物の世界と歴史が、突然、他者〈神〉の観点の導きのもとで展開しているように見えるようになる。すなわち、その世界と歴史は一つの脈絡を提供するのだが、私はその内部に自分自身を位置づけ、その内部で自分自身の行為(実利的な行為さえも)をおこなうのである。

たしかに、この〈自分自身からの脱‐中心化〉は、理論の領域で行なわれている身体の知的な括弧入れをまさに巻きこむ、というのではない。その代わりに、人は働きかけの世界における自分の行動や目的に対して（理論的観照の反省的態度と同様の）反省的態度をとる。働きかけの世界での自分の行動に対する観照的な姿勢（宗教的態度の特徴）は、小説を読むさいにとる沈思の態度に似ている。ただし、文学においては、この反省的転回は〔小説などにおける〕出来事や登場人物によって媒介されるが、宗教においては、人は自分自身の人生や出来事をもっと直接的に熟考する。くわえて、定位零点としての自分自身の観点からの一種の移動は、文学と宗教において生じる。これは、文学の作者の視点が登場人物を形作ってその物語を導いていくかぎり、また、神が宗教の信者の人生における出来事の展開を導くと信じられているかぎりにおいて、である。それでも、〔文学の〕読者や宗教の信者は、それぞれがまだ自分自身の人生の決定を下すという体験や、登場人物の行動の解釈方法を自分で選ぶという体験をしているかぎり、何か自分たち自身の見方というものを保持しているのである。行為者の自由意志、および、摂理または〔行為者の決定論の外部にある〕神の決定論という観点をめぐる議論は、社会科学が研究する主観的視点と客観的視点の相違をまさに顧みさせるかもしれない。さらに、宗教の領域において、直接に問題となっているものが自分自身の人生物語であるかぎり、宗教の領域は文学の領域とは異なる。文学の領域では、自分自身の人生についての反省は、小説の中の登場人物や出来事の物語を通して、身代わり的に仲介されている。したがって、自分自身の物語と神との無媒介的関係は、読者と文学的物語の作者との関係よりも、さらに直接的に個人的に重要なものである。というのは、文学的物語の登場人物や筋書きは、自分自身の人生物語をめぐる反省をもたらす（作者と読者の）仲介物としてしか機能しないからである。

働きかけの世界の第二の特徴は〈行為する自我が、超越を到達可能な範囲にもたらす能力を行使したり体験したりする力の感覚〉であるが、これは、宗教の領域では変更される。たしかに、人は、⑴理論の領域におけるように、理論上の問題を解決することに集中しているからといって、もしくは、⑵どの登場人物も実際には働きかけの世界とかみあわない文学の領域に入るからといって、働きかけの世界に入りこむことを避けたりはしない。宗教的意味領域では、人は、働きかけの世界に対して、そして、その世界に入りこんで超越を到達可能な範囲にもたらすことに対して、独特の反省的－解釈的方法をとる。だが、宗教的意味領域では、〈自分の行動の脈絡はより包括的な神の観点によってもたらされている〉と理解されている。人の行動にはその人自身の主観的意味がある。しかし、行動は〈神の客観的意味の脈絡〉に関連する意味の脈絡でおこる。宗教の領域の場合には、過去の非人格的な出来事や、文学における宿命・運命についての思索を刺激する偶然的で意図されなかった結果が、〈神の意図的で人格的な活動の結果である〉と宗教の領域内部で考えられている。文学的・宗教的意味領域では、登場人物や宗教の信者は、⑴過去を思い出したり、⑵何かが起こるのを期待して離れた場所に行ったり、⑶未来を築くための手段を講じたりすることによって、超越を到達可能な範囲にもたらすように見えるかもしれない。しかし、文学的・宗教的意味領域では、人は、⑴過去の出来事、⑵離れた場所での体験、⑶自分がもたらす未来は、〈まったく自分自身の行為によるものだというわけではない〉という感覚ももっているのである。これらの出来事は、文学の作者の意図や神の摂理から生じている／生じるだろう。『遍歴時代』の中にある明白な例は、ヴィルヘルム・マイスターが、子供時代の友人が過去に病気で死んだこと思い出し、人々を助けるために医者になることを決心するときに起こる。小説の終わりで、彼は自分の息子の命を救うための準備が自分自身にととのっていることを「偶然に」知るのである。この場合、小説での過去の出来事がヴィルヘルムを医者になるよう動機づけている。まさに、このことが、ヴィルヘルム自身が計画したり予見したりすることの決してできなかった仕方で、彼の息子を救うことになったのである。文学の領域では、これらの超越を、自らについての反省を誘発する架空の登場人物によって体験されるものと見る傾向がある。だが、宗教の領域内部での過去と未来の超越は、ふたたび自分自身のものとして見られ、少なくとも部分的には、（自由意志と神の決定論との板挟みをいかに解決するかに依存しながら）自分自身と人格的な関係をもつ神の行為から帰結するとみなされるのである。

　さらに、さまざまな宗教の神秘的伝統も、〈われわれ自身の力によっては、大きな超越（例えば、神）を到達可能な範囲にもたらすことはできないので、啓示において神みずからが意のままに自身を現わすのを待たなければならない〉と強調していることを付け加えなければならない。自分の宗教哲学でそのような〈啓示の中心性〉を強調した、マックス・シェーラーも「至福と絶望は、われわれの意志によっては決して生み出されえない感情である」と主張した（Scheler 1973: 349）。ここでまた、〈報われない祈り〉の場合のように、働きかけの世界の実利的動機に対する抵抗が、宗教の意味領域で明白になる。

働きかけの世界の第三の特徴は〈人の関連性は、最終的に自分の死をめぐる根源的不安に根拠をおく、実用的な関心によって支配されている〉ことである。この特徴に関連して、宗教の領域においては、人は〔理論家の場合のように〕根源的不安について理論化するためにこれを遠ざけることはない。また、小説の登場人物の行動や恐れを通して、身代わり的に、根源的不安との闘いを体験するのでもない。そうではなく、宗教の領域では〈自分自身の根源的不安が直接に問題となっている〉のである。しかしながら、そもそも、人が宗教の領域において〈死に対する根源的不安が消えること〉を期待しているのであれば、レヴィナスの「〈自分は死からその苦悩を取り去った〉と主張する者ほど偽善的な者はいない。それは〈宗教の約束者〉でさえできない」(Levinas 1998: 129) という論評に注意すべきである。それにもかかわらず、さまざまな宗教伝統は〈人々は、たとえ自分たちが追求する実利的な計画を実現することに失敗するとしても、富と価値を持っている〉と主張している。というのは、神の目前で、自分自身の主観的観点――通常、これはその計画の達成に熱心である――と対立する〔神の〕客観的観点から〔自分が〕評価されるからである。その時、彼らの私有財産は彼らの計画を超越するために取り去られている。このように、宗教的観点は、働きかけの世界でのアプローチとは対照的に、根源的不安に対して、まったく異なる方針〔非実利的な方針〕をとるかもしれない。働きかけの世界では、人は、死の不可避性に対処するために――例えば、(1)自分自身を護るために、(2)自分の残り時間を生産的に利用するために、(3)自分の死後ものこる名声を勝ち取るために――まさに実利的な計画を実行するのである。

一般的に、〔まれなことだが、自分の功績が永続的な名声を勝ち取らないかぎり、〕死が実利的な計画を消滅させる。おそらく、〈自分は一個人として、自分の実利的な計画の成功または失敗とは無関係に、〔神によって〕評価される〉という感覚は、〈たとえ自分の実利的な計画は死とともに滅びても、自分は一個人として死を乗り切ることができる〉という希望の原因となっているだろう。しかしながら、レヴィナスは、〈個人の不死に対する信念〉を支持しない。その代わりに、倫理的な他者の召喚が、実利的計画の最終的な実現に先行するよう人に要求できるかぎり、〈他者に対する責任を通して「死が意味を持ちうる」〉と主張する。ガンジー、キング、ロメロのような道徳的英雄たちが示すように、やはり〈意味のある死〉を残すような方法があるのだ。死は彼ら自身の〔実利的〕計画をさえぎってしまったが、他者〔の死〕に代わる彼らの死は〔いかなる実用的成果も凌駕する意味をさずける〕倫理的な意義をおびたのである。死は人の実利的計画を中断させ、将来そのような計画を引き受けることに限界をもうける〔あるいは、その人の功績が記憶されるとしても、その人を〔世界から〕取り除く〕。けれども、右のすべての仕方において、宗教の領域は、人の実利的計画の成功／失敗にかかわらず、その人の価値を指し示すのである。さらに、宗教の領域では、〈他者のための死〉に対して倫理的な意味が与えられることがよくある。たとえ、人の実利的計画のすべてが死によって阻止されるとしても、宗教の領域では、恐怖や不安――それらは、まず、死が終止符をうつ人生に重要性をあたえることを目的とした、計画や戦略の採用をうながす――からある程度の安心を得ることができる。死が心によびさますこうした不安は、宗教の領域では少なくとも軽減される。

働きかけの世界の第四の特徴は〈実効性のために、独自的で非類型的なものを犠牲にして、類型的なものに焦点を当てること〉だが、宗教体験の記述は非類型的なものの感覚への言及で満ちている。例えば、宗教体験は、(1)不意におとずれる驚くべき畏敬の念、(2)以前の世界観の崩壊後または崩壊中の回心、(3)それまでまったくもっていなかった、生涯にわたる意義を突如としてもつようになる聖句、(4)比類なき出会いというような、以前に体験したことがないものをともなう。宗教の領域は、非日常的な／非類型的なものを体験する〈場〉である。さらに、さまざまな神秘的伝統における、神を人間の実利的目的に従属させられないことの強調は、宗教における次のような禁止（否定神学の種々の変種で理論化されている禁止）によって象徴されている。すなわち、神を命名したり、（神をまさに類型化することはあたかも不適切であるかのように）神を絵姿によって捉えたりすることの禁止であるである。多くの場合、神の非類型性は、自分たちの人生の宗教物語を通して、自分たち自身の主体的体験の比類なさ――それは他の誰によっても再現されず、いかなる人間の客観的視点も適切に理解できない――に入り込む、宗教の信者の比類なさに反映される。しかしながら、全知を神に帰属させる宗教的観点においては、人は、客観的な視点から、自分の主観的体験の独自の過程を理解する何者か（＝神など）と出会う。その出会いは、(1)他の外部の観察者と共には体験することのない仕方、(2)自分の主観的体験の内部から自分自身を理解することを凌ぐ仕方によるものである。

〈働きかけの世界の第五の特徴は〈他者を類型化すること〉だが、〉ここでまた、小説における個人の自己同一性の発見と、個人の宗教物語とが、たがいに近づき合う。ただし、前者は、自分自身についての直接的な反省ではなく、自分ではない文章中の登場人物の物語についての反省を通して生じる。もちろん、個人の宗教物語も、宗教的文章の物語に関連して展開することがよくある〔例えば、ある人は、自分の人生でくり返される悲しみを〈ダビデ王のものに似ている〉と感じる〕。この点に関して、重要なのは、宗教伝統が神聖な文章にある宗教物語をしばしば利用することである。その理由は、おそらく、〔宗教〕物語それ自体が自分の比類なさを発見するための〔現実のものとは〕別の道筋を人に思い浮かべさせるからであろう。これは、時間性を明らかにすることに焦点をあてた超越論的現象学のような哲学的研究方法の実践を通してもたらされる〔異なりながらも関連している〕〈自分の比類なさ〉の発見、とは対照的である。さらに、特定の非類型性は、ユダヤ教や他の宗教伝統において際立つ倫理的命令――これは、例えば、見知らぬ人・未亡人・孤児といった人々の世話を要求する――の中心となる。こうした命令は、〔逆説的に、〕日常的な物事の成り行きの外部にいて、彼らの非類型性ゆえに生活状況や窮状が他の人々からまったく簡単に見過ごされてしまう人々に、注意をむける。

これまで見てきたように、宗教の領域における諸関係は〈他者を自分にとって実利的に有用である〉とみなすことには基づいていない。これは、文学の領域や理論の領域で、他者がそのように見なされていないのと同じである。先の〈報われない祈り〉についての議論で述べたように、宗教的・神秘的な伝統は、しばしば、次のような神への接近をすべて拒絶する。すなわち、あたかも神が、信者が差し出す出資に見合うように〔信者から〕求められたものを届けるべき、慈悲深い自動販売機であるかのような、神への接近である。むしろ、宗教的・神秘的な伝統は、〈神に対する畏敬〉と〈神を自分自身の目的に従属させることの拒絶〉とを要求する。さらに、そのような伝統の倫理的側面――これは、さまざまな宗教伝統に浸透しており、それらから切り離せないように思われる――は、神による〈他者に対する尊敬〉をさらにおし広げる。レヴィナスが述べているように、その他者たちもまた、人間の〈トータライズする〉という諸傾向をくつがえし、それに抵抗するのである。くわえて、神秘的な伝統は、〈神の他者性の尊重〉および〈神との意思疎通に必要な忍耐を要する修養の尊重〉を重視している。これは、(1)人間の他者性の尊重をはぐくむための訓練の一形態、(2)常に限界のある人間の意思疎通に必要とされる微妙な過程に忍耐強くたずさわるための訓練の一形態、と見なすことができるだろう。働きかけの世界の抑圧的命令がわれわれの留意を妨げ、宗教の領域において目立つようになるのは、まさしく、(1)相互主観的体験、(2)われわれの間の相違、(3)意思疎通の限界の右のような諸側面である。

結論

もちろん、(1)神の存在や世界の力の存在に関連して、(2)宗教の信者が宗教的意味領域にいるときに行なう主張の多くに関連して、宗教の主張の〈真実性〉に疑問を投げかけることができる。そのような疑問は、宗教の領域や宗教の前提から完全に分離された理論的意味領域から提起することができる。だが、〈宗教の領域〉における理論的観点の内部においても、似たような疑いや理論的疑問を提起したり、さらに／あるいは、宗教を理論的に擁護したりすることもできる。この理論的観点は、理論の領域と宗教の領域との交差点にあり、〈飛び地〉――そこでは、ある一つの限定された意味領域が別の意味領域をとりかこむ――を構成するであろう（1962a: 233）。

くわえて、本論文では、〔理論・文学・宗教という〕〈働きかけない意味領域〉が抵抗する実利主義は、シュッツが述べているような〈働きかけの世界の実利主義〉を参照して、理解されていることに注意すべきである。例えば、ウィリアム・ジェイムズの諸著作にあるように、〈宗教が充実した人生を究極的にもたらす〉ことを示すかもしれない実利主義の他の種々のバージョンがあって、それらは宗教的意味領域とよりうまく両立するかもしれない。しかしながら、それらの〔バージョンの〕見解が〈人の神との関係は、人が求めている成就を神が成し遂げるかどうかに左右される〉とするならば、これまで言及した〔宗教の立場にたつ〕人々からの異議に直面するであろう。それらの人々は〈神との宗教的関係は、それが実利的な成功であるか否か（例えば、祈りが報いられるか否か）

にかかわらず、それ自体のために追求されなければならない〉と主張している。

異なる意識の緊張をともなうさまざまな活動が〈宗教的意味領域という天蓋の下にある〉ことも指摘される必要がある。人は、嘆願の祈りを捧げたり、不安・思考・骨折りを打ち消そうとして瞑想を実践したりすることができる。あるいは、人は、畏敬の念を抱いたり、他者に倫理的な奉仕をしたり、自分の人生行路を反省したり、深い信心をもって宗教的文章を熱心に読んだり、宗教的意味領域内の〈飛び地〉で一心不乱に宗教の理論的／神学的分析を行なったりすることができる。これらすべての活動は、次のようなエポケーの後に起こるかぎりにおいて、宗教の領域の〈天蓋〉の下にある。すなわち、そのエポケーとは、神性（少なくとも、ユダヤ教・キリスト教・イスラム教のような宗教における神性）または他の何らかの世界の力が地平を構成する領域——これは、右のすべての活動を、他の領域で活動が実行される仕方（例えば、まったく世俗的な脈絡で文学または倫理学〔の著作〕を読むこと）とは区別しながら、活動に修正をくわえる——の内部に、人を位置づけるものである。著者は〈根源的不安の体験の変化が宗教の領域でどのように生じるのか〉〈宗教物語を読むことが他の物語を読むこととどのように異なるのか〉について論じた。だが、(1)これらの意識の緊張と、(2)これらの意識の緊張と包括的な宗教の領域との関係については、さらに論じる必要がある。

くわえて、本論文は、〈働きかけをしない意味の諸領域が、どのようにして、働きかけの世界を特徴づけている実利的動機づけに抵抗するか〉を探っているのだが、これらの領域を働きかけの世界に対立させているように思われるかもしれない。しかしながら、定義により、働きかけることが〈外的世界とかみあい、自分の身体を通して他者や世界の事物に関わること〉を意味するかぎり、宗教的意味領域が、例えば、宗教的言語・文章、他者との宗教的意思疎通、共同活動、宗教的象徴、儀式に関与すること〔これらはすべて、働きかけの世界における事柄である〕に依存しているのは否定できない。宗教的意味領域は、(1)〔働きかけの〕世界の言語と行動がなければ、(2)世代を超えて、ある行為者から別の行為者へ、あるいは共同体からその成員へと、相互主観的に受け継がれている〔働きかけの世界の〕象徴体系がなければ、考えることすらできないだろう。したがって、理論的意味領域が科学者間の意思疎通と装置・計測器の操作とをなしにすますことはできないように、宗教はその実利的な基盤から逃れることはできないのである。働きかけの世界のさまざまな成り行きが、どれほど自然科学者や宗教の信者の観点から「見通されて」(1962a: 257) いるとしても、である。さらに、以下のような事柄を示す研究が求められている。(1)宗教という限定された〔意味〕領域は、どのように働きかけの諸行為から成立・発展しており、どのようにそれらの行為に依存しているのか。(2)働きかけの諸行為は、どのように宗教の領域内部に〔働きかけの世界で支配的な実利的目的に役立つことなく〕不可避な下部構造の一部として統合されるのか。宗教的意味領域と働きかけの世界との関係は〈弁証法的なもの〉である。宗教は働きかけ〔の世界〕に抵抗する、と同時に、それに完全に依存しているのだ。

要するに、理論的観照・文学的現実・宗教的意味領域などの限定された意味領域――これらは、実利的命令の支配下にある働きかけの世界とは異なり、かつ、この世界に抵抗する――は、類似しながらも異なる方法で、意識の緊張をもたらすのである。著者は〈いかにして宗教の領域がそれ独自の方法で働きかけの世界に不足しているものを補うか〉をめぐるいくつかの見解を素描しよう試みてきた。この〔宗教の〕領域は、理論や文学のように、以下の点で、働きかけの世界に見られる基本的な特徴と対照的である。(1)〔働きかけの世界の定位零点とは異なる〕別の方向づけの定位零点を中心にして世界を組織する方法、(2)超越を到達可能な範囲にもたらす自我の能力――他の力が自我自身の力を行使することを支持するかぎりだが――の限界についての認識、(3)〔根源的〕不安とそれが形作る諸関連性との非実利的な脈絡での位置づけ、(4)よく見落とされる、体験の独自的で非類型的諸側面への重点の移動、(5)〈働きかけの世界は〈他者の比類なさ、他者と自己との相違、意思疎通の限界などについて〉思索にふける自由な時間をあたえない〉という相互主観的関係の諸側面についての注意。実利的動機は、働きかけの世界ではない諸領域でも疑いなく存在するが、働きかけの世界を支配するほどの支配力はもっていない。これらの領域は、われわれに自由の空間をあたえ、働きかけの実利的命令からの休息をもたらしてくれる。

アルフレッド・シュッツは社会科学〔とくにマックス・ウェーバーの社会学〕に哲学的基盤を提供しようとした。ある意味では、現代社会が効率よく機能するためのルーティン化と合理化は、ウェーバーが魔法の力から解放された「鉄の檻」(Weber 1978: 29f.)〔＝近代官僚制がもたらす閉鎖性の比喩〕と比喩的に呼んだものに帰着した。シュッツにとって、効率のためのこのようなルーティン化は、より根本的な体験の社会的層（働きかけの世界）にその起源をもっている。その世界では、かなり孤立した自己が、死の恐怖に悩まされ、独自的なものの〈最良の部分〉を標準化し抑圧している類型にたよりながら、実利的に世界を支配する。その結果、その世界では、自分自身の比類なさと（実利的支配をまぬかれている）他者の驚くべき比類なさとを見失う傾向がある。理論・文学・宗教のような限定された意味領域は、本論文で著者が解釈したように、現代世界に〈ふたたび魔法をかける〉ことにおいて、一定の役割を果たしているように見える。その役割は、働きかけの世界の実利的命令から抜け出し、現代世界が絶えまなく失いつづける危険があるもの（＝前段落の⑴から⑸のようなもの）を取り戻すことによって、遂行される。

文献一覧

Barber, M. D. (2014). Literature as societal therapy: Appresentation, epoché, and beloved. In M.D. Barber & J. Dreher (Eds.), *The interrelation of phenomenology, social sciences, and the arts* (pp.143–155). Dordrecht: Springer.

Bernasconi, R. (2009). Must we avoid speaking of religion? The truths of religions. *Research in Phenomenology, 39*, 204–223.

Endress, M. (2006). *Alfred Schu¨tz*. Konstanz: UVK.

Husserl, E. (1960). *Cartesian meditations: An introduction to phenomenology.* Trans. D. Cairns. TheHague: Martinus Nijhoff.

Husserl, E. (1972). The Vienna lecture. *The crisis of European sciences and transcendental phenomenology* (pp. 269–299). Evanston: Northwestern University Press.

Iser, W. (1980). *The act of reading: A theory of aesthetic response.* Baltimore and London: The Johns Hopkins University Press.

Levinas, E. (1979). *Totality and infinity: An essay on exteriority*. Trans. A. Lingis. The Hague: Martinus Nijhoff.

Levinas, E. (1998). *Otherwise than being, or beyond essence*. Trans. A. Lingis. Pittsburgh: Duquesne University Press.

Scheler, M. (1973). *Formalism in ethics and non-formal ethics of values.* Trans. M. Frings. Evanston: Northwestern University Press.

Schutz, A. (1962a). On multiple realities. In A. Schutz (Ed.), *Collected papers I: The problem of social reality* (pp. 207–259). The Hague: Martinus Nijhoff.

Schutz, A. (1962b). Common-sense and scientific interpretation of human action. In A. Schutz (Ed.), *Collected papers 1: The problem of social reality* (pp. 3–47). The Hague: Martinus Nijhoff.

Schutz, A. (1962c). Symbol, reality, society. In A. Schutz (Ed.), *Collected papers I: The problem of social reality* (pp. 287–339). The Hague: Martinus Nijhoff.

Schutz, A. (1962d). Concept and theory formation in the social sciences. In A. Schutz (Ed.), *Collected papers I: The problem of social reality* (pp. 48–66). The Hague: Martinus Nijhoff.

Schutz, A. (1967). *The phenomenology of the social world*. Trans. G. Walsh & F. Lehnert. Evanston: Northwestern University Press.

Schutz, A. (1998). Sociological aspects of literature. In Lester Embree (Ed.), *Alfred Schutz's sociological aspect of literature: Construction and complementary essays* (pp. 4–7). Dordrecht: Kluwer.

Schutz, A. (2013). In M. Barber (Ed.), *Collected papers 6: Literature and literary reality*. Dordrecht: Springer.

Schutz, A., & Luckmann, Th. (1973). *The structures of the life-world* (vol. 1). Trans. R. M. Zaner, & H. T. Engelhardt Jr. Evanston: Northwestern University Press.

Schutz, A., & Luckmann, Th. (1983). *The structures of the life-world* (vol. 2). Trans. R. M. Zaner, & D. J. Parent. Evanston: Northwestern University Press.

Weber, M. (1978). In G. Roth, & C. Wittich (Eds.), *Economy and society* (2 vols). Berkeley: University of California Press.

第二論文

生活世界、下位世界、死後の世界
——多元的現実の多様な「現実性」

ルーツ・アヤス

論文要旨

本論文では、日常生活世界、限定された意味領域、宗教の間にある相関関係について考察する。この目的のために、シュッツの日常生活世界という「至高の現実」をめぐる考察、および、「多元的現実」と「限定された意味領域」の理論をめぐる考察について説明することから始める。そして、シュッツの考察は、多元的現実のさまざまな「現実性」の議論において詳述され、進展させられるだろう。特別な注意が、シュッツによって何気ないかたちでのみ言及される限定された意味領域、つまり〈宗教〉という意味領域に払われる。この論文は、まず、限定された意味領域としての宗教に特有の特徴を分析し、宗教と日常生活世界との間の相関関係を強調する。つづいて、〈来世〉および〈楽園〉の観念が「究極の意味領域」として記述され、それらの現実性が日常生活世界にどのように繋がるかが示される。最後に、「根源的不安」が、⑴日常生活世界の関連性構造、⑵限定された意味領域、⑶来世という観念の原動力として考察される。

キーワード
限定された意味領域、多元的現実、アルフレッド・シュッツ、宗教、下位宇宙、楽園、死後の世界

序論

夢・睡眠・想像力など、あらゆる可能な現実の中で、日常生活世界が中心的な舞台であることは間違いない。われわれが生きて、行動し、生まれて死に、働いて、日常生活を送るのは、この世界である。われわれの活動の基盤と場所としての、この日常生活世界の詳細な現象学的分析は、アルフレッド・シュッツに負う。しかしながら、日常的な生活世界は、他の現実への入口や移行をふくむ場所としても機能する。つまり、眠っている、夢を見ている、想像しているなどという時、われわれは一時的に日常生活世界の現実を離れる。この他の現実の記述と分析のために、シュッツは「限定された意味領域」という術語を創出した。限定された意味領域は自分自身の現実をうみだす。これと同時に、限定された意味領域の全体が(日常世界と共に)「多元的現実」の世界を構成する。シュッツによると、「いくつかの(おそらくは無数の)諸現実の多様な秩序があり、それぞれがそれ自身の特有で他のものとは区別される存在様式を持っている」(1962a: 207)。本論文は、基本的なレベルでは、シュッツの考察の継続である。しかしながら、シュッツの着想をさらに一歩進めて、まさしくこれらの多元的現実の間にある多様な「現実性」にこだわることになる。すなわち、これらのさまざまな現実が、それらの内部構造とそれらが入ることができる特定の相互的相関関係とにおいて、相違する仕方を強調するのである。シュッツが議論の途中で言及したもの(つまり、宗教という限定された意味領域）に特別な注意が払われるであろう。最初の段階では、次のような問題が立てられる。⑴宗教によって構成された現実は、どの程度、他の閉じられた意味領域と異なるのか。⑵宗教とこれらの他の意味領域との間にある相関関係はどのようなものであるか。⑶これが決定的に重要な問題であるが、宗教という限定された意味領域の「現実性」は、どのような仕方において、日常生活世界に影響を与えるのか。

本論文では、シュッツの「日常生活世界」の記述の概要から始め（第一節）、閉じられた意味領域の現実性から日常生活世界を区別する（第二節）。そして、第三節では、宗教によって特徴づけられた代替的諸現実の具体的な概念、すなわち〈楽園〉や〈来世〉という概念――これらは「究極の意味領域」として分析される――に注意を向ける。ここで問われるべき主たる問題は〈来世という概念が日常生活世界にどのような影響を及ぼすか〉である。

シュッツ（そして彼の研究からもたらされた多くの文献）は、主として支配的な認知様式にもとづいて限定された意味領域を規定するが、本論文は、異なる意味領域間の相互作用の日常的〈世界にもたらす〉諸結果について論じる。以下の考察は、個人が閉じた意味領域において持つかもしれない、特異な主観的体験にはそれほど関わらない。むしろ、多種多用な意味領域が日常生活世界との間に形成する諸関係に、したがって、日常生活世界に対してこれらの内的諸体験がもつ「現実の」結果と影響に関わっている。

第一節　多元的現実の中心としての日常生活世界の現実

よく知られているように、日常生活世界とその構造はアルフレッド・シュッツの考察の中心的局面である。この主題の分析は彼のすべての著作に貫き通っている。すなわち、『社会的世界の意味構成』（一九三二年に原著が出版され、一九六七に年ジョージ・ウォルシュとフレデリック・レーナートにより『社会的世界の現象学』として翻訳された）から、死後に出版された『生活世界の構造』（シュッツとルックマンによって原著が書かれ、リチャード・ゼナーとトゥリストラム・エンゲルハルトによって、一九七三年に第一巻が、一九八九年に第二巻が翻訳された）にいたるまでの著作に貫き通っているのだ。生活世界の中で、日常世界は基準となる中心点である。したがって、シュッツが、彼の議論の出発点として、日常生活の諸特徴を用いながら日常生活の現実にもとづいて多元的現実を記述することは、驚くべきことではない。シュッツによれば、この日常の現実には次のような特徴がある。(1)最初から、日常生活世界は相互主観的な世界である。すなわち、その世界の中において、人は行動を起こし、他者と遭遇する。人はこの世界を、先行者たちによって「体験され解釈されたもの」として体験している（1962a: 208）。(2)この世界における人の身構えは、その人の〈自然的態度〉によって特徴づけられる。この自然的態度によって、その人の環境は、問題のない、事実上あたえられた、疑いのないものとして、その人に見える。(3)人の身構えは実利的動機によって決定される。すなわち、世界は人の行動によって変えうるものとして認識され解釈されるが、世界はまた、われわれの行動に影響を及ぼすものとしても認識され解釈されるのだ。(4)日常生活世界は、ある意識の緊張と〈生への注意〉によって規定される。日常生活では、人は充分な覚醒状態にあり、人の注意はこの〔日常生活〕世界に向けられており、人はこの世界を疑いの余地のないものとして体験している（1962a: 213）。それは自明なものとして人に与えられ、可能性のある疑いや混乱を排除している。

日常生活世界のもう一つの特徴は、その特殊な時間構造である。この世界で起きることは、外的時間――シュッツはこれを「客観的」時間または「宇宙的」時間と呼んでいる（1962a: 215）――の内部における出来事として体験される。その一方で、内的時間（アンリ・ベルクソンの意味での〝durée〞）は本質的に分割できない「私の」時間である。内的時間は、私の思い出を通して、私と私の過去との接触をもたらし、私の計画と意図とを通して、私の未来とのつながりを提供する。シュッツの場合、内的時間と外的時間の合致が「生きいきした現在」を生み出す（1962a: 216）。この共有された現在は、シュッツによって「われわれ－関係」と呼ばれる、対面関係が生じる空間である。その関係の特徴は、他者が私に与えられるときに（そして、私が他者に与えられるときに）伴っている兆候の豊かさである。すなわち、私は他者を見たり、他者の声を聞いたりすることができるのであり（その逆もいえる）、私は他者に対して行動をとる（他者も私に対して行動をとる）ことができるのである。いいかえれば、われわれは時間と空間を共有しているのだ。「われわれ（私と他者）はともに、生きいきした現在において進行中の意思疎通の過程を体験している」（1962a: 219）。シュッツにとって、他のすべての〔派生的〕関係はこれらの直接的関係から導出されるものであり、他者は「部分的自己として」（1962a: 221）のみ考えられる。例えば、その他者の出現は目撃できないがその行為の結果だけは見ることができる、行動の開始者としての「部分的自己」である。日常生活世界は分割されており、さまざまな構造を持っている。日常生活世界は、行動をおこすことにより、私が何かを達成する力を持っている諸領域と、私がこの力を持っていない諸領域とに分かれている。シュッツは、まったくの（見えない）思考と、実際の身体的な動きをふくむ見える行動とを区別するために、「働きかけ」という術語を使用している（1962a: 243）。この働きかけの世界は、われわれがたんに見ることができる領域とは対照的に、われわれが接触できてそれに対して行動できる領域をふくんでいる。「働きかけの世界は……多様な現実の層に構造化されている」（1962a: 223）。ミードが「操作可能な領域」と表現しているものを、シュッツは「現実の核」だと解釈する（1962a: 223）。シュッツが使用している別の術語は「私の手の届く世界」である。シュッツはこれによって、厳格な意味での働きかけの世界、および、人間の感覚能力が及ぶ知覚可能なあらゆるもの（つまり、聞かれるもの、見られるものなど）の世界をさしている。

この「手の届く世界」は、いわば、人と一緒に移動し、人の行動に従ってそれ自体を再移動させる。私の座標体系における〈零点〉〔時間的・空間的定位零点〕が変わるのと同時に、生活世界・下位世界・死後の世界も変わる。すなわち、私の手の届く範囲がさまざまに変化するのだ。以前は手の届く範囲にあった物事は、いまや手の届かないところに移動した。それと対照的に、以前は手の届く範囲になかった物事は、いまや手の届くところにある。〈零点〉は人の到達範囲と時間構造が交差する点である。

現在、私の手の届くところにある世界とは別に、私が戻っていける範囲内にある世界と、将来において私が到達できる範囲内におさまる世界とがある。この点について、シュッツは、二つの潜在性を区別する。すなわち、以前に手の届く範囲にあった世界をさし示す「回復可能な範囲内の世界」(1962a: 224)と、「到達可能な範囲内の世界」(1962a: 225)(つまり、将来において手の届くようになる世界)とである。私の到達可能な範囲内の世界を、現在において私の手の届く範囲内の世界に変えることが可能である——これは、ほとんどの場合、何らかの形の空間移動をともない、一般的に〔長短の差はあれ〕時間がかかる。

この日常生活世界の時間的・空間的構造は、個々の〈私の範囲〉だけでなく、他者への私の接近にも影響をおよぼす。シュッツは、再び、時間レベルと空間レベルを区別する。時間は、共在者〔私と時間・空間を共有する者〕たちおよび同時代の仲間たちと共有される。しかしながら、私の共在者たちは、〔同時代の仲間たちとは違って〕私のものと同一の生きいきした現在を占有しており、したがって、〔私と〕同じ時間と同じ空間を共有する。こうして、共在者たちは身体と豊富な兆候とともに私に現われる。このことは、〔例えば、私が雪の中で足跡を見るときや手紙を受け取るときなど〕私が何らかの仲介物によってしか体験することのできない、たんなる同時代の仲間たちの場合には当てはまらない。〔共在者と同時代者との間の相互的な〕移行は徐々に行なわれ、継続的に生起する。ほんの一瞬前の私の共在者はすぐに同時代者になりうるし、また、同時代者はすぐに私の共在者になりうる。私と私の同時代の仲間との距離が遠くなればなるほど、私は同時代の仲間を類型化された人間として体験する。その一方で、私の先行者と私の後続者については、〔私と〕共有される〈現在〉はまったくない。たとえ彼らが私と同じ空間にかつて住んでいたとしても、また、将来において私と同じ空間に生きるとしても、〈生身〉の彼らを体験するのは不可能である。彼らは私と相互に影響を及ぼし合うことはできないが、私の行動に影響を与えることはできる（例えば、私の先行者は、私がいま住んでいる土地付きの家を購入したかもしれない〔その場合、私はこの家を購入できなかった〕）。そして、私は後続者たちに影響を与えようと試みることができる（例えば、私はこの家に彼らのために噴水を作ることができる）。

この日常生活世界の中で、シュッツがフッサールの『形式論理学と超越論的論理学』（Husserl 1969: §74）から得た、二つの理念化が役割をはたすようになる。すなわち、「以下同様」という理念化と「私はもう一度それをすることができる」という理念化とである。シュッツの自然的態度では、これらの二つの理念化――「すなわち、私は自分がこれまで行動してきたように行動し続けることができるという理念化、ならびに、私は同じ条件のもとでは同じ行動を何度でもくり返すことができるという理念化」（1962a: 224）――は人間にとって決定的な意味をもつ。世界が疑いの余地のない状態で続くかぎり、人は世界を当然のものとし、世界を与えられたものとして扱う。これら二つの理念化が「自然的態度のエポケー」に不可欠な貢献をしている。人は、このエポケーにより、世界のあるがままを喜んで受け入れ、「世界やそこにある諸対象が、彼に対して現われている以外のものであるかもしれない」という疑念をまったく持たない（1962a: 229）。シュッツにとって、この疑う余地のない日常生活世界は、ウィリアム・ジェイムズ（James 1890）から借用した術語で、シュッツが「至高の現実」（1962a: 226）と呼ぶものを構成する。至高の現実は、その諸属性によって、あらゆる他の現実と明確に画されており、それらの現実とはその本質において著しく異なっている。その〔至高の現実の〕体験はあまりにも根源的なので、シュッツはそれを「われわれの現実体験の原型」と表現することを選び、「それ以外の意味領域はすべてその変容とみなすことができるだろう」と強調している（1962a: 233）。

第二節　限定された意味領域の現実性

第一項　シュッツの「限定された意味領域」という概念

シュッツは、この〈現実体験の原型〉から、日常生活世界以外の現実についての彼の記述を導きだす。[1]〈意味領域〉という概念は、ウィリアム・ジェイムズが『心理学の原理』（James 1890）――そこで彼は「多くの世界」について論じている――で展開した「下位宇宙」という概念に由来する。ジェイムズは「こうして、哲学者が考慮しなければならない世界全体が、現実および想像と幻想で構成されている」（James 1890: 291）と宣言しながら、後者を「下位宇宙」とか「下位世界」とよんでいる。ジェイムズは、最も重要な下位世界――「それぞれの下位世界がそれ自身の特有で他のものとは異なる存在様式をもつ」――として、(1)科学の世界、(2)狂気の世界、(3)「〈部族の偶像〉の世界」、⑷天国と地獄というキリスト教の概念やヒンドゥー教の神話をふくんだ「種々の超自然の世界」、⑸〔シェイクスピアの〕『リア王』や〔ホメロスの〕『イリアス』のような架空の物語をあげている（James 1890: 292f.）。

シュッツは、〔自身の論文〕「多元的現実について」の冒頭から、自分の理論を並存する〔多元的〕現実をめぐるジェイムズのテーゼに直接関連づけている。ただし、シュッツは最初から、ジェイムズのテーゼにおける術語および議論がもともと意味するものとは異なるものに改変している。

> われわれは現実性をもった下位宇宙について語るのではなく、われわれがそれぞれに現実のアクセントを付与するであろう限定された意味領域について語りたい。われわれが下位宇宙についてではなく意味領域について語るのは、現実を構成しているのは諸対象の存在論的構造ではなく〈われわれの諸体験のもつ意味〉だからである。（1962a: 230）

シュッツが「多元的現実について」で詳細に議論するのは、これらの限定された意味領域の諸体験である。それらの意味領域の主な特徴は〈日常生活の現実のアクセントを欠いている〉ということである。シュッツは具体的に次のような意味領域について述べている――「これらのすべての世界（夢の世界、空想と幻想の世界、とりわけ芸術の世界、宗教体験の世界、科学的観照の世界、子供の遊びの世界、狂気の世界）は限定された意味領域である」（1962a: 232）。ある意味領域から別の意味領域への移行は、最初の意味領域の現実のアクセントを放棄することによってのみ可能である。〔移行の〕原点は、一般的に、日常生活の現実――これは〔移行の〕条件ではないが――である。シュッツによって何度も言及される非常に典型的な限定された意味領域は〈眠りと夢〉である。この例は限定された意味領域の性質と特性を簡潔に説明する。眠っている人の身体は、いかなる空間的変化もせず、同じ時間を生きている彼の仲間には観察可能である。しかしながら、日常生活の自明性は、夢を見ながら眠っている人にとってはもはや妥当なものではない。夢という〈場〉は〔日常生活世界のものではない〕他の諸条件に依存している。すなわち、次のようなことである。私の夢の中で、私は明らかに日常生活ではできないこと〔例えば、空を飛ぶこと〕をするかもしれない。だが、その一方で、日常生活ではいうまでもなく起こるけれども、私の夢のなかではできないこと〔例えば、〔自分の意思で〕走ることとか、逃げ出すこと〕がある。さらに、私の夢の中では、私はもはや生きていない人々〔私の先行者たち〕に会うかもしれない。眠りや夢のなかで過ぎゆく時間は、日常生活世界と相関関係がなく、それ独自の時間構造を持っている時間として体験される。

ある状態から別の状態への移行を記述するために、シュッツはキェルケゴールによりながら「ショック」（1962a: 231）または「飛躍」（1962a: 232）という言葉を使用する。こうした移行は「異なる〈生への注意〉に基礎づけられた、われわれの意識の緊張における根源的な変容」（1962a: 232）から成り立っている。あらゆる意味の領域〔の間の移行で〕はそれぞれに特有の典型的な「ショック」や「飛躍」を体験することができる。すなわち、「私が現実のアクセントを付与しうる種々の限定された意味領域が存在している。そして、それと同じくらい多くの〈無数ともいえる〉種類の異なるショックの体験が存在している」（1962a: 231）ということだ。シュッツによる例は、眠りと夢の世界への移行である。だが、それら以外にも、幕が上がるときの劇場で起こったり、絵画をじっくり研究しているときに美術館で起こったりする内的変容もある。

シュッツは、多元的現実の構成についての記述において、三つの意味領域（夢の世界、幻想の世界、科学理論の世界）について詳細な議論をしている。彼は、これらの三つの意味領域を、それらがともなう特有の体験という観点から説明する。例えば、われわれが日常生活の体験から知っている〈充分な覚醒〉の欠如と〈意識の緊張〉の緩和とが〔これらの領域には〕ある。シュッツは「こうして、さまざまな意味領域のそれぞれに固有の認知様式には、特有の意識の緊張があり、したがってまた、特有のエポケー、自発性の〔特有の〕支配的な形態、自己体験の特有の形態、社会性の特有の形態、特有の時間的視点がある」（1962a: 232）と結論づける。

シュッツにとって、ある人自身の死についての知識と恐怖は「基本的体験」であり、これから〈自然的態度の支配のために〉関連性の全体系が導かれる――「〈私は、自分が死ぬことを知っており、死ぬことを恐れている〉というのは、われわれ一人ひとりの基本的体験〔である〕」。シュッツはこの基本的体験を「根源的不安」と呼んでいる（1962a: 228）。生活世界の他のすべての関連性はこれから派生している。「根源的不安は、他のあらゆることがそこから生じてくる原初的予想である」（1962a: 228）。根源的不安は、人の生活世界の関連性の諸体系における決定的要素であり、自然的態度のエポケーで起こる判断中止の目標である。

第二項 「多元的現実について」を読む

〔シュッツの論文〕「多元的現実について」は読者に多くの疑問（とりわけ、個々の意味領域の内部構造と論理、および、それらの比較可能性に関する疑問）をもたらしている。過去数十年にわたり、シュッツの多元的現実をめぐる議論がくり返し取り上げられてきたのは、こうした理由からである。シュッツのテキストをある程度長く論評した最初の学者たちの中に、グルヴィッチがおり、彼は『意識野の理論』（Gurwitsch 1964: 394-403）でこれを行なった。彼は、シュッツの限定された意味領域という概念について論じたのちに、これらの意味領域の「存在の問題」（Gurwitsch 1964: 401）に向かった。結果的に、彼は「存在の秩序」という術語を用いて「存在の問題」を研究した（Gurwitsch 1964: 404）。『フレーム・アナリシス』を著わしたゴフマンのような他の著者たちは、この術語（＝意味領域）のかなり簡潔な議論しか提供していない（Goffman 1974: 6, fn. 11）。

「多元的現実について」を直接参照する種々の研究文献を読むと、この論文によって提示されるさらなる研究の諸可能性の異質性と、それらの可能性を体系化することの不可能性とを認識するようになる。そのことは、例えば、(1)ロベルト・ムジルの『特性のない男』を読むことを触発したり（Berger 1970 を見よ）、(2)限定された意味領域という概念とゴフマンの〈フレーム〉という概念との比較分析を触発したり（Psathas 2014 を見よ）、(3)オルテガ・イ・ガセットの「本来的な自己である状態と、自己を喪失した状態」という考え方と〔シュッツの「多元的現実」論と〕の比較を触発したり（Hermida-Lazcano 1996 を見よ）するかもしれない。他の著者たちは、意味領域の概念そのものについて論じている——Marx 1970（これはフッサールに言及している）、Kassab 1991（これはグルヴィッチに言及している）。また、他の著者たちは、具体的な意味領域——例えば、幻覚（Endress 2003）、宗教（Nieder 2006）、芸術と文学（Biemel 1983 and Endress 1998（これらはセルバンテスに関連するシュッツの例を使っている））、Kersten 1998（これは演劇・詩・小説を論じている）——を取り上げることによって、意味領域の概念を例証している。サーサス（Psathas 1998）は、限定された意味領域の概念を、映画の世界や映画の現実性に適用している。その他の著者たちは、以下のような主題に関心をもっている。⑴意味領域と意思疎通の相関関係（Knoblauch 1998）、⑵個々の限定された意味領域間の可能な通路（Sebald 2011）、⑶意味領域と儀式との具体的な相関関係（Spickard 1991）、⑷意味領域と時間との具体的な相関関係（Flaherty 1987）、⑸意味領域と象徴との具体的な相関関係（Draher 2003）、⑹社会化と大人の世界と子どもの世界（Nasu 1999）、⑺「意味構造」の複数化において世俗化がはたす役割と、限定された意味領域がどのようなフィードバックを日常生活世界にもたらすかという問題（Chojnacki 2012）、などである。ほとんどの著者たちは、限定された意味領域一般の一つの側面（例えば、ケルステンは認知様式）に研究を集中させているか、一つの特定の意味領域に研究を集中させているかである。だが、エンドレス（Endress 2014）は意味領域の細分化を試みており、〈シュッツは個々の意味領域に支配的な認知様式にもとづいて種々の意味領域を区別するので、「さまざまなレベルの〈反省〉」を区別することが理にかなっている〉と提言している（Endress 2014: 171）。〔さらに、〕エンドレスは、バーガーのロベルト・ムジルの『特性のない男』に関する論文（Berger 1970を見よ）とその小説自体の再読にもとづき、〈反省〉の程度に応じて、第一次水準・第二次水準・第三次水準の限定された意味領域を区別している。

第三項　限定された意味領域のプラグマティックス

シュッツの限定された意味領域という概念は、主に、その支配的な認知様式に依存している。すなわち、彼は次のように述べているのだ――「それゆえ、ある一連の体験のすべてがある特有の認知様式を示し、しかも（この様式に関して）各体験がそれ自体で整合性を保持しているのみならず、各体験が互いに両立可能である場合に、われわれはそうした一連の体験のことを〈限定された意味領域〉と呼ぶのである」（1962a: 230）。以下では、〔シュッツとは〕別の道を歩みたい。著者の関心は限定された意味領域一般のプラグマティックな側面にある。一方で、限定された意味の諸領域は、それらを特徴づけて互いに区別する独特の現実性をもっている。他方で、限定された意味の諸領域は、それら自体を日常生活に組み込み、日常生活に影響を与える。この事実に直面して、シュッツは、例えば、ある一つの限定された意味領域を〔実際に〕体験することと、日常生活世界から〔たんに〕それに言及することとを分けることを強調しながら、異なる意味の諸領域を明確に区別している（1962a: 246）。しかしながら、シュッツは、草稿「関連性の問題に関する省察」では、〈限定された意味の諸領域は、「多元的現実について」で示唆されたように、必ずしも〔相互に〕排他的ではない〉ことを暗示している。

それゆえ、われわれが論じたように、〈われわれは異なる意味領域に住んでおり、ある領域から他の領域への飛躍によって、それらの領域を往き来することができる〉というのは単純化のしすぎであった。また、〈数ある意味領域から一つの意味領域を選択することは、われわれの意識野において、主題的なものとたんに地平的なものとを決定するための最初の段階である〉というのも単純化のしすぎであった。実際には、われわれは常にこれらの意味の諸領域のうちの幾つかに住んでおり、同時にそこで活動しているのだ。そして、一つの意味領域を選ぶことは、たんに、それをいわばわれわれの「ホームベース」、「われわれの準拠体系」、われわれの〈至高の現実〉にしていることを意味するにすぎない。これら以外の意味領域は、これらに関連して、たんに派生的な現実のアクセントを付与されるだけである。(2011: 98)

限定された意味領域の遍在性とそれらの間を往き来する人間の能力とを前提とすれば、〔限定された意味領域の日常生活世界への〕具体的な埋め込みと、それらに対処するわれわれの日常的方法とは、いかにして記述できるのだろうか。

〔限定された意味領域へ〕入ることと、〔そこから〕出ること

日常生活世界の理念化（「以下同様」と「私はもう一度それをすることができる」）は多くの「下位世界」では意味がない。夢の例はこのことを説明するだろう。今述べた二つの理念化の喪失は、夢の世界の本質的特性である。通常、われわれは夢の中では〔自分の意思で〕走ったり叫んだりできないことを体験する。同時に、夢が「夢のように」になる必要はなく、夢はその内部論理で〈非現実的〉になる必要もない。このことは、悪夢によって例証される。悪夢は、悪夢を見ている人を〔現実のあまりの相違のゆえに〕驚いて目覚めさせたり、おそらく〔内部論理の一貫性ゆえに〕一日中悪夢を見させたりさえもする。そのうえ、眠りと夢見は、シュッツの限定された意味領域の多くが基本的な人類学的装置の一部であり、誰もが同じように接近できることを示す、重要な例となっている。眠っていることと夢を見ることとは、社会的エリートの特権とはならない――眠ること〔と夢を見ること〕はわれわれすべてが行なうことである。さらに、眠りは〔一生懸命に眠りにつこうとしている誰もが同意するように〕たんに〈生じる〉わけではない意味領域である〔通常、眠りに入るためには、それなりの準備が必要である〕。

シュッツの〈意味の下位領域〉の一つの本質的な特性は、日常生活世界との〈同時性〉である。独自の時間構造を特徴としながらも、おのおのの意味の下位領域は日常生活世界と並行して存在する。眠っている時や空想にふけっている時、〔それらの世界では〕われわれは自分たちをとりまく環境に関与しておらず、われわれの同時代者たちがわれわれ〔の世界〕に接近することもできない。

けれども、われわれの環境は〔その間も〕存在し続けている。〔宇宙的＝客観的〕時間の進行は停止しないのである。眠りから目を覚ます人々は、眠っている間も宇宙的時間において存在し続け進行し続けていた、日常生活世界に還帰する。意味の下位領域で過ごした主観的な時間を〔客観的時間に〕合わせるためには、眠ったり遊んだり読書したりしていた人々は、通常、何らかの形での再順応が必要であり、頻繁に客観的な時計を参照すること（時間／時刻を調べたり、アラームを設定したりするなど）が必要である。日常生活世界から限定された意味領域への移行は、必ずしも行動計画や「命令」の結果ではない。例えば、眠ろうとする人がみんなすぐに成功するわけでもないし、人は必ずしも自発的に狂気の世界に入るわけでもない。このことについては、限定された意味領域から〔日常生活世界へ〕帰ってくることも、しばしば意図的な行為ではない。幻覚から覚めることは、一般的に、幻覚を見ている人がたんに自分に命令して目覚めるといったものではない。そして、どんな学童も眠りから目覚める（そして床から起きあがる）という試練をよく知っている。遊びに夢中になっている人々も（読書や音楽を生み出している人々のように）、彼らの世界にしばしば非常に深く入りこむため、日常生活世界に還帰する「飛躍」は目を覚ますという形をとる（そして、遊んでいる間に暗くなり、遊びを止める機会を逃したことや、日付を忘れてしまったことに気づく）。したがって、限定された意味領域への出入りは、シュッツが日常生活世界との関わりで述べているように、常に自由意志や「行動計画の中からの選択」の問題ではないのである（1962b）。

実践と補助手段

ある意味領域には、何らの追加手段なしに入ることができる（例えば、眠り）。その一方で、そうした意味領域以外の意味領域（に入る）には補助手段の使用を必要とするもの（例えば、エクスタシー状態）、また、前もって習得し練習しなければならない技法を必要とするもの（例えば、瞑想）もある。しかしながら、眠りには補助手段なしに入ることができるだけでなく、補助手段を利用して眠りをもたらしたり強制したりすることもできることに留意しよう。限定された意味領域をもとめる欲望が非常に強くなり、それが、睡眠状態・トランス状態・エクスタシー状態に入ることができるように補助手段の使用を常用化させる原因にもなる。限定された意味領域に接近して望んだ状態に入るために、自分が学んだり獲得したりしなければならない実践や補助手段は、日常生活世界で得られる。瞑想・自律訓練法・ヨーガなどの技術指導のために、日常生活内には提供されるもの――これにより指導者と専門の供給者が知識を共有する――が存在する。薬物は、時おり政府によって合法化されたり課税されたりする、市場で取引される（例えば、アルコール）。〔望んだ状態に〕近づくためのこれらの補助手段の売買は、合法的かもしれないし、法律によって処罰されるかもしれない（したがって、日常生活に厳格な結果をもたらす可能性がある）。

限定された意味領域で遭遇する多くの体験は、意図的に追求されている（例えば、陶酔やエクスタシー）。その一方で、それら以外の体験は、悪影響を被った人の意思に反して、我慢や苦しみの対象である（例えば、悪夢や幻覚）。限定された意味領域の大部分が魅力的なものに見え、多くの人々がこれを避けるよりも、むしろ追求していることに気づかざるをえない。まったく明らかに、限定された意味の諸領域は、幸福感と満足感——これらの感覚は、そうした意味領域の人気の説明となるだろう——をもたらすことができる。しかしながら、いくつかの限定された意味領域は、われわれがそこから〔日常生活世界に〕還帰するとき、事後作用をひきおこす可能性がある。すなわち、日常生活世界にもどることは、苦痛をともなう事後影響をわれわれにもたらすこともあるのだ。時には、混乱することも、〔気分転換に〕しばらく昼食にでかけることも、問題が未解決のまま残されることもある。〔それでも、〕人々は日常生活世界からの小休止——とくに日常生活の一定の諸条件〈例えば、充分な覚醒〉を無効にするのに役立つ小休止——を定期的にとる必要があるように思われる。それゆえ、限定された意味の諸領域は、日常生活世界からの小休止を提供する。日常生活では、行動している個人は〈事をどのように進めるべきか〉について絶えず決定を下さなければならないし、その決定のいくつかは本当に重要である。ガーフィンケルにとって、これ〈〈次に何をすべきか〉〉は「すぐれて実際的な問題」である（Garfinkel 1967: 12）。閉じられた意味領域の現実には、意思決定と行動へのこの切迫感はない。すなわち、閉じられた意味領域の中では、日々の行動の負担はわれわれから取り除かれるのである。

財源と能力

〔限定された意味領域への〕接近という問題は、眠りや夢の場合のように、常に〔誰にも〕平等に解決されるとは限らない（しかし、最終的に、誰もが気が狂ってしまう可能性もある）。いくつかの意味領域にはエリート主義の構造がある。〔ある種の〕閉じられた意味領域への定期的で頻繁な接近は、たしかに贅沢なことであり、特定の個人または特定の社会階級で特権を有する者たちの間でのみ期待できる。〔この場合、〕さまざまな意味領域への接近は、財力と能力に依存しているので、日常生活世界の社会構造に結びついている。これは、高額の財源を必要とする贅沢な領域にのみあてはまるのではない。社会構造は、さまざまな意味領域の利用可能性にとって重要な役割をはたす。架空の諸世界の明白な例を考えてみよう。誰でも空想の状態に入ることができ、虚構の世界への接近は最初いかなる蓄積〔＝財源・技術・能力など〕にも依存していない。だが、文学的な意味領域は、接近するのに特定の文化的能力（特に読書技術）を必要とする。セルバンテスの小説および風車とたたかうドン・キホーテからとられた、シュッツ独自の例はその一つの事例である（1964a）。芸術の意味領域は、社会的に導かれた能力および時代をこえて受け継がれた作品に依存している。いくつもの意味領域（例えば、ピアノを弾くこと、楽譜を読むこと）は多大な努力によって勝ちとらなければならない。また、ある意味領域は必須の蓄積（例えば、入学料や授業料）を必要とする。芸術や科学の意味領域に接近するさいには、巧妙な専門的技術と知識のストックが主要な役割をはたす。周知のように、この知識は社会的に産出され、知識のストックは社会的分配の対象となる（Schutz and Luckmann 1973: 243-331）。そして、〈社会的な知識のストックが限定された意味領域に接近するうえで〔重要な〕役割をはたす〉といえる。特定の限定された意味領域に接近するためには、特定の知識のストック（例えば、楽譜を読むこと）が利用可能でなければならず、道具（例えば、楽器）をあつかう技能を学習しなければならない。これらの能力は、日常生活世界でしか得られないものであり、通常、教育者や指導者が相互主観的に共有している。入門試験や入会式という早い段階でさえも、限定された意味領域が要求する巧妙な専門的技術への接近は、非常に制限されている可能性がある。

社会性と意志疎通

シュッツの他の論文（1964b）で説明されているように、音楽を協同で生み出すさいに自己をくり広げる世界は、限定された意味領域の特性に関するさらなる側面（特有の社会性の問題）を明らかにする。私が他者の夢を見ている時、夢は私によってのみ見られている。私が眠っている時、私は他者に近づくことができない（だが、他者は眠っている私を観察することができる）。眠っている自我は、目覚めている他我とも眠っている他我とも意思疎通しない。これとは対照的に、相互作用と特有の形態の社会性に依存している、他の限定された意味領域がある。孤独な自我には芸術と睡眠の世界があるかもしれないが、協同で音楽を作り上げていくことは、その下位世界〔＝音楽の世界〕が生み出され持続されるために、他者との交流を必要とする。この共有された意味領域の存在と成就には、日常生活世界で生活している音楽家たちとその下位世界そのものの中にいる音楽家たちとの間の同格化という条件を必要とする。それゆえ、これら二つの意味領域の構成は必然的に社会的性質をもち、〔音楽家たちの〕相互作用を必要とすることは明らかである。シュッツはすでに〈限定された意味領域の相互主観的共有は可能である〉と指摘した。相互主観性は日常生活世界の不可欠の特性であることは事実だが、他の意味領域が相互主観的に共有されえない、というわけではないのだ。

たしかに、私の夢や私の白昼夢のように、相互主観的に共有されえない限定された意味領域がまさに存在する。〔だが、〕子どもの遊びの世界のように、相互主観的な参加と共有された空想による相互作用さえ可能にする、限定された意味領域もある。宗教体験の世界には、一方で神秘主義者や預言者の孤独な洞察があり、他方で共同体での礼拝がある。例えば、孤独な祈りもあれば、会衆による祈りもあるのだ（1962c: 342）。

しかしながら、このことは、より広い意味でのゲーム（すなわち、テニスの試合、テーブルゲーム、ボードゲーム、コンピュータゲームなどのゲーム）を行なうことにも当てはまる。これらのすべてのゲームは、これらの（独自の規則やしばしば独自の言語さえともなった）意味領域に関して、相互作用と意思疎通を必要とする。ゲームをする下位世界や音楽を（協同で）うみだす下位世界は、精確かつ（時には）明示的に述べられた相互作用の諸規則（例えば、規則集または実際の「演奏指示」）を有している。しかしながら、最も重要なのは〈これらの下位世界は明確に定義された相互性の諸規則に従う〉ということである。この諸規則には従うべきであり、そうでなければ、下位世界の特有の意味は、その意味領域の危機と日常生活世界における齟齬とをひきおこす程度にしたがって、危険にさらされる。（ガーフィンケルの危機の実験——例えば、三目並べをするさいの規則違反の実験、および、規則違反にかかわる議論や告発の最も生活世界的な帰結（Garfinkel 1963）——を思い出そう。）

意味領域間の移行と接続

シュッツにおいて比較的に議論の余地があるのは、さまざまな意味領域と日常生活世界との間の移行や繋がりの問題である。限定された意味領域は、充分な覚醒状態にある人にどのような影響を及ぼすだろうか。限定された意味領域は、どのようにして、充分に覚醒している人の「ここ」と「今」を（ことによったら）無意味にするだろうか。シュッツは、あるところにおいて、「飛び地」について、「さらに〈飛び地〉という問題がある。すなわち、別の意味領域にとり囲まれた一つの意味領域に属している領域をめぐる問題である」（1962a: 233, fn. 19）と語っている。「飛び地」は、日常生活世界の内部で（また、他の領域の内部でも）複数の限定された意味領域によって形成されうる。空間的な比喩表現を介して、シュッツが使用する術語（「領域」「飛躍」、つまり「限定された」という語に含まれる空間的境界についての概念）は、その概念が整合性をもち明確に分離されて描写しうる領域であることを示唆している。それにもかかわらず、これはシュッツの意図ではまったくない。そのかわりに、彼は種々の移行の段階的で規則的な性質を強調している。

先に述べたように、私の精神は、ある時は働きかけるという行為のなかで生を営み、つぎには白昼夢を体験し、そして今度はある絵画が創出する絵の世界にひたり、さらにひき続いて理論的観照にふけるといったように、一日のうちで、さらには一時間の間でさえも、意識の緊張の全域を体験することがあるだろう。これらの様々な体験はすべて、私の内的時間の範囲内で遂行される体験である。すなわち、それらは私の意識の流れに属しており、記憶されることも再生されることも可能なのである。(1962a: 258)

したがって、これらの意味領域は生活世界の反復されかつ遍在している部分である。日常生活世界におけるそれらの意味領域の存在とそれらの間の移行とは、〔日常生活の〕慣例の形成に影響を与えてきた。例えば、われわれは、個々の限定された意味領域に入るために、特定の場所(劇場とか祈りの家)を探し出すかもしれない。場合によっては、特別な時間(演劇とか礼拝)に拘束されている。それゆえ、シュッツがそのような重要な役割をあたえる時間的および空間的な階層化――これは『生活世界の構造』の大要が示しているにすぎない――は、その意味領域への没入ならびにそこへの入口にとっても、何らかの影響をもたらすことは明らかである。

さまざまな現実は、異なる現実の間での意思疎通〔/架橋〕を許さない。それらの認知様式は互換性がない(Schutz and Luckmann 1989: 144)。これはシュッツが主に〔論文〕「象徴・現実・社会」でさらに詳しく述べる主張である。意思疎通の手段としての言語は、日常生活世界に基礎をおいている。限定された意味領域での体験（演劇や芸術にかかわる体験）について話すとき、われわれは日常生活世界においてそれを行ない、結果的に、日常生活世界にあってそこに根ざした意思疎通の手段を利用する。

いいかえれば、意思疎通は外的世界〔＝日常生活世界〕の現実の中でしか起こりえない。これは、われわれがすぐに見るように、この世界が至高の現実という特徴をもつ主な理由の一つである。統合失調症者が〈自分が聞いている〉と信じている種々の声ですら、（幻聴だとしても）声としては聞こえているのだから、そうした声は〔彼にとって〕外的世界内での諸事象を指示しているのである。（1962c: 322）

言語は、日常生活世界の意思疎通の卓越した手段ではある。けれども、夢の内容を思い出そうとしているすべての人に知られているように、言語は、ある程度までしか、限定された意味領域での体験を表現したり伝えたりするという目的に適さない。夢、宗教的出来事、もしくは（例えば）癲癇発作を通り抜けた諸体験は、日常的意思疎通によって伝えることが困難であることが判明する。そして、そうした体験を記述しようとする試みは頻繁に失敗する。

しかしながら、言語は必ずしも意味領域間の通路の境界線ではない（この問題の広範囲にわたる議論については、Sebald 2011を見よ）。言語やその他の記号体系は、同じように、演劇・文学・芸術のような限定された意味領域を生み出す手段としても機能する。宗教にとっても、言語は（儀式的な実践と通常の実践の双方にとって）重要な役割をはたす（すなわち、宗教は「聖なる」経典を生み出すのだ）。最後に、日常生活世界には、（夢の解釈者、精神分析医、科学や芸術の専門家といった）限定された意味領域に特化した職業がある。厳密にいえば、夢を科学や芸術の主題にすることは、一つの限定された意味領域の内部において、一つの限定された意味領域（シュッツの意味での〈飛び地〉）を叙述することである。

諸世界の境界線と諸世界の居住者

限定された意味の諸領域はそれら独自の内部構造をもっていて、この構造がそれらに特有の性質をあたえ、それらを互いに分離して区別することを可能にする。しかしながら、さまざまな現実の構造は、それらの現実に人々がどのように住み、誰がその現実の正当な居住者であるかによっても、かなりの程度決定される。ゲームの世界において、私は、私のようにこの下位世界に参入している他の競技者たちとともに、ゲームをするようになる。私とまったく同じように、彼らはゲームが終わったら日常生活世界に還帰する。日常生活世界では、私は彼らと日常の個人として顔を合わせることができ、例えば、ゲームをするために彼らと約束をすることができる。これとは対照的に、限定された意味領域としての〈夢〉という独特の社会世界は、（例えば、先行者であるとか、夢の世界でのみ存在している人間であるとかいう理由で、）私が生身の人間として顔を合わせることのできない人々によって住まわれている。空想の世界に関しては、限定された意味領域の「顔ぶれ」は非常に多種多様である。それは、魔女、小人、ムーミン〔北欧の国々の伝承に登場する妖精の種族「ムーミン族」〕、龍、鯱、翼をもった馬、話をする鳥、その他多くの生き物で構成されている。そうした顔ぶれのなかでも、オベロン〔中世およびルネサンス期の文学・伝承上の妖精王で、シェイクスピアの『夏の夜の夢』にも登場する〕、エルフ王〔ゲルマン神話に起源をもつ、北欧の民間伝承に登場する種族「エルフ族」の王〕、シェイクスピアのパック〔『夏の夜の夢』に出てくる妖精〕のように、私が個々のキャラクターとしてよく知っているものもいる。さらに、日常生活世界における身近なもの（例えば、箒）が、空想の世界ではまったく異なる意味（例えば、空を飛ぶための道具）を持つことがある。私の日常生活世界の中に存在しないもの（例えば、飛ぶだけでなく話もできる黄金の雄羊の毛皮）が、空想の世界では中心的な役割をはたすかもしれない。限定された意味領域は、それ独自の社会世界とそれ独自の信憑性構造を持っている。ある世界でまことしやかな同時代者と見なされるものは、別の世界では場違いの者であるかもしれない。これらの例が示しているように、下位世界では、正当な居住者であるとかまことしやかな居住者であると考えられる人や存在は、約束事の所産である。限定された意味領域は、それ独自の慣例によって支配されており、そこの居住者は人間である必要はまったくない。

同時に、われわれは〈日常生活の諸現実もまた決して均質ではない〉ことを観察するだろう。エンドレス（Endress 2003）が証明しているように、生活世界は多元的現実に分割されるだけでなく、社会的改変もともなう。〔また、〕ある個人自身が属している集団の現実は〔その個人によって〕たしかに自明なものとして体験されるが、それでも、その現実は他者たちが属している集団の「複数の日常的現実」に直面しているのだ（Endress 2003: 105）。このように、日常生活世界は〔比喩的にいうならば〕歩きまわるための均質な土地ではない。そこでは、親和性と非親和性の双方が〔不規則に〕散在している。なるほど、日常生活世界はたしかに馴染みぶかい。だが、「この親和性の中で、非親和性〔の存在〕自体が馴染みのある現象なのだ」（Endress 2003: 113）。

他者に馴染みぶかい生活世界は、私には馴染みがないかもしれない。他者にとって、他者の日常的現実の一部として見えるものは、私にとっては「馴染みがない」と映るかもしれない。ルックマン（Luckmann 1970）が示しているように、社会世界と人間世界との同等視は決して一般的に妥当するのではないことは、日常生活世界と充分な覚醒状態にある人の自然的態度にも当てはまる。一例として、ルックマン（Luckmann 1970）は、トーテミズムを固守する文化について言及している。レオ・フォーチュンのドブ島の人々（西太平洋のパプアニューギニアのダントルカストー諸島に住む人々）についての民族誌に訴えることによって、ルックマンは「社会世界の境界線」がどのように引かれるかを示している。ドブ島の人々にとって、ヤムイモは社会世界の一部である。ヤムイモは移動能力（夜、歩きまわり、朝、菜園にもどる）と会話能力とをそなえた人間だとみなされているのである（Fortune 1963: 107-109）。ドブ島の人々自身は、夜は菜園に行かないことでヤムイモへの配慮を示し、朝は菜園仕事をしないようにしている（「私たちは太陽が昇るまで待ちます。そして、彼らが帰ったことを知るのです」（Fortune 1963: 108））。ここからルックマンが引き出す主張は「われわれ〔＝西洋人〕には明白である、社会的なものと人間的なものとの一致は、決して普遍的に見られるものではない」(Luckmann 1970: 73) ことを示すのを目的としている。トーテミズム文化の分析を参照しながら、ルックマンは「(1)社会的なものと人間的なものとの同一視が普遍的であるとは考えられないこと、(2)自然と社会の間のきちんとした分離がすべての時代におけるすべての人間にとって明白ではないことが、明らかになった」(Luckmann 1970: 81) と論じている。

すなわち、日常生活世界の行為者と下位世界の行為者との間にある境界線は、必ずしも、人間と人間以外の居住者という区別にもとづいて引かれているわけではないのである。ドブ島の人々にとって、ヤムイモは日常生活の現実の一部である。しかしながら、西洋世界では、こうしたものは一般に日常生活世界から締め出され、限定された意味領域(空想や宗教)に住まわされている。そのため、ヤムイモ(少なくとも、歩いたり話したりしている限り)、小人、トロール〔北欧などに伝わる伝説の存在。その描写は地域によって異なるが、一般的には、巨大な体躯で醜悪な容姿をもつ〕(そして、幸いにも、パック)は、日常世界の一部分ではない。このように、人間以外の居住者が日常生活世界から追放されると、〔日常生活世界に〕影響がないわけではない。ルックマンは「宇宙の脱社会化」について語っている(Luckmann 1970: 86-96)。それぞれの現象は他の諸世界に追いやられている——「世界の脱社会化と宗教の象徴的宇宙の明確化とは密接に関連している」(Luckmann 1970: 95) のである。

限定された意味領域それ自体が、人類学的な普遍的諸領域を形づくる。それらはあらゆる民族と文化に知られている。しかしながら、それらの内部構造、それらの入口、それらの境界、それらの居住者の構成は、歴史的過程や社会的帰属から生じている。宗教ほど、このことを明白に証明している限定された意味領域はない。

第三節　生活世界、死後の世界、究極の意味領域

シュッツは、限定された意味領域のなかでも宗教を明示的にあげているが、議論の途中とか異なる意味領域を枚挙するときには、宗教についてもう少し言及している[2]。宗教は、夢・空想・〔科学上の〕理論的観照とはまったく異なり、シュッツが〔論文〕「多元的現実について」において詳細に検討している意味領域の一つではない。彼の主たる関心事は、宗教ではなく、限定された意味領域としての科学である。彼の論文の冒頭で、彼はこう書いている――「以下で試みる考察は、断片的ではあるが、そうした〔ジェイムズが回避した〕問題のいくつかの含意に対する、端緒的な研究方法の概略を描こうとするものである。そのさい、特に〈日常生活世界の現実と、理論的・科学的観照の現実との関係を明らかにする〉という目的をもって、考察を試みたい」（1962a: 208）。この計画に厳密にしたがって、シュッツは宗教の定義もそこに組み入れていない。これこそまさに、以下の〔本論文の〕諸考察が満たそうとする空白である。限定された意味領域としての宗教に焦点を当て、それらの考察はこの意味領域の特徴のさらに詳細な記述をすることになるだろう。この分析で用いられる〈宗教〉の概念は、ルックマン（Luckmann 1967, 1985, 1991a,b）にもどって、非日常的現実の超越的体験をふくんだ「幅広い」（機能的）概念である。彼いわく、「私は、超越的体験から生まれ、

非日常的現実を指し示すと（いくぶん執拗に）理解されている、社会的に構成された現実の諸層に、〈宗教的〉という術語を適用する」（Luckmann 1985: 35）。この宗教概念に対する主な批判はよく知られている（Dobbelaere/Lauwers 1973を見よ）。〔すなわち、〕その宗教概念は〈特定の宗教体験を捉えるには広すぎて、あまりにも捉えどころがない〉と非難されるのだ。しかしながら、本論文の目的にその宗教概念を非常にふさわしくさせるのは、まさに、その〈超越〉という概念への言及である。

第一項　限定された意味領域としての宗教

〔以下の考察の〕最初の段階では、他の下位宇宙と同様に、限定された意味領域としての宗教は、特別な認知様式――これは、特有の意識の緊張、特有の形態の社会性、特有の時間の視点などからなる（1962a: 232f. を見よ）――をその特徴とする。宗教という限定された意味領域のこれらの〔他の意味領域の特徴とは〕異なる特徴は、厳密にどのようになるだろうか。

宗教という限定された意味領域は、「相互主観的に共有できる」限定された意味領域のうちの一つである（1962c; 1962a: 232f. を見よ）。実際、〔宗教には〕共同体化への衝動がある。共同体を生みだす他の意味領域（例えば、ゲームの世界）もあるけれども、このことはすべての意味領域に当てはまるわけではない。眠っている者、夢想する者、そして（おそらく）狂気の者の共同体は存在しない。宗教を実践している人々の共同体化は、宗教的礼拝や儀式の実行など、こうした共同体の創設に必要な宗教的実践によって達成される。したがって、宗教的実践は、信徒たちの既存の共同体の産物であるが、同時に、共同体を継続的に再構成していく。たしかに、孤独でも実行できる他の宗教的実践〔瞑想・祈り・断食など〕があり、多くの宗教では、隠遁生活をえらぶ隠者や禁欲の聖人といった人物が存在する。〔それでも、〕他の多くの意味領域とは異なり、宗教の意味領域には単独でも集団でも入ることができる。この二重の入口が、限定された意味領域としての宗教と日常生活世界との結びつきにとって非常に重要である。その理由は、この二重の入口が、これを宗教体験の前提条件にすることなく、〔宗教と日常生活世界の〕現世的な交わりを可能にするからである。

しかしながら、共同体化と宗教的実践は、それら自体が限定された意味領域への入口の条件を形成するかもしれない。〔例えば、〕集中的な断食ないし瞑想のような宗教的実践によって、〔宗教という〕限定された意味領域が生み出され、それへの接近が許されることがある。宗教という限定された意味領域には簡単には入れない。その意味領域は、これらの特有の実践によって、日常生活世界の内部から形成される。共同体で遂行された実践はそこで顕著な役割をはたし、われわれは宗教の社会的構成を〈体験の内部空間が社会化された限定された意味領域〉として語ることができるだろう。

しかしながら、〔宗教的意味領域への〕〈接近〉の問題はまた、宗教という限定された意味領域の不均質性の程度を示すのにも役立つ。宗教的実践から離れて、宗教的意味領域の諸体験のなかで、多くの「状態」が特定されるかもしれない。〔だが、〕そうした状態は共同体内部では生じない。また、その影響を受けた人々はしばしば、その状態について〈その体験は自分たちを無力にするが、このことは自分たちの意図とは無関係におこっている〉と報告している。こうした体験には、回心体験、忘我、あらゆる種類の危機〔体験〕、狂喜、超越体験または臨死体験、そしてもちろん、あらゆる形の神秘主義〔の体験〕がふくまれる。

宗教的な意味領域には〈飛び地〉が重要な役割をはたすことは明らかだと思われる。シュッツはこの術語を〈他の意味領域に囲まれた限定された意味領域〉を指すために使っている。宗教に限っていうと、夢はそのような飛び地のよく知られた例である。ギルガメッシュ叙事詩と同じくらい古い文献には、連続する夢の記述が含まれている。「夢の本」は古代エジプトから知られている。そして、旧約聖書の最も有名な例は、ヤコブの天の階段／梯子の夢である〔「彼は夢を見た。先端が天まで達する階段が地に向かって伸びており、しかも、神の御使いたちがそれを上ったり下ったりしていた。」「創世記」28章12節〕〔新約聖書では、ヨセフが自分をエジプトに逃げるよう促している天使の夢を見ている〔「マタイによる福音書」2章13節〕〕。〈飛び地〉は、ある限定された意味領域が、他の複数の限定された意味領域によって囲まれたものである。さらに、ある一つの限定された意味領域からほかの限定された意味領域への移行は可能であり、おそらく珍しい現象ではない。多くの宗教では、非日常的な体験は非日常的な知覚〔「突然の出現」〕として自らを顕現させている。だが、そのような体験をもつ人々の真実性は、彼らの周囲の人々によって絶えず疑問視され、他の限定された意味領域〔例えば、狂気という意味領域〕に属するものだとされている。このことは、エルサレムで発見された幻覚である「エルサレム症候群」——その症候群の患者たちは自分たちを新約聖書や旧約聖書の人物であるとみなしている——によって実証されている。「エルサレム症候群」の人々の大部分は精神病と診断されているのだ。ジャンヌ・ダルクは、とりわけ大天使ミカエルの声を聞いたことにより、

〈異端である〉との告発を受けた。これらの例からわかるように、限定された意味領域の体験は〈危険なし〉とはならず、そこでの多くの体験は日常生活世界に危険な結果をもたらす可能性があることは明らかである。

意味の諸領域は、〈飛び地〉という現象を除いて、〈入口〉――すなわち、限定された意味領域と日常生活世界との間の連結部分――と呼ばれうるものを生み出すという、顕著な特徴を有する。「象徴・現実・社会」(1962c)において、シュッツは象徴に限定された意味領域間の繋がりをもたらすための中心的役割をさずけた。すなわち、象徴は「より高次の秩序の間接呈示的指示」(1962c: 331)なのである。指標・目印・記号――これらはすべて「この世のもの」という性質をもつ――とは異なり、象徴は、日常性を超えるものを示し、日常体験を超越するものを示す。象徴は、〈超越的な〉限定された意味領域を日常生活世界に結びつける。すなわち、間接呈示する事物(間接呈示している象徴)は、日常生活世界の構成部分なのである(1962c: 343)。そして、象徴が限定された意味領域を指し示すのはこの〔間接呈示の〕力によるのである。シュッツとルックマンは「境界横断」(Schutz and Luckmann 1989: 131)について述べている。指標・目印・記号が、〔眼前に〕存在しないものを指示しながら境界線を横切ることは、まったく象徴と共通している。しかし、象徴の目標は〔日常生活世界とは〕別の限定された意味領域である。シュッツとルックマンは境界線を超える象徴の力を指摘するために「架橋」という術語を使用している――「象徴は一つの現実の領域から他の現実の領域へと橋を架ける」(Schutz and Luckmann 1989: 144)。象徴はさまざまな形態をとる。シュッツは〔その例として〕「表出的・目的的・模倣的な身振り、言語的あるいは絵画的現示、呪文や呪い、呪術的あるいは宗教的な儀式」を明示的にあげている（1962c: 335f.）。これらの象徴を担うものの多くは流動的であり、物質的な補助手段を必要としないか、必要とするとしてもほんの僅かである。したがって、他の諸現実と関わることは、日常生活世界のほぼ普遍的な役割であり、日常性にはまさに他の諸現実との関係が浸透している。シュッツは、ヤコブの階段／梯子の例〔前出。石を枕にして眠り始めたヤコブは「主がこの場所におられること」を知らなかったが、啓示によってそれを悟ったという話。「創世記」28章10－22節〕を使って、〈事実上、日常生活のあらゆる対象が高次の秩序へと関与し、超越的なものの体験は事実上どこでも可能である〉ことを例証している。シュッツは「超越的体験の日常生活世界への突入、それは日常生活世界を変容させ、その各々の要素に間接呈示的意義を与える」（1962c: 337f.）と語っている。しかし、われわれは象徴の配置が恣意的ではないことに気付かざるをえない。とりわけ、宗教はこれらの象徴が〈時と場所〉にかたくなに依存していることを確かなものとする。

　宗教は、日常生活世界の内部で、空間的におよび時間的に限定性をもつ入口を創出する。すなわち、祈りの家では、共同体の人々が集まる礼拝の場所が決められている。そして、祝日の暦では、〈キリスト教の典礼暦年に定められた〉一年のうちの決められた定期的な時期に、信者たちが集まることを求めている。これらの入口は、限定された意味領域への接近を可能にし、実際に、別の現実への一種の〈正門〉の役割をはたす。入口は、まさに、それ独特の性質と、そこの居住者や訪問者に働きかけるそれ独特の力とをもっているのだ。修道院の庭は、そこへの訪問者が瞑想的な心の状態に到達し、自分の内側に目を向けるのを助けることができる（そして、実際にそのように意図されている）。シャルトル大聖堂に心が奪われないことはほとんど不可能である。〔入口の独特の性質と力とは〕このようなことである。デュルケムは「宗教的生活の原初形態」として、日常生活世界からの〈聖なる場所と時間の隔離〉について既に説明している。特に、聖なるものを俗なるものから分離することは、いわゆる〈消極的儀礼〉の目的である（Durkheim 1971: 299-325）。デュルケムによれば、〈聖なる時間と場所〉を創造するのは、宗教の重要な特徴である。「定義上、聖なる存在は〔俗なるものから〕分離された存在である」（Durkheim 1971: 299）。これらの入口（大聖堂や修道院の庭など）には、別の現実に到達するために、または、そこへの接近をうながすために、人々は明確な意図をもって頻繁に訪れることができる。

宗教のみが、日常的現実と閉じた意味領域の間にある〈固定設置型の入口〉をもっているわけではない。〔ゲームの〕競技者にとっては、ゲームの約束事が入口の役割をはたすであろうし、ロックミュージックのファンにとっては、フェスティバルが入口であるかもしれない、などといったことである。修道院の庭がある一つの限定された意味領域（＝宗教）への〈正門〉の役目をはたすことがあるように、サンディエゴ・コミック・コンベンションやグラストンベリー・フェスティバルは、他の〔非日常的意味〕領域への通路として確立された空間である。このように、入口は、限定された意味領域間の移行を生みだし、同時に、それらの〔移行先の〕意味領域に人を馴染ませる。〔移行の〕初期段階で、宗教は、先述した隠遁主義と禁欲主義という生活の選択によって明示された〔日常生活〕

世界からの分離をもたらす。だが、必ずしも、入口はそこの居住者の側で〈日常生活〉世界の完全な放棄をともなうとは限らない。

これは、そのような場所や出来事の〈制度化〉の問題を提起する。エンドレスは、さまざまな形態をとる超越性の扱いが社会によって組織化され統制されていることに、注目している（Endress 2003: 108）。〔移行の〕初期段階では、閉じた意味領域は個人の内的体験である。しかしながら、その入口（「聖なる」場所・「聖なる」時間）の制度化と社会的統制は、日常生活世界の内部で、社会構造と物質的事実を生み出している。引き続いて、それらは種々の閉じた意味領域への接近を具体化し、そこへの道を切り拓いている。そのような場所を探し求めている人々は、あらゆる種類の期待の場合と同じように、〈それらの場所は自分たちの期待通りかもしれないし、期待を裏切るかもしれない〉と予想している。

それらの場所がどれほど歴史的変化や社会‐構造的変化に従属しているかを示すのは、とりわけ、宗教という閉じた意味領域へのこれらの通路（＝入口）である。トーマス・ルックマンの〈宗教の個人化と私事化〉に関する諸論文は〈この宗教的意味領域と入口の提供が歴史的に多様である〉ことを示すのを目指している。ドイツ語の一九九一年版の『見えない宗教』の後書きで、彼は以下のように書いている。

西洋社会において、特に宗教的な体験の構成は……かつてキリスト教教会の独占的統制（承認・検閲）の下に置かれていた。その間ですらも、伝統的なキリスト教的表現や独特の宗教的表現は、決して「聖なる諸宇宙」の「市場」で見つかった唯一的なものではなかった。むしろ、そうした表現はさまざまな起源をもつ宗教的志向性……と競合しなければならなかったのである。（Luckmann 1991a: 180）

ルックマンは、「超越の商品市場」としての、この〔宗教的〕志向性と宗教的な意味の提供の競合に言及している（Luckmann 1991a: 180）。ルックマンの説明では、その商品市場は、他の〔キリスト教以外の〕諸宗教から借用された（明示的に）宗教的な表現から構成されているのだが、それはまた、明らかに世俗的な日常的モデルからも構成されている。ルックマンの議論は限定された意味領域にも当てはまる。〔さらに、〕「商品市場」という特性づけは種々の実践にも当てはまる。例えば、呼吸や太鼓演奏の課程、瞑想やヨーガの実践などにより、必ずしもいかなる宗教的な信条も伴わずに、限定された意味領域に到達することができる。ルックマンによって記述された「超越の商品市場」は、選択の可能性につながるだけではなく、〔諸現実の間を往き来する可能性を失った〕確立された象徴や入口にもつながる。たとえば、修道院の庭は、宗教的な場所としてではなく、たんに日陰の美しい場所として認識されるという運命に耐えることになるかもしれない。

第二項　生活世界と死後の世界

宗教的意味領域と〔日常的〕世界にある入口とで見られる空間および時間の構造化は、〈来世〉と〈楽園〉を予見するさい、非世俗的世界のさまざまなモデルにまで広がっている。こうした予見は、〔日常生活世界以外の〕諸世界の時間‐空間的な想像から成り立っていて、日常生活世界と並列的に存在するものではなく、〔日常の人間の視点からみた〕過去または未来にとって代わっている。他の限定された意味領域とは異なり、楽園や来世という概念は、日常生活世界に還帰する可能性を提供しない。来世と楽園は〈そこから戻ることのできない場所〉なのである。来世という概念を通じて、宗教はこの〔日常生活〕世界と超越的な世界との不可逆的な分離をもたらす。来世という概念は、多数の領域のうちの一つの領域ではない。それは究極の意味領域なのだ。

宗教によって、来世と楽園の精確な空間的・時間的位置づけは異なる。旧約聖書で想像され、「創世記」2章10‐14節に記述されている〈エデンの園〉は、その場所を突き止めようとする多くの試みの目標である。実際に、その物語は〔「東の方」およびユーフラテス川とティグリス川について述べながら〕〔エデンの園の〕場所に言及している。古代エジプトの文化では、死者の領域は、一方で、西〔太陽神ラーがオシリスと一緒に住まいを探している夕日の場所〕にあり、他方で、冥界〔そこを通ってオシリスはラーを安全に案内する〕にある。トロブリアンド諸島〔南西太平洋〕で信じられている神話によれば、死者の霊は生者の島からあまり遠く離れていないトゥマ島に住んでおり、死者には生きている人々を定期的に訪れることが許されている（Malinowski 1954: 155）。楽園は、それぞれの宗教が特定の諸条件を満たせば人々が到達できることを約束している〈未来の世界〉だといえよう。しかしながら、これらの諸条件はこの世で満たされなければならない（イスラム教が信者のために用意している楽園がその例である）。また、楽園は、人が訪れることができなくなった過去の世界かもしれない（創世記の楽園であるエデンの園がその例である）。

こうして、多くの宗教が、この生活世界のはかなさに（人間生活がもっている時間的制限を打ち消しながら）来世を対置させていることが明らかになる。日常生活世界で有効な「私はもう一度それをすることができる」や「以下同様」という理念化は、来世での理念化ではなく、（日常生活世界の）空間的・時間的構造化はその重要性をうしなう。しかしながら、最も大切なことだが、楽園は日常生活の「働きかけの世界」からのいわば解放の場所である。アロイス・ハーンは、『楽園という観念の社会学』において、〈（例えば、キリスト教やイスラム教における）庭園としての楽園の概念は「単純な農業社会のこの世の至福」としてそれ自体を提示している〉と指摘している（Hahn 1976: 11）。すなわち、最初は、楽園の概念とこの世の生活の間には類似点があるということだ。ハーンが書いているように、「来世は常に、それぞれの俗事の特徴を保持している」（Hahn 1976: 23）。しかしながら、この二つ（＝楽園の概念とこの世の生活）は決定的な点で異なる――（楽園では）飢饉や労苦はないのだ。「楽園では、骨の折れる苦しい状況はないけれども、いわば、日常的な生活のくり返しばかりである」（Hahn 1976: 11）。それゆえ、来世という概念は、常に著しく具体的でかつ詳細に述べられる。ハーンにとって、楽園と日常生活世界との類似点は「楽園の概念は社会的に条件づけられている」ことを証明している（Hahn 1976: 11）。多くの場合、楽園と来世の概念は素晴らしい要素を特徴としている。しかしながら、楽園と来世を空想から区別するものは、次のような本質的事実である。すなわち、空想の場合、空想している人々は空想の世界にいることを知っているが、宗教の信者は、彼の来世の概念を〔たんなる〕一つの意味領域または彼らの想像力の産物だとは決してみなさない、ということだ。さらに、空想している人は、〔楽園と来世の場合とは〕まったく異なるやり方で、彼らの空想を支配している。〔シュッツの言葉を引用すれば、〕「想像している個人が自分の偶然の出来事〔＝意味領域〕を支配するのである。彼は、自分の空想の空虚な予想を、いかなるものであれ自分の意にかなう内容をもって満たすことができる。すなわち、彼は想像している未来の出来事を予想することに関して、裁量の自由をもっているのである」（1962a: 238f.）。来世を待ち望む人々には、そのような自由と選択肢はまったくない。〔もちろん、〕そこに近づくこととそこに入るための過程とは、明らかに想像力の影響を受ける。いくつかの来世には、入ることを監視する獄吏がいる。ギリシア神話では、冥界への入口はケルベロスによって守られ、生きている人は入れず、死者は出られないようにしている。マリノフスキーによって研究されたトロブリアンド諸島の人々の場合には、死者の村の支配者であるトピレッタが死者を待っている（Malinowski 1954: 156）。これらの世界のいくつか（例えば、エリュシオン〔ギリシア神話で、神々に愛された英雄たちの魂が暮らすとされる死後の楽園〕、ヴァルハラ〔北欧神話の主神オーディンの住む館の名で、戦死した英雄が祀られている〕）は、英雄と殉教者のみが行けるのであって、明らかに、誰でもがそこに行けるわけではない。したがって、多くの来世はエリート主義的だと思われる。それゆえ、来世に行くことは、なるほどファン・へネップのいう意味での〈通過儀礼〉（Van Gennep 1960）に似ているけれども、来世を求める者たちの関心は、究極の意味領域へ入ることの容認に他ならないことが、通過儀礼の場合と異なっている。多くの宗教では、人生における（つまり、日常生活世界における）人々の行為にもとづいて、個々の来世志願者が来世に行けるか否かの判決をくだす、死者の裁判官がいるとか死者の裁判所があるとか、みなされている。例えば、古代エジプトでは、ある人が裁判官の以前の判決に同意できなかった場合、そのことを裁判官に納得させる必要があった。こうした考え方の影響は、特に古代エジプトでは、注目に値する以上のことであった。その理由は、死者の裁判所の要件が、入学試験のようにその場で終わる実力主義の形を取らないためである。その代わりに、判決では人生でなされた行為を見る。例えば、現世を見て、日常生活世界での行動を見るのである。死後、裁判官の前で裁判に立たなければならないという見通しは、生きている者に本当に影響を与える。それはまた、生きている者の世界を規定し、日常の行動に浸透する。こうした考え方は、古代エジプトでは、日常生活に影響を及ぼした。さらに、こうした考え方は、美術にも（数千年たってもまだ見ることのできる）建築にも影響を与えたのである（Assmann 2005）。裁判の観念と来世の脅威とは非常に明白なので、日常生活世界では、特にそれらに関係する一連の文献（いわゆる「死者の書」）が出現した。これらの文献は、死後の脅威への取り組み方についての明確な助言を含んでおり、来世へと赴くために死者に与えられる。来世は必ずしも安全な場所ではないのだ。

シュッツによって記述された限定された意味領域とは違って、こうした来世や楽園（究極の意味領域）という宗教的観念は、日常生活世界の〈今・ここ〉を超越する。しばしば、宗教的観念は宇宙の始まりと終わりという観念も含んでいる。たとえば、ある創造神話は、いかにして世界——これは日常生活世界の故郷で（も）ある——が最初に存在するようになったのか、を説明している。ときおり、あらゆる時代の終焉とまったく新しい時代の幕開けの黙示録的観念がある。それは、この世界を一度だけ克服し、日常生活世界を置き去りにする（「新しい天と新しい地」〔「ヨハネの黙示録」21章1節〕）。

第三項　下位宇宙と日常的現実

三重の相関関係、つまり、⑴日常生活世界、⑵宗教的な限定された意味領域、⑶来世と楽園という観念の間にある三重の相関関係は、決して明瞭ではない。異なる宗教では、これら三つの世界は互いにまったく異なる関係にある。一方で、来世で直面する諸状況は、この世界（日常生活世界）での実践の影響を受ける可能性がある。人生でなされた行為をめぐる死後の裁判を予期しながら、すべての信者は、特定の宗教的な期待にしたがって、この世で自分の人生を生きることを気にかけるだろう。すでに古代エジプトでは、マート〔もとは、古代エジプト神話の法と真実と正義の女神〕（つまり、生活上の適切な行為）は、日常生活や神に対する行動に重要な役割をはたしていた。ブレステッドはこの時代を「良心の夜明け」だとしている（Breasted 1934）。有名な「メリカラ王への教訓」〔古代エジプト第10王朝の文書〕では、父親が息子に緊急の警告を発する（紀元前二二世紀末）。

汝は、有罪だと判断した裁判所が、悲惨な者に判決をくだすその日、令状の内容を執行する時に、寛大ではないことを知っている。……月日の長さを気にするな。なぜなら、彼ら〔裁判官たち〕は人の生涯を一時間と見なすからだ。死後も人は生きており、彼の行為が彼の横に山のように積まれている。それは永遠であり、〔次の世界でも〕いつまでも残っている。それを無視する者は愚か者である。(Breasted 1934: 157)

他の諸宗教は、同時代者たち、先行者たち、そして、それぞれの神々に対する適切な行動のための行動目録〔例えば、石に彫られた「十戒」〕を発展させている。そうした宗教は、宗教的実践〔祈願・賛美・瞑想・祈りなど〕への参加を重視している。ヒンドゥー教徒の転生の教えでは、脅威は、来世に行けないことよりも〔前世の自分と比較して、来世の自分が〕より劣る存在として生まれ変わることである〔「自分が行動し自分を統制するように、自分が成っていく〔＝自業自得〕」〕。仏教は、現世的なものに執着しないで、この世での死と〔来世での〕再生というこの循環〔「輪廻」〕から逃れようとしている。涅槃〔「〔煩悩の火が〕吹き消された」状態〕は、現世内での救済〔＝有余涅槃〕という選択肢さえも許容し、例えば、禁欲主義と瞑想によって達成されるかもしれない。

来世、限定された意味領域、日常生活世界の三つは、多様な仕方で連動しており、互いに影響を及ぼしあっている。この関係は、くり返し、宗教社会学の研究対象となっている。おそらく、来世という観念と、限定された意味領域と、日常生活世界との間の関係の最も際立った例は、カルヴァン主義者の予定説の教義に対する信念をめぐる、ウェーバーの論述（Weber 2005）に見られるであろう。この教えによれば、誰が生きながらえるのか、誰が選ばれた者たちの中にいないのか〈＝神の救済にあずかる者と、滅びにいたる者〉は、最終的に明確である。来世での至福に到達する見込みについての個々の信者の不安と不確実性は、現世の生活における寸暇を惜しんでの労働と禁欲行動とをもたらす。この労働において成就された成功によってのみ、個人は〈最終的に自分は実際に不運な〔滅びる〕人々の中にいないかどうか〉を推測することができる——ただ推測できるだけである。その理由は、カルヴァン主義者の神はこの問題について沈黙しており、信者たちを永遠の不確かさのうちに残しているので、信者たちはそのことについて確信できないからである。ウェーバーが述べているように、このことは「前例のない個人の内なる孤独感」（Weber 2005: 60）を生じさせる。カルヴァン主義の例は、この世界に影響を及ぼす（ことのできる）来世という観念や、それがもつ甚大な影響——すなわち、孤独になる個人にとって、および、相貌を変え「近代的経済人」（moderner Wirtshaftsmensch）（Weber 2005: 117）を生みだす社会全体にとっての影響——の程度を示している。さらに、最終的に変化するものは、限定された意味領域と日常性との間の相関関係である。かつての修道士の禁欲主義は日常生活の一部となっている。つまり、「現世的禁欲主義」（innerweltliche Askese）（Weber 2005: 97）が生まれたのだ。心構えが限定された意味領域（修道士の禁欲主義）から（現世的禁欲主義として）日常生活世界に移され、日常生活世界に永久的な変化がもたらされたのは、カルヴァン主義の来世の観念によってである。

結論

本論文でなされた諸考察は〈生活世界は多種多様な部分にわかれている複雑な問題／事柄である〉ことを示している。充分な覚醒状態、特別な現実のアクセント、支配的な実利的動機をともなっている日常生活世界は、その複雑な問題／事柄の一部にすぎない。この日常生活世界と同時に、個人がさまざまな程度において接近可能で、異なる現実のアクセントによって支配される〈限定された意味領域〉が存在している。これらのすべてが一緒になって「多元的現実」を構成しているのだ。多元的現実は、基本的に、〈根源的不安〉がそれらの中で果たす役割によって異なっている。

アルフレッド・シュッツの場合、根源的不安は日常世界にとって関連性の中心にある。それは自然的態度の基本的な体験を規定する。シュッツの見解では、他のあらゆるものを生じさせるのは、根源的不安である。「この根源的不安から、希望と恐怖、欲望と満足感、好機と危機といった相互に関係しあう多くの体系が生じる。そして、自然的態度のうちにある人は、これらの多くの体系に駆り立てられて、世界に精通しようと試みたり、障害を克服したり、計画を立てたり、その計画を実現したりするのである」（1962a: 228）。『生活世界の構造』に関するノートで、シュッツは根源的不安を「関連性体系の究極の動機」（Schutz and Luckmann 1989: 307）と呼んでいる。

本論文で「究極の意味領域」として考察されてきた〈来世〉という観念では、根源的不安が中心に位置している。この観念は〈生きている世界（生活世界）から一度離脱すると、個人はどのようになるのか〉という疑問について明確に述べている。ピーター・バーガーの「宗教は、それによって聖なる宇宙が確立される、人間の企てである」（Berger 1967: 25）という見解に同意すれば、〈究極の意味領域はこの企ての一部である〉ことが明らかになる。来世という観念は、死後の人間の運命に関する工夫である。「聖なる天蓋」（バーガー）は、この世とあの世を包摂するので、限定された意味の諸領域をもふくむ。したがって、〈根源的不安が自然的態度における関連性体系の決定的な要素である〉ことが証明されるだけではない。それはまた、人間存在の境界線を超えている来世という観念の出現をも担っている。それゆえ、根源的不安は、この世およびあの世という観念の基礎なのである。

同様に、〈限定された〉意味領域も、根源的不安と相関関係にあり、日常生活世界と根源的不安——これによって日常生活世界が規定される——からの避難を可能にする。限定された意味領域は、それらが存在する数に応じて多様であり、人が明らかに価値があるとし、安心を感じる〈日常生活世界からの小休止〉を提供する。したがって、根源的不安はすべての現実（この世における日常生活の諸関連性）の原動力であり、意味領域を通じてもたらされる〈日常生活からの〉大小の脱出の原動力でもある。というのも、限定された意味領域において消滅しているか、少なくとも大いに減少しているものが、〈人生の有限性についての恐れと知識〉、つまり、根源的不安だからである。

註

1——シュッツが多元的現実の〈限定された意味領域〉を詳述する、三つの本質的なテキストがある。⑴一九四五年に掲載された「多元的現実について」(1962a)——これは本論文の中心にある。⑵一九五五年に掲載された「象徴・現実・社会」(1962c)——これは、限定された意味領域の内部と意味領域間での意思疎通を考察し、〈意味領域内部および意味領域間でどのように意思疎通が生じるか〉という問題に取り組んでいる。⑶一九五三年の講義であり、最初の英語版〔論文〕が一九六四年に掲載された、セルバンテスの「ドン・キホーテ」に関する論文(「ドン・キホーテと現実の問題」(1964a))——これは、独特の虚構世界のより深みのある分析を提供している。〔さらに、以下のようなテキストもある。〕

一九四四年に掲載された「よそ者」(1964c)という論文では、テキスト自体が多元的現実に直接に焦点を当てているわけではないが、日常生活世界の〈自明性の喪失〉について論じられている——「けれども、〔よそ者にこうした非難を浴びせる〕人々は、移行状態にあるよそ者が、この〔新しい文化の〕型を、保護を与えてくれる避難所としてではなく、彼の状況把握の感覚をすべて失わせてしまった迷宮だとみなしている、という理解をしていないのである」(1964c: 105)。また、『関連性の問題に関する省察』(2011)(これは、一九四七年から一九五一年にかけて書かれ、シュッツの死後の一九七〇年に出版された)の草稿では、多元的現実の問題が中心となっている(2011: 96f.)。最後に、限定された意味領域の小規模で簡潔な描写は、『生活世界の構造』(Schutz and Luckmann 1973: 22-34)の第一巻に見られる。くわえて、『生活世界の構造』の第二巻(Schutz and Luckmann 1989: 99-130)では、さまざまな形の「超越」(「小」「中」「大」)と「生活世界の境界線」についての洗練された議論が見られる。

しかしながら、本論文にとって最も重要なテキストは疑いなく「多元的現実について」である。これは、シュッツが一九三六年／一九三七年に書き始め、一九四五年に『哲学と現象学研究』誌に登場した。一九四五年九月九日、シュッツはグルヴィッチにこう書いている――「私はこの論文に（骨の折れる）七年間をかけました。それが良かったのかどうかは分かりませんが、私はもうそれを改稿できないことを知っています」（Grathoff 1989: 76f.）。この草稿をめぐるシュッツのグルヴィッチとフェーゲリンとの遣り取りについては、Grathoff（1989: 75-77）および Wagner and Weiss（2011: 92-109）を見よ。

2――多元的現実のテキスト（＝「多元的現実について」）では、宗教は「あらゆる種類の宗教体験」や「宗教的領域への飛躍」（1962a: 231）、「宗教体験の世界」（1962a: 232）、さらに「宗教的瞑想」（1962a: 245）と「宗教的象徴」（1962a: 258）として、わずかに言及されている。

謝辞

クラーゲンフルト大学によるオープンアクセスのための資金提供に感謝いたします。ルーベン・ビーカー氏（パリ）には、この論文の精確な翻訳についてお世話になりました。さらに、二人の匿名の査読者による有益な提案にも心から感謝いたします。

文献一覧

Assmann, J. (2005). *Death and salvation in ancient Egypt*. Ithaca, NY: Cornell University Press.

Berger, P. L. (1967). *The sacred canopy. Elements of a sociological theory of religion*. New York: Doubleday.

Berger, P. L. (1970). The problem of multiple realities: Alfred Schutz and Robert Musil. In M. Natanson (Ed.), *Phenomenology and social reality. Essays in memory of Alfred Schutz* (pp. 213–233). The Hague: Nijhoff.

Biemel, W. (1983). Zur Realitätsträchtigkeit des Irrealen. In R. Grathoff & B. Waldenfels (Eds.), *Sozialität und Intersubjektivität. Phänomenologische Perspektiven der Sozialwissenschaften im Umkreis von Aron Gurwitsch und Alfred Schütz* (pp. 252–271). München: Wilhelm Fink.

Breasted, J. H. (1934). *The dawn of conscience.* New York: Scribner.

Chojnacki, M. (2012). "Secularization" or plurality of meaning structures? A. Schutz's concept of a finite province of meaning and the question of religious rationality. *Open Journal of Philosophy*, 2(2), 92–99.

Dobbelaere, K., & Lauwers, J. (1973). Definition of religion. A sociological critique. Social Compass, 20(4), 535–551.

Dreher, J. (2003). The symbol and the theory of the life-world: "The transcendences of the life-world and their overcoming by signs and symbols". *Human Studies*, 26(2), 141–163.

Durkheim, E. (1971). *The elementary forms of the religious life*. London: Allen & Unwin.

Endress, M. (1998). Alfred Schutz's interpretation of Cervantes's Don Quixote and his microsociological view of literature. In L. Embree (Ed.), *Alfred Schutz's "sociological aspect of literature": Construction and complementary essays* (pp. 113–128). Dordrecht: Kluwer Academic Publishers.

Endress, M. (2003). Die Einheit multipler Sinnordnungen in der sozialen Welt. In M. Kaufmann (Ed.), *Wahn und Wirklichkeit—Multiple Realitäten. Der Streit um ein Fundament der Erkenntnis* (pp. 99–118). Frankfurt am Main: Peter Lang.

Endress, M. (2014). “The man without qualities” and the problem of multiple realities: Alfred Schutz and Robert Musil revisited. In M. Barber & J. Dreher (Eds.), *The interrelation of phenomenology, social sciences and the arts* (pp. 157–172). Dordrecht: Springer.

Flaherty, M. G. (1987). Multiple realities and the experience of duration. *The Sociological Quarterly, 28*(3), 313–326.

Fortune, R. F. (1963). *Sorcerers of Dobu. The social anthropology of the Dobu Islanders of the Western Pacific*. London: Routledge & Kegan Paul.

Garfinkel, H. (1963). A conception of, and experiments with, “trust” as a condition of stable concerted actions. In O. J. Harvey (Ed.), *Motivation and social interaction: Cognitive approaches* (pp. 187–238). New York: Ronald Press.

Garfinkel, H. (1967). *Studies in ethnomethodology*. Englewood Cliffs, NJ: Prentice-Hall.

Goffman, E. (1974). *Frame analysis. An essay on the organization of experience*. New York: Harper & Row.

Grathoff, R. (Ed.). (1989). *Philosophers in exile: The correspondence of Alfred Schutz and Aron Gurwitsch, 1939–1959.* Bloomington, IN: Indiana University Press.

Gurwitsch, A. (1964). *The field of consciousness.* Pittsburgh, PA: Dusquesne University Press.

Hahn, A. (1976). *Soziologie der Paradiesvorstellungen*. Trier: NCO-Verlag.

Hermida-Lazcano, P. (1996). The taken-for-granted world: A study of the relationship between A. Schutz and J. Ortega y Gasset. *Human Studies,* 19(1), 43–96.

Husserl, E. (1969). *Formal and Transcendental Logic* (D. Cairns, Trans.). The Hague: Nijhoff.

James, W. (1890). *The principles of psychology* (Vol. 2). London: Macmillan.

Kassab, E. S. (1991). "Paramount reality" in Schutz and Gurwitsch. *Human Studies,* 14(2/3), 181–198.

Kersten, F. (1998). Some reflections on the ground for comparison of multiple realities. In L. Embree (Ed.), *Alfred Schutz's "sociological aspect of literature": Construction and complementary essays* (pp. 149–168). Dordrecht: Kluwer Academic Publishers.

Knoblauch, H. (1998). Transzendenzerfahrung und symbolische Kommunikation. In H. Tyrell, V. Krech, & H. Knoblauch (Eds.), *Religion als Kommunikation* (pp. 147–186). Würzburg: Ergon.

Luckmann, T. (1967). *The invisible religion*. London: Macmillan.

Luckmann, T. (1970). On the boundaries of the social world. In M. Natanson (Ed.), *Phenomenology and social reality. Essays in memory of Alfred Schutz* (pp. 73–100). The Hague: Nijhoff.

Luckmann, T. (1985). Über die Funktion der Religion. In P. Koslowski (Ed.), *Die religiöse Dimension der Gesellschaft. Religion und ihre Theorien* (pp. 26–41). Tübingen: Mohr.

Luckmann, T. (1991a). *Die unsichtbare Religion*. Frankfurt am Main: Suhrkamp.

Luckmann, T. (1991b). The new and the old in religion. In P. Bourdieu & J. S. Coleman (Eds.), *Social theory for a changing society* (pp. 167–182). Boulder, CO: Westview Press.

Malinowski, B. (Ed.). (1954). Baloma. The spirits of the dead in the Trobriand Islands. In *Magic, science and religion and other essays* (pp. 149–274). Garden City, NY: Doubleday Anchor Books.

Marx, W. (1970). The life-world and the particular sub-worlds. In M. Natanson (Ed.), *Phenomenology and social reality. Essays in memory of Alfred Schutz* (pp. 62–72). The Hague: Nijhoff.

Nasu, H. (1999). Alfred Schutz's conception of multiple realities sociologically interpreted. In L. Embree (Ed.),

Schutzian social science (pp. 69–85). Dordrecht: Kluwer Academic Publishers.

Nieder, L. (2006). Lebenswelt, Alltagswelt, die Vielfalt der Wirklichkeiten und die Sinnprovinzen der religiösen Erfahrungen in der phänomenologischen Soziologie von Alfred Schütz. In M. Drewsen & M. Fischer (Eds.), *Die Gegenwart des Gegenwärtigen. Festschrift für P. Gerd Haeffner SJ zum 65. Geburtstag* (pp. 270–281). Freiburg: Karl Alber.

Psathas, G. (1998). On multiple realities and the world of film. In L. Embree (Ed.), *Alfred Schutz's "sociological aspect of literature": Construction and complementary essays* (pp. 219–235). Dordrecht: Kluwer Academic Publishers.

Psathas, G. (2014). Goffman and Schutz on multiple realities. In M. Staudigl & G. Berguno (Eds.), *Schutzian phenomenology and hermeneutic traditions* (pp. 201–221). Dordrecht: Springer.

Schutz, A. (1962a). On multiple realities. In M. Natanson (Ed.), *Collected papers, Vol. I: The problem of social reality* (pp. 207–259). The Hague: Nijhoff.

Schutz, A. (1962b). Choosing among projects of action. In M. Natanson (Ed.), *Collected papers, Vol. I: The problem of social reality* (pp. 67–96). The Hague: Nijhoff.

Schutz, A. (1962c). Symbol, reality and society. In M. Natanson (Ed.), *Collected papers, Vol. I: The problem of social reality* (pp. 287–356). The Hague: Nijhoff.

Schutz, A. (1964a). Don Quixote and the problem of reality. In A. Brodersen (Ed.), *Collected papers, Vol. II: Studies in social theory* (pp. 135–158). The Hague: Nijhoff.

Schutz, A. (1964b). Making music together. A study in social relationship. In A. Brodersen (Ed.), *Collected papers, Vol. II: Studies in social theory* (pp. 159–178). The Hague: Nijhoff.

Schutz, A. (1964c). The stranger. An essay in social psychology. In A. Brodersen (Ed.), *Collected papers, Vol. II: Studies in social theory* (pp. 91–105). The Hague: Nijhoff.

Schutz, A. (1967). *The phenomenology of the social world.* Geneva, NY: Northwestern University Press.

Schutz, A. (2011). Reflections on the problem of relevance. In L. Embree (Ed.), *Collected papers, Vol. V: Phenomenology and the social sciences* (pp. 93–199). Dordrecht: Springer.

Schutz, A., & Luckmann, T. (1973). *The structures of the life-world* (Vol. 1). Evanston, IL: Northwestern University Press.

Schutz, A., & Luckmann, T. (1989). *The structures of the life-world* (Vol. 2). Evanston, IL: Northwestern University Press.

Sebald, G. (2011). Crossing the finite provinces of meaning. Experience and metaphor. *Human Studies*, 34(4), 341–352.

Spickard, J. V. (1991). Experiencing religious rituals. A Schutzean analysis of Navajo ceremonies. *Sociological Analysis*, 52(2), 191–204.

Van Gennep, A. (1960). *The rites of passage*. London: Routledge & Kegan Paul.

Wagner, G., & Weiss, G. (Eds.). (2011). *A friendship that lasted a lifetime: The correspondence between Alfred Schütz and Eric Voegelin*. Columbia, MO: University of Missouri Press.

Weber, M. (2005). *The protestant ethic and the spirit of capitalism.* London/New York: Routledge.

第三論文

刑務所におけるヨーガ
——超越、霊性、自己改善

マー・グリエラ

論文要旨

ヨーガは、レイキ〔霊気〕〔レイキの世界観では、宇宙のすべてのものはエネルギーを持ち、世界は多種多様なエネルギーに満ちているとされる。レイキは、そうしたエネルギーの一つで、生命の源となる〕や瞑想などの、他のいわゆるホリスティックな霊的実践とともに、現代社会で最も人気のある精神的修行の一つである。ヨーガの隆盛は、健康・スポーツ・宗教・大衆文化の間にある境界線をこえる。しかしながら、社会学的観点からは、ヨーガの隆盛はほとんど研究されていない分野である。この論文では、こうした溝を埋めることを目指しながら、研究の制度的脈絡として〈刑務所〉を取り上げることにより、ヨーガの実践の影響・意味・含意を分析する。刑務所でのヨーガの伸展は、多くの国々における最近の傾向であり、〈幸福〉と〈自己変容〉をうながすその可能性をめぐって、新たな問題を提起している。ここに示された研究は、受刑者の生活におけるヨーガの役割を理解するために、シュッツの「限定された意味領域」と「知識のストック」という概念を利用する。この論文の主たる論点は〈ヨーガは、受刑者たちが「限定された意味領域」に入り、彼らの日常的な刑務所生活を超越する可能性をあたえる、身体的技術だ〉ということである。しかしながら、ヨーガを学ぶことは、東洋哲学、ホリスティックな考え方、自助的な治療物語などからなる「精神的知識のストック」の獲得もふくむので、受刑者の生活に対するヨーガの影響は、たんにその身体的効果に限定されない。実際、ヨーガの実践では、身体的な動きと霊的な説明とがたがいに補い合っているために、〔刑務所での日常的生活とは〕別の現実への道がひらかれる。いいかえれば、〔身体的〕動作と霊的言説は相互に教えあっているのだ。そして、〈「超越的な体験」がうみだされ、ヨーガが刑務所の〈自己〉改善場面において有意義で重要なものにされる〉のは、まさにこの〈身体的な動きと霊的な説明との〉相補性においてである。この論文は、二つの異なる刑務所で行なわれた民族誌的フィールドワークに基づいている。〔最近、「プリズンヨガサポートセンター（ＰＹＳＣ）」など、日本の刑務所でもヨーガの実践をサポートしようという動きがある。ただし、このセンターは刑務所全体をサポートするのではなく、現時点では、拘禁されている人々に個人的なサポートをしようとしているようである。〕

キーワード

スピリチュアリティ、宗教、シュッツ、ヨーガ、刑務所、超越体験

序論

ヨーロッパにおいては、宗教的な所属・慣習・信念はここ数十年で劇的に変化した。霊的な超越体験の主要な提供者としての歴史的教会は〈他のものに〉とって代わられた。ルックマンの言葉では、歴史的教会は「もはや社会的に支配的な宗教の形態ではない」（Luckmann 1990: 135）。現代社会では、〈聖なるもの〉の新たな源が出現し、人気のあるメディアや消費者文化を通じて広められている。増えつつある宗教的表現は「超越の主体的体験をきわめて重視し」（Knoblauch 2008: 148）、しばしば古い制度的枠組みの多くから切り離されている。こうした脈絡において、超越の体験の感

覚的・身体的な次元は、個人にとってますます重要性を増し、新たな霊的形態と実存的な意味形成過程との重要な場となる。

ヨーガは、レイキや瞑想などの他のいわゆる〈ホリスティックな霊的実践〉とともに、現代社会でもっとも人気のある霊的修行の一つである。いわゆる「ヨーガ・ブーム」の実際規模の明確な推定数値はないが、そのブームの世界的広がりを強力に示すものがある（Singleton and Byrne 2008）。ヨーガは、ホリスティックな宇宙のもっとも正当な実践の一つとなっており、〈西洋社会における〔精神的〕代替活動や療法の普及の最前線にある〉と考えられている（Fischer-White and Gill Taylor 2013）。現在、ヨーガの教えは、公的機関のなかでも学校・病院・刑務所で、ますます取り入れられるようになっている。ヨーガの隆盛は健康・スポーツ・宗教・大衆文化の間の境界線を越えており、その多面的な姿を考慮せずに、ヨーガの隆盛を説明することはできない。しかしながら、社会学的観点からは、ヨーガの隆盛はほとんど研究されていない分野であり、これまでその社会的有意性が要求するほどの議論の主題ではなかった（Smith 2007）。

この溝を埋めるために、この論文では、研究の制度的脈絡として刑務所を取り上げることにより、ヨーガの実践の影響・意味・含蓄を分析する。刑務所でのヨーガの伸展は、多くの国々における最近の傾向であり（Rucker 2005; Rabi Blondel 2012; Bilderbeck et al. 2013）、〈幸福〉と〈自己改善〉をうながすヨーガの可能性をめぐって新たな問題を提起している。ここに提示された研究は、受刑者の生活におけるヨーガの役割を理解するために、アルフレッド・シュッツの「限定された意味領域」

と「知識のストック」という概念を利用している。

この論文は、二つの刑務所で展開された民族誌的調査に基づいている。刑務所に焦点をあてることは恣意的な決定ではない。「全制的施設」(Goffman 1961)〔刑務所や精神病院などの施設のこと。類似した境遇にある人々が、相当期間、社会から隔離され、閉鎖的で形式的に管理された日常生活を送る場所〕としての刑務所の特色は、より明確で目に見える〔霊的・宗教的景観の〕変化の形態を具現しているので、刑務所は霊的・宗教的景観の再構成を観察したり検討したりするための特権的な場所である(Beckford and Gilliat-Ray 1998)。イレーネ・ベッチが主張するように、「刑務所では、個人はとりわけ集中的に実存的問題に直面している。拘留の状態と、空間・時間・身体にかかわる自由のための日々の闘いとは、〈宗教が特別な意味をもつ〉という状況を生み出している」(Becci 2012: 2)。したがって、刑務所での受刑者のヨーガの実践の分析は、現代社会における〈新しい形態の超越〉の出現をよりよく理解するための拡大鏡として使用できる。

この論文の主たる主張は〈ヨーガは受刑者が「限定された意味領域」に入り、彼らの刑務所での日常生活を超越する可能性を提供する身体技術だ〉ということである。しかしながら、受刑者の生活に対するヨーガの影響は身体的効果のみに限定されない。なぜならば、ヨーガの習得は、東洋哲学、ホリスティックな考え方、自助的な治療物語からなる精神的な〈知識のストック〉——これは悔い改め/自己改善の枠組みとして機能する——の獲得と同時になされるからである。したがって、この論文は〈受刑者の間でのヨーガの人気はその二重で循環的性格によるものである〉とも述べている。すなわち、(1)ヨーガの身体的動作は受刑者が超越を体験することを可能にする。これと同時に、⑵指導者からの意見、共同参加者との対話、本の交換によって、受刑者が「精神的な知識のストック」に精通することは、受刑者が、超越の生きられた体験を〈意味があり意味をうみだす〉物語のなかに位置づけることによって、これらの体験を理解するのに役立つのである。これは予想外の結果をもたらす。すなわち、例えば、ヨーガへの取り組みを通じて自分の状況に対処する受刑者たちは、犯罪者の更生をめぐる刑務所の管理体制と調和しながら活動するのである。

　この論文は三つの主要部分に分かれている。第一部では、〔この研究の〕脈絡的背景とこの研究で使用される方法論とをしめす。第二部では、この研究で採用された理論的・概念的観点を説明する。第三部では、主な調査結果が提示されるが、それは三つの小節に整理されている。一つの小節は、身体と「限定された意味領域」という概念に関するものである。もう一つの小節は、「精神的な知識のストック」という概念に関するものである。最後の小節は、個人的な変化の過程や〈翻身〉〔住んでいる世界を変えること〕の過程（Berger and Luckmann 1966）をうながす上でのヨーガの役割に関するものである。そして、本論文は主要な結論で閉じられる。

第一部　事例の構成――カタロニア地方の刑務所におけるヨーガとホリスティックな霊性

ゴフマンの言葉によると、「全制的施設」に入ることは、「一連の虐待・衰退・屈辱・自己への侮辱」（Goffman 1961: 24）をともなう。刑務所という状況では、受刑者の「自分の領土」（Goffman 1971）は、プライバシーの破壊、自律性の喪失、表現の分化と個別化の過程の制限〔画一的な表現〕によって、つねに侵害されている。しかし、同時に、現代の刑務所は更生の理想にもとづいて設立された機関である。理論的に考えると、〔犯罪者の〕拘留は、個人が犯罪を止めること、そして、それにつづく社会復帰に貢献すべきである。[1] この脈絡では、〈宗教は、(1)投獄の苦痛に対処すること、(2)自尊心を育み、自分の人生について意味のある物語を提供するための象徴的・物質的な方策を促進すること、との双方において重要な役割を果たす〉としばしば考えられている（Clear and Sumter 2002）。

近年、とくに米国では、〔受刑者の〕拘留状態における宗教の役割を議論することを目的とした、非常に多くの研究が行なわれてきた（Kerley et al. 2005; Clear and Sumter 2002; Johnson 2002）。ヨーロッパでも、刑務所における宗教の研究が増加しており、それは刑務所における宗教の多様性に対応するための政策に主に焦点を当てている（Beckford and Gilliat-Ray 1998; Becci 2012; Furseth and Kühle2011; Martínez-Ariño et al. 2015）。とはいえ、アメリカとヨーロッパの双方の状況において、研究は主に伝統的な宗教団体の役割を分析することに限られていた。いくつかの例外（Becci and Knobel 2014; Griera and ClotGarrell 2015b）を除けば、刑務所におけるホリスティックな霊性の存在の増大は、ほとんど忘れられ無視されてきた。これは偶然ではない。むしろ、これは〈刑務所制度におけるホリスティックな霊性の伸展は、刑務所の壁の外では気づかれていない、まさに隠された現象である〉という事実を反映している。

著者の場合、刑務所でのヨーガ（特にクンダリニー・ヨーガ（クンダリニーは、ヒンドゥーの伝統において、人体内に存在するとされる根源的な生命エネルギーを意味する言葉。これが完全に覚醒すると解脱に至ることができるとされる））や他のホリスティックな活動の活発化の「発見」は、純粋な（社会）科学的な知的刺激の結果ではなかった。むしろ、スペインの刑務所（および病院）における宗教の多様性への対応にかかわる、以前の研究プロジェクトの結果であった。この以前のプロジェクトでは、カタロニアのほとんどすべての刑務所が、（最も人気のあるものだけをあげると）レイキや瞑想などの他の霊的な活動とともに、〈受刑者のためのヨーガのコース〉を提供している、という事実をしだいに知ることになった。しかしながら、これらの活動は、刑務所職員や刑務所当局によって、宗教的な言葉で語られることは決してない。だが、これらの活動は、（自然）科学的な言葉によって身体的健康および心理的健康の観点からその効果を説明する、非宗教的言説を通して正当化される。刑務所という状況における、ホリスティックな活動の役割・影響および可能性の条件についての詳細を学ぶことへの著者の関心の高まりは、この最初の洞察にさかのぼり、新しい研究プロジェクトの設計につながった[2]。その目的を役所の要件に適合するように調整したあとで、(1)ヨーガの授業での参与調査、(2)受刑者・刑務所職員・ヨーガのボランティアへの聞き取り調査からなる、民族誌的研究をおこなうための公認がえられた[3]。

その調査によると、一九九〇年代半ばに、カタロニアの刑務所でヨーガが導入された。それは、ボランティアとして受刑者にヨーガを教えることを申し出た人々の先鞭によるものであった。この最初の〔刑務所という場所での〕隔離された指導体験の成功は、恵まれない集団でのヨーガの普及にとくに専念したNGOの出現とともに、二〇一一年に、カタロニアの刑務所におけるヨーガの活動の公認につながった。その年、ヨーガのNGO（ワールド・プレム）とカタロニア司法省は合意文書に署名した。この合意は、刑務所でヨーガを教えることを正式に承認し、受刑者のためのヨーガのコースの拡大と組織化の基礎を確立した。

ほとんどの刑務所では、ヨーガのコースはボランティア[4]によって指導される毎週一時間半の活動である。さらに、一部の刑務所では集中的なヨーガのコースも開いている。この研究プロジェクトは、これらの集中コースのうちの三つを吟味する、多重的事例研究として設計された（Yin 2003）。そのうちの二つが、二〇一三年と二〇一五年の夏に、バルセロナ郊外の大きな刑務所で開かれた。これらの二つのコースは、いわゆる「隔離されて行なわれるヨーガ」（すなわち、有罪判決を受けた男性と女性の受刑者の混合集団をふくむ、四〇日間にわたる一日二－三時間の授業）で構成されていた。三つ目の事例は、再拘留刑務所での二か月間（二〇一四年六月－七月）の集中コースで、一週間に三日、二時間の授業があった。

実地調査は、ヨーガの授業での参与調査からなりたっていたが、コースに参加しているすべての〔個々の〕受刑者の調査（n ＝ 55）もふくんでいた。さらに、抽出された受刑者、ヨーガの教師、社会教育者、その他の刑務所職員へのインタビューもふくんでいた。合計二五回の面接がおこなわれたが、これらの面接は、調査結果のより良い解釈を助けただけではなく、新しい問題点〔の発見〕

や新しい調査結果につながった。実地調査全体を通して、著者は、受刑者の文章、絵画、受刑者自身が提供してくれたその他の文書／芸術作品も収集した。最初から、著者は〔さまざまな機会に〕受刑者に立ち合いの同意を求めた。刑務所の状況によって課される治安上の障害やその他の束縛にもかかわらず、著者は刑務所のなかで「比較的」自由に移動し、受刑者・職員・ヨーガのボランティアと多くの非公式な話をすることができた。しかしながら、このことは、刑務所の閉鎖的な性格が、内部の治安上の懸念とともに、民族誌的〔研究の〕遂行に明らかな制限を課している事実を否定するものではない（Wacquant 2002; Bosworth et al. 2005; Waldram 2009）。

次の表は、右の三つの集中的なヨーガのコースに参加している、受刑者のプロフィールの主な特徴をまとめたものである（表1）。

コースへの参加は任意だが、受刑者はコースを受講するために刑務所から正式な許可をえる必要がある。さらに、場所の広さと治安上の理由から、誰もが受け入れられるわけではない。三つの事例のすべてで〈プログラムに参加したい〉と思っている受刑者の待機者リストがあった。そのうちの何人かは二週間目に受け入れられたが、他の受刑者は「不適切な行動」のために拒否された。「不適切な行動」とは、(1)授業での指示に従わないこと、(2)他の受刑者と話すこと、(3)自分の居場所から姿を消すこと、(4)刑務所の内部規則[5]に違反すること、と説明されている。社会教育者たちは不適切な行動を取り締まることを担当している。だが、「熱心な」参加者〔＝受刑者〕たちは、それらの破壊的な行為は「授業の雰囲気をこわす」と主張し、ヨーガの教師や職員にそれらの行動を「非

表1 ヨーガ・コース参加者のプロフィール

	事例1．隔離されて行なわれるヨーガ（2013）	事例2．ヨーガの集中コース（2014）	事例3．隔離されて行なわれるヨーガ（2015）
参加者の平均年齢	37.8歳	40.6歳	36.2歳
参加者の性別	男性11人／女性4人	男性24人	男性11人／女性5人
生誕地	ヨーロッパ　3人 ラテンアメリカ　7人 スペイン　4人 アメリカ合衆国　1人	スペイン　13人 ラテンアメリカ　7人 ヨーロッパ　3人 モロッコ　1人	スペイン　4人 モロッコ　1人 ラテンアメリカ　11人
平均収監期間	3年	10.6か月	2.9年

難する」傾向がある。刑務所での集中的なヨーガのコースを受講し終えた受刑者の約八〇%が、すでに刑務所の「定期的な」ヨーガの授業に毎週参加していた〈長期参加者〉であることに、注目することが重要である。したがって、標本抽出は「中立的」ではなく、すでにヨーガの活動への傾倒を示している受刑者によって構成されている。さらに、ある指導者の言葉では、「ヨーガを学んでいる者たちは〈パティオ〔中庭〕の男〉〔ほとんどの時間をパティオでぶらぶらして時を過ごす人々〕ではない。彼らは通常、すでに他の多くの活動に参加している、問題のない受刑者たちの一部である。

集中的なヨーガのコースに参加している受刑者の犯罪歴[6]に関するデータはない。しかしながら、この点については考慮しなければならない。再拘留センターの場合には、受刑者はまだ刑を宣告されていないが、他の刑務所では、ほとんどの受刑者は長期の刑に直面している。これは受刑者たちを異なった心理的状況におく。すなわち、受刑者がヨーガの授業をとる取り方に影響をあたえる、という事実である。再拘留センターでは、ヨーガの成功は不確実性と忍耐力不足への対処と深く関係している。この一方で、長期〔にわたって受刑者を拘留する〕刑務所では、ヨーガは生存戦略としてより効果的に機能する。しかしながら、どちらの場合も、ヨーガの授業はクルーたちが「感情のゾーン」（Crewe et al. 2013: 218）と名付けたものになる。「感情のゾーン」は、「〈表舞台〉の領域、〈裏舞台〉の領域」のいずれとしても特徴づけることはできないが、「〔ヨーガの授業は〕刑務所にある他のどの場所よりも広範囲の感情表現を可能にする」。ジョンソン（Johnson 1987）は、ヨーガの授業のようなこれらの「感情のゾーン」を「聖域」として特徴づけている。それは、刑務所の厳格で攻撃的な感情の管理体制をしばらく変えられる「保護された環境」を提供する。さらに明らかになるように、刑務所の受刑者たちの間でのヨーガの人気は〈ヨーガの授業が「より広範な感情の表現」を可能にする「聖域」を提供する〉という事実と密接に関連している（Crewe et al. 2013: 12）。ヨーガの授業では、マントラ〔梵語で「言葉」を意味する。「真言」と漢訳され、とくに密教では仏に対する讃歌や祈りを象徴的に表現した短い言葉をさす〕を唱えたり、目を閉じて横になったり、手を繋いだり、さらには泣いたりしても許される（これらは刑務所の公共の場では許されない）。

しかしながら、ヨーガの制度的な成功のより構造的な説明もなされるべきである。ヨーガのプログラムは刑務所の管理チームによって支援されているのだが、このことはプログラムの機能を促進させる。この支援は、次の二つの事実を考慮すると理解できるようになる。(a)この支援は、経済的危機の時期と刑務所が混雑する時期とに現われる〈無料〉の活動である。(b)この支援は、刑務所の治療的側面に沿った活動として、また受刑者をおちつかせるための適切な手段として、認識されている（Rucker 2005）。いいかえれば、ヨーガは、「全制的施設」（Goffman 1961）という複雑な世界の内部で、緊張をやわらげ柔和さをはぐくむことを目的とした社会統制の一形態およびパワーデバイスとしても、理解されているのである。

第二部　理論的枠組み――ヨーガ、ホリスティックな霊性、超越の具体的体験

受刑者によるヨーガの実践についての著者の分析は、二つの理論的観察に基づいている。最初に〔第一の観察から〕、〈西洋社会におけるヨーガの普及は、「ホリスティックな霊性」（Heelas et al. 2005）として広く知られている、新しい宗教的類型の発展の一部として論じることができる〉と主張したい。第二の観察は〈「限定された意味領域」と「知識のストック」というアルフレッド・シュッツの概念は、ヨーガの実践の多面的な特徴をとらえ、身体・心・社会的背景の間にある関係を説明するのに適切である〉ということである。次に、二つの観察結果について簡単に説明しよう。

ヒーラスたちによると（Heelas et al. 2005）、「ホリスティックな霊性」は西洋の宗教分野における変化の最も明確な指数であり、現代西洋社会における新しい支配形態の宗教として実際に現われている。「ホリスティックな霊性」という術語は、「全体性と健康の達成、ならびに、身体と心と霊との安寧の達成」に向けられた幅広い信念と実践とを意味する（Harris 2013: 531）。急増する多くの文献が、宗教社会学の観点から、この現象を記述し調査している（Fedele and Knibbe 2013; Dawson 2011）。これらの文献は、「ホリスティックな霊性」の体験的・感情的側面を、宗教の〈私

事化〉の過程（Luckmann 1967, 1990）に同調しながら強調している（Cornejo 2012）。「ホリスティックな霊性」は、近代後期の消費者社会――これは「宗教的権威の究極の調停者としての自己と、精神的変容の根源的主体としての自己とに、個人主義的な強調点」（Dawson 2011: 310f.）を重点的においている――の特徴的な宗教形態とみなされている。ウッドヘッドは〈一九六〇年代以降のホリスティックな霊性の伸展は「より広い文化的転換の聖化」として認識されるべきである〉と主張している（Woodhead 2007: 116）。同様に、ルックマンの見地からみれば、ホリスティックな霊性の伸展は、「自己実現・個人の自律性・自己表現」といった主題の増大しつつある重要性と密接に関係しており（Luckmann 1990:138）、その伸展の原因は縮小しつつある超越の形態である。いわゆる〈ホリスティックな環境〉は、レイキ・ヨーガ・瞑想・占星術・チャネリング・現代版シャーマニズムなどもふくめて、多種多様な実践・療法・信念を包摂している。これらすべての実践・活動・療法にはかなりの違いがある。だが、それらを同一の有意味な宇宙に属するものとして分析することを可能にする（「家族的類似」ではなく）「家族的雰囲気」（Wittgenstein）もある。

しかしながら、〈ヨーガは宗教それ自体や霊的な実践を構成するものではないし、ヨーガの実践が超越の体験を自動的に意味するものでもない〉と異議を唱える人もいるかもしれない。したがって、著者の出発点は〈超越を体験するための可能な手段としてヨーガを解釈する〉ことである。その手段（＝ヨーガ）は、状況によって、ホリスティックな霊的想像への入口として機能することもあれば、そうでないこともあるだろう。それゆえ、著者の分析では、ヨーガの授業内容を与える側ではなく、「受ける」側〔＝受刑者たち〕に焦点を当てている。漠然とした非組織的制度形態をとるホリスティックな霊性は、〈内なる自己〉に権威を帰属させるとともに、被験者の体験に焦点を合わせることの妥当性も正当化する。すなわち、宗教的／精神的な術語による過度の解釈を避けるために、ヨーガの実践をめぐる個人の理解・占有・傾向・利用に焦点を合わせる必要があるのだ。同様に、クラス・ネヴリンは、現代の体位のヨーガに関する研究において、ヨーガの本質と意味についての単純化された一般化に反対している。そのため、彼は〈西洋社会における現代のヨーガの理解を健康重視の個人主義的実践に制限しない〉ように訴えている。この議論に合わせて、ネヴリンは次のように主張している。

> これらの〔ヨーガの〕実践に含まれるかなり個人的な内省を詳しく検討する〔必要がある〕。ひきつづいて、〔この必要性は、〕(1)身体がこれらの実践にどのように関わっているのか、(2)この関わりのすべてがいわゆる「霊的な」体験と聖化の実践とにいかに関連しているのかをめぐる、より複雑な考察も要求する。(Nevrin 2007: 3)

ヨーガにおける社会的現実の構成にとって、身体の役割と具現化された体験の役割とをとらえて解明する必要性は、社会‐現象学的探究に〔他の研究方法に対する〕特権をあたえるうえで重要な議論となる。この観点からみると、身体はたんに「われわれの世界を認識し解釈するための手段」

としてのみ扱われるのではなく（McGuire 1990: 284）、われわれの世界を作るための手段としても扱われる。われわれは自分たちが住んでいる世界を「共同制作」する（Berger and Luckmann 1966）のだ。しかし、これはたんに知的な仕事ではない。われわれの自己の身体的次元は他のものから切り離すことはできず、現象学的研究はこのことを深く認識している（Merleau-Ponty 1962）。このように、

> 哲学的問題自体としての身体の再評価は、たしかに現象学の大きな成果である。身体は、〔西洋の〕形而上学の伝統において、主体の個性化にとっての限界条件であるとか束縛であるとさえ、非難されてきた。だが、現象学は身体を主体性と体験との構成条件としてとりもどした。（Staudigl 2007: 238）

あとで説明するように、アルフレッド・シュッツの「限定された意味領域」という概念は、受刑者の内部に〈超越的な体験をもたらすための身体活動の役割〉を説明するときに役立つ。シュッツは、自分の「限定された意味領域」という概念を展開させるために、ウィリアム・ジェイムズの〈意味の下位宇宙〉の理論を援用している。その中心的な意図は〈われわれは人間としてほとんどの時間を日常生活という普通の現実のなかですごす〉ことを認識することである。この日常生活世界には、ある特定の（ベルクソンの術語をつかえば）「生への注意」と実利的な対処方法とが必要である。

ナタンソンが述べているように、「社会的世界は主として日常生活世界である。それは、日常生活の認知的・感情的なやりとりを処理している常識的な人々によって、生きられ理解され解釈されている」(Natanson 1970: 102)。しかしながら、時として、日常生活の連続性が中断され、主体は新たな異なる現実の領域に移行する。「限定された意味領域」は、独自の認知様式、体験の整合性、特有の意識の緊張をともなう、ある一連の諸体験として識別できる。「限定された意味領域」という概念は、ヨーガを実践している受刑者の諸体験、および、その実践が刑務所という状況のなかで獲得する精神的意味を、理解するのを助けることができる。

しかし、超越的な体験の本質化を避けるためには、〈行為者がいかにしてこれらの体験を論証的に表現するか〉、そして〈行為者がいかにしてそれらの体験を有意味な仕方で再構成するか〉を理解する必要もある。タヴォリーとウィンチェスター(Tavory and Winchester 2012: 3)にならって、著者は〈個人が、どのようにして社会にとどまり、どのようにしてこれらの体験を論証という実践において相互主観的に(再)創造するか、を理解することが不可欠である〉と主張したい。それゆえ、ヨーガの授業で学んだ概念や考え方が、いかにして個人の「知識のストック」に組み込まれ、いかにしてしだいに自明になっていくか、を理解することが重要である。「知識のストック」という概念は、⑴社会的にうみだされた知識がどのようにすべての人々の一連の類型と結び付けられるのか、⑵その知識が過去と現在を解釈するのに(さらに、未来を予想するのにさえも)どのように使用されるのか、を理解するのに役立つ。そこで、著者はさらに歩みを進めて、シュッツの「限定された意味領域」と「知識のストック」という概念を組み合わせることは、それらの概念の具体的な統合と構成的な相互作用とにおいて、〈ヨーガの身体化された次元と論証的次元の双方を把握する助けとなる〉ことを示したい。

第三部　主な調査結果

第一節　ヨーガ、身体、限定された意味領域

あらゆる全制的施設は、生きいきとした魅惑的な活動の小島が現われる、一種の〈死の海〉と見ることができる。そのような活動は、個人が、通常は自己への攻撃によってひきおこされる、心理的ストレスに耐えるのを助けることができる。(Goffman 1961: 68)

ミゲル[7]は三六歳のコロンビアの男性で上級のヨーガの実践者である。彼は、すでに一五か月以上監禁されており、裁判を待っている。お役所的な理由で、彼の裁判は三度延期されたが、彼は〈間もなく何の刑罰もなしに釈放される〉という希望を失っていない。著者が、再拘留刑務所での〈ヨーガの〉集中コースの初日に自己紹介をしたあと、彼は最初に話しかけてきた。彼は著者の仕事についてたずね、〈ノートを持って後ろにすわらないように〉と助言してくれた。彼は〈著者のマット

を彼のマットの隣におくように〉〈その場所から授業の指示にしたがうように〉とすすめた。彼は「あなたが後ろにすわっているならば、彼ら〔刑務所の社会教育者たち〕のうちの一人によって連れて行かれる」といった。この日から、われわれはほとんどいつもヨーガの授業で一緒にすわり、授業の始めと終わりに親しみのある会話をした。彼は作家になることを望んでいる。そして、時々、彼は著者に彼の作品のコピーを持ってきた。われわれは著者の調査についてよく話し、著者は彼にいだいた印象や疑問について彼によく説明した。ミゲルは刑務所で美術やスポーツの授業も受けている。われわれの会話は、ヨーガの特徴および〔ヨーガと〕他の活動との類似点や相違点にしばしば関連していた。彼からみれば、ヨーガはマリファナを吸うことと同様の効果があり、さらに、宗教的な儀式といくつかの類似点がある。くわえて、彼はヨーガがボディービルディングとある程度似ているとも考えている。しかしながら、彼が最も重視しているのは、ヨーガの実践には「人に、しばらくの間、〈刑務所以外の場所〉にいるように感じさせる」効力があるということだ。

ヨーガのコースに参加している受刑者たちが、インタビューや調査で、ヨーガをすることで最も重んじていることについて尋ねられたとき、大多数の者は、束縛された〈ここ・今〉を超越する可能性に言及した。たしかに、新しい現実への飛躍は「自由」の観点から説明されている。ある調査では、デイヴィッドは〈ヨーガと瞑想は、自分が刑務所にいるのを忘れることを可能にした〉と述べ、ジョアンは〈ヨーガは自分を身近なところから「切り離し」、別の現実へと導くことを可能にした〉と述べた。ある日、ヨーガの授業のあと、美術教師が、ヨーガをするときの自分の気持ちを絵で描くように、と受刑者に依頼した。受刑者の一人は翼をもった自分を描いて、次のように書いた――「私は、授業が行なわれている間、〈ここにはいなかった〉と感じたので、自分を翼で表現しました。別次元にいるかのようでした。私は自分が飛行機であるように感じ（飛行機はありませんでしたが）、すべてのものを空から眺めていました」（フレデリコ、再拘留センター）。

いくつかの〔研究上の〕試みが、身体運動・安寧の感情・超越の霊的体験のあいだの相互作用を理解するためになされてきた（Mold 2006; Winchester 2008; Pagis 2010; Kapsali 2012）。マルセル・モースは、神秘的状態とヨーガなどの身体技術との密接なつながりに注目した、最初の学者の一人であった。彼はこれらの身体技術の「道徳的・魔術的・儀式的な有効性」に注意を払うことの妥当性を強調した（Mauss 1973: 74）。この論点についていうと、文化人類学者であるベンジャミン・リチャード・スミスの研究は、もっとも精確なものの一つである。現象学的研究方法を採用することで、スミスは「〔ヨーガの〕実践者たちの体験の霊的様相ならびに身体的・精神的様相を論じること」の適切さを示している。そして、「多くの西洋人の実践者の観点からは説明できないように思われる、実践と体験の諸様相の記述に向けて研究する〔こと〕」の適切さも示している（Smith 2007: 31）。スミスは、スウェーデンの哲学者であるクラス・ネヴリンと同様に、⑴「人間の心理学化されたモデル」（Nevrin 2008）に特権をあたえることに対して批判的な立場をとり、⑵より中心的な役割を、身体と〔ヨーガに関連する〕身体活動を体験する方法とにあたえることを主張している。メルロ－ポンティ、レーダー（Leder 1990）、ソルダス（Csordas 2002）などの著者たちを参考にしながら、スミスは〈「霊的な」瞬間／時間を持つという感覚を説明する重要な要素は自分自身に出会うという体験である〉と論じている。〔そして、〕スミスは次のように強調する。

> 困難な姿勢〔＝体位〕をとるための身体能力の発達、および、実践を完全に遂行するために必要とされる心の落ち着きを超えて、この具現された自己との「出会い」は、実践者が「霊的なもの」とみなしている瞬間／時間を、アーサナ〔ヨーガの座法・体位法〕の実践の最中にもたらす。(Smith 2007: 40)

スミスによれば、また著者自身の観察によっても、人が「本当にヨーガをしている」(Baranay 2004: 205, Smith 2007: 40にある引用)という感覚を持つのは、これらの瞬間／時間においてである。「本当にヨーガをしている」という体験――実践者は、通常、これを「霊的な体験」とみなしている――を社会学的にとらえて説明するという目的が、スミスが自分の研究で説明されるべきこととみなしているものである。著者も〈超越を体験しているというこれらの感覚がヨーガの特異性を構成する〉と考えている。すでに述べたように、これらの「超越という行為」は、刑務所でヨーガを実践するうえで最も高く評価されている要素である。[8]

しかしながら、著者は〈スミスの「自己との出会い」という概念は、その有用性にもかかわらず、ヨーガの実践にともなう複雑さを完全に捉えるには不充分だ〉と考えている。著者は〈シュッツの「限定された意味領域」という概念は、(1)ヨーガの霊的次元を説明し、(2)その次元と身体的・心理的次元ならびに実践の社会的次元との相互関係を説明するのに、より適している〉と主張したい。受刑者たちによって〈ヨーガは主体を通常の現実から特別な現実（「限定された意味領域」）へと押しやる〉と思われている。この点に関して、ミゲルが〈ヨーガの実践はマリファナを吸うことと類似点を持っている〉と述べることを可能にするのは、まさに「至高の現実」との〈断絶〉である。このように見てくると、ヨーガは刑務所の通常の生活から〔精神的に〕脱出する手段になり、新しい現実への入口として現われる。

シュッツが指摘したように、別の「限定された意味領域」への移行は、主体をある現実から別の現実へと移動させる「ショック」の体験をふくむ。シュッツは、〔現実間の〕境界線を越えるための三つの異なる様相を区別している。そのうちの一つは、「眠りに落ちる、銀行に行く、本を開く、ワードプロセッサを起動させるなど、体験の様態を変える間」（Sebald 2011: 345）に生起する〈ショックのような〉な移行である。ヨーガはこの範疇に属し、アーサナの身体的実践と呼吸運動とがこの変化の主たる促進要因である。受刑者がこのことを表現しているように、日課となっている訓練は心を「流動状態」におくことを可能にする。ある時点で、この流動性は「流れ」（Csikszentmihalyi 2000; Bloch 2000）として、あるいは「自分との繋がり」（Smith 2007）の体験（時間と空間の知覚が修正される体験）として経験されている。カタロニア生まれの経済学者で、再拘留刑務所に監禁されているリカルドによると、ヨーガは激しい訓練と瞑想の実践とを組み合わせることにより、「異なる現実」として実際に達成されている。この点について、彼は次のように述べている。

ヨーガは、ごく短い時間で、ある種の爆発を身体の中でひきおこします。身体的訓練は、非常に激しく、非常に難しく、まったく辛いです。このあと、身体はリラックスし、瞑想を始めることができます。……ひょっとすると、二〇分走ってから瞑想することで、同じ感覚を得ることができるかもしれません。〔しかし、それでは、〕おそらくその感覚は得られないでしょう。ヨーガにはストレッチ・集中・呼吸運動もふくまれます。……これらはすべて、瞑想して心を静寂にするために必要なことです。そして、これらすべてがヨーガを特別なものにするのです。

受刑者が「繋がり」「自己認識」「流れ」などと表現していることを体験できるようになることによって、〈至高の現実の束縛から解放される〉という感覚がうみだされる。この感覚は、神秘的‐哲学的術語で解釈すると〈霊的安らぎ〉を提供するものと判断しうる、安寧の感覚をふくむ。すべての受刑者たちが常にこの種の〈日常生活世界とは〉異なるレベルの現実に接近している〉という感覚を体験できるわけではない。しかし、彼らによれば、特にこの感覚をうながす瞬間／時間がある。例えば、身体的な力を出しきったあと、身体が落ち着いて、マントラを唱えるとか瞑想をするような反復的実践をしているときである。

「限定された意味領域」への移行は、ただ身体的努力によって誘発されるのではないし、たんに孤立した個人の体現された内的体験として識別されうることもない。これとは対照的に、その移行を集合的で〔他者との〕関係的な現象として考えなければならない。参与調査は〈別の現実への切り替え〔＝移行〕が共同参加者の役割によって促される〉ことを明らかにした。ヨーガの授業が集合的体験になるとき、〈至高の現実〔＝日常生活世界〕を超える〉という行為は容易になる。スピカードの論文（Spickard 1991）およびスピカードとネイツの論文（Neitz and Spickard 1990）を参考にしながら、超越体験の社会的・相互主観的な性格に光をあてるために、シュッツの「複定立的」体験と「単定立的」体験との区別を利用することができる。複定立性の概念は〈最初から最後まで、内的時間における体験を有意味に生き抜く〉ことをさす。ヨーガは、音楽や詩のように、複定立的な体験である。この体験は、その意義に〔実践者が〕完全に順応するために、授業の始めから終わりまで、連続した体験（アーサナの連続）を必要とする。実際、この複定立性という概念はクンダリニー・ヨーガの場合にとくに関連性がある。なぜなら、このヨーガの伝統では、授業における姿勢〔体位／所作／動作〕（kriya）[9]の特定の順序は偶然ではなく、通常は特定の目的に役立つために定められているからである〔例えば、精神の高まりのためのクリヤー、繁栄のためのスバグ・クリヤー〕。

最後に、ヨーガの複定立的性格はその集合的〔・相互主観的〕側面とどのように関連しているのだろうか。スピカードが「体験は内的時間の様式である。体験は、内的時間におけるあらゆる様式のように、〔相互主観的に〕共有することができる。人々は多くの宗教的環境の中で、特に儀式のなかで、時間を一緒に体験している」（Spickard 1991: 197）」と述べるとき、このことを非常に明確に説いている。この観点から、ヨーガの授業は、指導者によって調和的に編成され、参加者によって再現され共有される〈内的時間の様式〉だと考えられる。それゆえ、スピカードは次のように続けて述べている。

> シュッツ流の研究方法は、儀式の認知的内容（その神学と象徴）に焦点を合わせるのではなく、〔儀式の参加者の〕上下する活動の波に焦点を合わせることができるだろう。この見解では、儀式は、人々が互いに「同調」し、意識の内的状態を共有するのを助ける。この観点から見ると、人々が宗教的環境において（まったく基本的な仕方で）体験することは大いに社会的なものである。（Spickard 1991: 197）

スミスが、ある程度、ヨーガの実践を身体を通して自分自身に「同調する」ための仕組みとして説明しているとするならば、スピカードは、共有された内的時間（durée）の体験を通して他者に同調する過程を強調している。ヨーガの授業を観察することで、他の現実への移行を支持し維持するうえでの集団の重要性を強調することができる。

同様に、インタビューで得られた実証的なデータは、コリンズ（Collins 2004）が「集合的エネルギー」と呼ぶものの重要性を明らかにしている。それは超越を体験するために決定的であるとみなされている。したがって、ほとんどの上級のヨーガの実習生は、〈自分の独房で一人でいるときにも練習をする〉と述べている事実にもかかわらず、〈「本当にヨーガをする」のにいっそう近いのは（集団による）授業においてである〉とも証言している。[10] この点に関連して、次のことに注意するのは興味ぶかい。クノープラウフが「現在、もっとも人気のある形態の超越体験は（多くのカトリックのカリスマ的運動においてさえも）偉大な宗教者の仲立ちによって代理人的にもたれるべきではない。……（むしろ、）一人ひとりがそのような超越体験をもっている（かつてもっていた）と期待されている」（Knoblauch 2008: 143）と強調するのはまったく正しい。だが、〈他者との共同体験が別の（超越的）現実への移行を容易にする〉ことを強調するのも、同じように、重要だと思われる。

われわれが扱っている事例では、「限定された意味領域」への入口は、瞬間的な体験ではなく、（明確なトーンの感覚をふくみ、明確に画定された始めと終わりをもつ）特有の意識の緊張を特徴とする、より長い時間（の体験）である。われわれの事例では、ヨーガの授業の最初と最後は体験の時間的境界線を示している。それにもかかわらず、別の「現実」への移行は、（人々が）完全に均一で安定した同質の現実に入ることを意味するのではなく、最高の瞬間／時間によって区切られた〈さまざまな程度の緊張を個人が体験する領域〉に入ることを意味する。

最後に、「限定された意味領域」への移行をうながす役割をはたす、他の諸要因があるのを認識することが大切である。実地調査は、「日常の」現実と「非日常の」現実との境界線をこえる受刑者の能力の強化に大きく貢献する、三つの具体的な脈絡的要素があることを明らかにした。それは、

(1)〔ヨーガの授業〕風景、(2)感情の統制、(3)社交の状態である。

第一に、ヨーガの授業風景は、他の意味領域への移行を促進するのに重要な役割をはたしている。カタロニアの刑務所は、混雑した汚い騒々しい環境である。そこでは、社会的関係は主として無関心・対立・硬直に基づいている。ヨーガの授業は、授業を「平和と静けさの天国」に変えることで、その施設の象徴的秩序をくつがえす。これに関連して、〔生演奏または録音された〕音楽を線香の香りと部屋の柔らかな照明とともに使用することは、「非日常的」雰囲気を醸し出すのを助ける。ネイツとスピカードが観察したように、「宗教的儀式は参加者の集中力に焦点を合わせるために感覚的刺激を操作する」(Neitz and Spickard 1990: 22)。これはまさにヨーガの授業の場合にも起こることである。第二に、施設〔＝刑務所〕の支配的な感情の統制はヨーガの授業で挑戦を受けている。これは、授業の後にインタビューを受けた、ヨーガのボランティアの一人が説明している――「今日の授業はきわめて素晴らしかった。私は受刑者全員に会い、彼らと手をつなぎ、輪を作りました。私は、刑務所でこうしたことをするのは難しい、と思います。みんな笑顔でとても興奮していました」。手をつないだり、〔他者を〕抱きしめたり、目を閉じて横になったりすることは、刑務所という状況ではきわめて珍しい行為であり、刑務所で〈普通〉とみなされていることとはほど遠いものである。同様に、刑務所における社交の状態もまた、このヨーガの授業では論争のある領域である。二か月のヨーガのコースのあとで、受刑者のうちの一人は〈自分が一番好きだったのは、(1)自分の犯罪歴と関係のあるすべてのものから自分が離れているという感覚と、(2)ヨーガに関わるすべてのことを管理している人々によって、〈自分が〉人間として評価されているという感覚とであった〉と述べていた。ある程度までは、ヨーガの授業はクルーたちが「感情のゾーン」と命名したものになる。それは、「通常の」、すなわち「まったく不毛で、確実に攻撃的で、感情的に画一的な」刑務所の環境に挑戦している（Crewe et al .2013: 2）のだ。

第二節　精神的な知識のストック、生活史的関連性、意味

ヨーガは私を〈神のようなもの〉と結びつけます。何年も前に、私はマリファナを吸っていました。薬物も服用していました。……そして、私はヨーガで同様の感覚を得ました。しかし、ヨーガは薬物ではありません。自分が神のようなものと結びつくことは嘘ではありません。これは偽善ではありません。そして、他の誰かが私に薬をくれるからといって、これは起こりません。これは外から来たのではありません。これは私の内側から来ており、私自身の静けさから来ています。そして、私は自分自身に満足しています。……私は幸せに感じます。そして、私は自分の状況を理解できます。物事が本当にどうあるのかが分かります。……私は自分にいいます――「うーん、私は最高の気分だ！」（ミゲル、再拘留センター）

刑務所でのヨーガの実践は、人が超越を体験し日常性を超出するための、触媒として機能する。

しかしながら、

現代の意識が関係する超越の種類、もしくは、現代の意識が超越の種類と関係する仕方（あるいはその両者）は、⑴伝統社会における諸宗教が関係していた超越の種類、⑵この関係が社会的に信仰・教義・儀式・制度に変換された仕方、とは異なる。（Luckmann 1990: 127）

このことを考えると、⑴ヨーガはそれ自体が宗教ではないし、宗教から成り立っているのでもないこと、⑵信仰や制度的会員という観点からは、「伝統的な」宗教の会員になるのと同じようにヨーガの実践者になるのに意味がないことは、明らかである。それにもかかわらず、このことは、こうした現代的な形態をとる超越が、制度的所属・信念構造・神義論的表現から完全に切り離された〈自由に浮遊する現象〉であることを意味するものではない。身体的なヨーガの練習は単独では存在せず、〈他者と共有された〉言葉・比喩・話・物語によって囲まれている。われわれの実地調査の観察結果は、すべてのヨーガの授業がその日の授業の目的の簡単な説明から始まることを示した。それぞれの新しいアーサナは説明され脈絡化され論評される。実際、ヨーガの教師は、通常、受刑者が難しい姿勢をとるのを励ましたり、受刑者を最後のくつろぎに導いたりするのを目的として、一般的な意見を述べる。同様に、マントラの意味が説明され、時として、短い物語が難解な概念の意味を説明するために語られる。教師は、場合によっては、人生の本質について内省的な哲学的・精神的論評をすることに数分を費やすことさえある。

授業から授業へ、言葉から言葉へ、意味の複合的体系が受刑者につたえられ、受刑者はしだいにそれに慣れていく。したがって、信念体系の正式かつ明示的な伝承はないけれども、ある特別な意味の宇宙における暗黙の社会化が立証される。この社会化の過程が見えないからといって、その妥当性が否定されるわけではない――まったく反対である。ヨーガの授業を通して、〈洗脳や教えの吹込みが生じているのでは〉という疑いをまったく生じさせることなく、エネルギー、カルマ〔梵語で「行為」を意味する。「業」と漢訳されるが、われわれの運命は、自分の業が原因となって、因果の道理にしたがって生みだされる〕、チャクラ〔梵語で「円、円盤、車輪、轆轤」を意味する。チャクラは高次元のエネルギーを取り入れて、体内で利用可能なかたちに変換する〈場〉のようなものである〕のような概念が受刑者に浸透していく。これらの概念は、普通にとりあげられ、関係者全員によって徐々に当たり前のこととされていく（Goffman 1971）。それでも、こうしたことが〈常態〉になったとしても不安定であり、これを踏み越えるときに見えるようになる明確な境界線が存在する。次のような場面がそのことを例示している。集中的なヨーガのコースの一つで、招待された教授〔＝講演者〕の一人が講演を二〇分以上おこない、受刑者に投獄の苦痛にたちむかう方法と、彼らの将来に意味をあたえる方法とについて助言した。その口調はまったく標準的なものであった。〔だが、〕その話の間に、受刑者の何人かは小声で話し始め、他の何人かは当惑させられたように見えた。授業のあとで、多くの受刑者だけではなく社会教育者たちも、彼らが「不適切な宗教的説教」とみなしてラベルを貼ったもの〔＝その講演者の話〕について、不快感を表明した。別の事例では、ヨーガのボランティアの一人が『バガヴァッド・ギーター』の断片をコースの参加者に配布することを決めた。著者がそこにいたとき、自分自身はイスラム教徒だと宣言する受刑者の一人が〈その文章は本当のところ何についてのものですか〉と著者にたずねてきた。少し不快に感じたが、著者は〈これは伝統的なヒンドゥー教の文章です〉と彼に説明した。すると、彼は「これは宗教的な文章ですか」と強くたずねた。そこにいた社会教育者が、この質問を聞いたうえで、話に加わった。短い沈黙ののちに、著者の心に浮かんだ唯一のいうべきことは「あなた〔そのイスラム教徒〕が望むなら、マイア〔ヨーガの教師〕にその断片を返しても良いと思います」であった。霊性・宗教・哲学のあいだにある相違、そして、それぞれのラベル〔分類〕は、この分野の関係者によって異なる仕方で理解され生命をもっているのだ。[11]

ヨーガの授業で広められた知識を、整合的に秩序だてて説明することは、きわめて困難である。なぜなら、その知識は、少しずつ非常に断片的な方法で教えられるからである。これに加えて、どのヨーガ教師も多少は異なった仕方で活動している。というのは、おのおののヨーガ教師は、ヨーガにおいてのみならず、〈少しだけ例をあげると〉レイキ、アカシック・レコード〔元始からのすべての事象・想念・感情が記録されているという世界記憶の概念〕、ヴィパッサナ瞑想〔ナーマ（心のはたらき）とルーパ（物質）を観察することによって、仏教において真理とされる無常・苦・無我を洞察する瞑想〕などの他のホリスティックな領域においても、〈自分独自の旅〉をしてきたからである。しかしながら、一般的にあらゆる人々によって共有されているいくつかの共通点がある。最も共有されているのは〈すべての人々が自分の真正の自己を構成する「内的な信頼すべき真実」を所有している〉という考え方である。この見解は〈この「正真正銘の自己」は生活のなかで束縛され隠蔽され無視さえされてきた〈今でもそうされている〉〉という確信に関連している。社会的・個人的な状況によって、あるいは、この世界での到達範囲を超えたところにある要因によってさえも生じる、恐怖・不安ないしその他の「悪い」感情がある。これらは、われわれの「内なる自己」への接近を妨げてしまい、われわれはそれと調和しながら暮らすことができなくなってしまった。この「内なる自己」に到達して、その潜在的力を解放するための、さまざまなテクニックがある。ヨーガはそれらのうちの一つだとみなされている。信頼すべき智慧は内なる世界の領域に存在するといわれているので、〈「内なる自己」と「接触」して繋がっていることは非常に重要である〉と思われている。この確信は、テイラー（Taylor 1991）によって広く探求されている、いわゆる「主体の転回」と相性がいい。それは修正された自己概念に確固たる意味合いをあたえ、人生に立ち向かう方法に影響をおよぼす。この意味で、[12]

私はこのように自分自身の人生を生きることを求められている――他の誰かの生き方を模倣しているのではない。しかし、このことは私自身に誠実であることに新たな重要性をあたえる。もしも私が自分自身に誠実でなければ、私は自分の人生の要点を見逃しており、私にとって人間であること〔の本質〕を見逃しているのである。（Taylor 1991: 29）

ヨーガの授業での観察結果は、教師たちの話におけるこれらの見解の核心を明らかにした。このことに関していえば、自己をめぐる考え方は、⑴ダルマ・カルマ・転生などの「東洋」の諸概念によって支えられており、さらに、(2)ホリズム・共時性・引力の法則〔自分が放っている波動に調和する人物や出来事が自分のまわりに集まってくる、という法則〕などのより現代的な諸概念と一緒になって支えられている。これらすべての概念は、新しい知識のレパートリーを受刑者に提供する霊的想像力を構成する。この新しい知識のレパートリーは、受刑者たちの個々の「知識のストック」にくみこまれ、彼らの非日常的な状況〔=拘禁されている状態〕に意味をあたえるのに役立つ。

社会学の〔研究〕文献は、最初、「ホリスティックな霊性」は私的領域に属しており、ゆるやかにしか制度化されていないと解釈した。この取り上げ方は、ベラーの〈シーライズム〉〔アメリカの女性、シーラ・ラーソンは〈人それぞれに充実した生を営めばよい〉と考えたが、ベラーは〈この考え方は共同性を衰退させるものだ〉とみなした〕に対する〔批判的な〕見解(Bellah 1985)によって大きな影響をうけた。シーライズムは、公共的で相互主観的に共有され制度化された、新しい霊性の次元を隠蔽する傾向がある。この立場とは対照的に、著者は〈刑務所でのヨーガ〔の実践〕の適切性はまさしく次の事実にある〉と主張したい。(1)受刑者に超越を体験する個人的方法を提供するのは身体技術だけではないという事実、(2)身体技術は徐々に世間に受け入れられてきている〔相互主観的な〕特定の意味の宇宙への入口も提供するという事実である。刑務所で行なわれたインタビューは〈ヨーガの実践は孤立した活動ではなく、より広い枠組みの中におかれ、精神的な知識のストックと結び付けられねばならない〉ことを示した。この「知識のストック」は、オーパーズとハウトマンが指摘したように、「実際に明らかに個人的なものであるが、ほとんどの社会学者が考えているよりも私事化されていない」かなり整合的な一連の信念と同じ形態をもっている(Aupers and Houtman 2010: 158)。

最もヨーガの体験が豊富な受刑者の多くは、〈本／書物〉が決定的に重要である「精神的な旅」の出発点として、ヨーガの授業を説明している。受刑者の一人、カルロスは「ヨーガの授業に参加し始めてから、とても不思議なことが自分に起こった」ことを注視しながら、その出発点を非常に思い出ぶかそうに説明した――「私が本で読んでいることは、私がヨーガの授業で学んでいることや、まさにこの瞬間に感じていることと調和します。だからこそ、私は〈目覚めている〉と思っているのです……」。パウロ・コエーリョ、オショー、ダイアー、エックハート・トーレは、ヨーガを学ぶ者にもっとも人気のある霊的著作家のうちの一部である。また、彼らの著作は刑務所の壁の内側でも広く読まれている。刑務所の図書館はこの種の書物をかなり保有しており、受刑者たちもしばしばそれらを〔受刑者同士で〕交換したり、家族に〈自分のためにそうした本を買ってくれるように〉と依頼したりしている。書物は、ヨーガの実践をよりよく語るのに役立つ論証のレパートリーを提供するだけではなく、受刑者の「精神的な旅」のための新しい「刺激的な」実践も教えてくれる。これは、コエーリョによって説明された〈愛の儀式〉を治療グループに提案して指導した、一人の受刑者によって立証される。もしくは、刑務所の図書館から借りた本で、新しいヨーガのアーサナと瞑想の技術を学んだ、別の受刑者よって立証される。すべてのこうした知識は、孤立して吸収されるのではなく、他のヨーガを学ぶ者と共有される[13]。そして、小集団での授業の始めと終わりに、最近習得した考え方と概念をめぐるおたがいの相互主観的検証の過程で議論される（Hervieu-Leger

2001; Clot-Garrell 2011)。チャンドラーが主張するように、「人生の霊性は、その探求者たちが互いに同意できる方法で意思疎通し交流するのを可能にする、充分に分かち合える精神哲学または共通言語を共有している」(Chandler 2010: 84)。

ここで、ヨーガの授業は氷山の一角であること、あるいは、受刑者が複雑な精神的な「知識のストック」に慣れていく過程のたんなる出発点であることに、注意するのが重要だと思われる。われわれのインタビューは、精神的な「知識のストック」の信憑性は、ヨーガの授業や書物に基づくことだけではなく、刑務所の日常の治療的背景に根ざしていることも示唆している。エネルギー・自己実現・ホリズム〔=全体論〕について話すことは、ヨーガの授業のみの特徴ではなく、リハビリテーション活動や芸術プログラムの治療言語においても普及している。ホリスティックな霊性は、これらの脈絡で直接に言及されるわけではないが、その語彙やいくつかの治療的実践において間接的に教えこまれている。刑務所内で、そのような精神的な「知識のストック」が存在と信憑性を増大させていることには、二重の説明ができる。

第一に、インタビューを受けた多くの教育者・心理学者・ソーシャルワーカーたちは、ホリスティックな霊性に精通しているように見える。そのうちの何人かはレイキやマインドフルネスなどの熟練した実践者である。それゆえ、彼らはヨーガを学ぶ者と同じ言語を話すことができ、また、散在する「ニュー・エイジャー」の共同体の成員でもある(Chandler 2010)。ホリスティックな想像に関与している職員の割合についての精確なデータはない。だが、われわれのインタビューによると、その割合はごく少数ではなく、〔種々の職員のなかでも〕治療職員の割合が増加している。教育者・ソーシャルワーカー・心理学者のホリスティックな想像への個人的な傾倒は、この「知識のストック」の力の増大に貢献する。なぜなら、彼らも日常の仕事で「精神的資源」を使うからだ[14]。献身的な社会教育者であるアメリアが、この例を与えてくれた。

ナイジェリアでの何百人もの女子生徒の誘拐に関連して、私たちは、祈るのではなく、〈エネルギーの玉〉を作ることにしました。そこで、私たちはエネルギーの玉を作り、それをナイジェリアの小女たちに送りました。私たちは円を作り、エネルギーの玉を作り、それをナイジェリアに送りました。これは〈レイキ〉でしょうか。私はそうだと思います。けれども、ここでは〈レイキ〉と呼ばれることはないでしょうし、〔刑務所の〕役員会にこのことが報告されることもないでしょう。

同じように、イスマエル（デトックス療法も受けながらヨーガを学ぶ者）は〈集団療法のセッションを実施している心理学者も、自分たちに少しばかりのヨーガとプラーナーヤーマ〔ヨーガで使用される呼吸法〕の実践を教えてくれる〉と報告した。これらの事例は、ホリスティックな宇宙の意味論が静かにそして徐々に刑務所の環境に根付いていることを示している。

第二に、刑務所内でホリスティックな宇宙の信憑性が高まっていることについての、すなわち、治療の気風とホリスティックな霊性との選択的親和性の存在についての、さらに構造的な説明もある。シェリーとコジネッツが指摘しているように、「〈生きられた宗教〉の〈内省的な霊性〉は、(1)〈真正の文化〉の流布、(2)〈表現豊かな個人主義〉の出現、(3)〈治療の気風〉の隆盛——それぞれが、後期資本主義の消費倫理に由来するのではないとしても、これと同時に生じている——とともに、過去数十年のあいだに、多くの改宗者を魅了してきた」(Sherry and Kozinets 2007: 120)。たしかに、現代社会においては、「治療の勝利」(Rieff 1966) とホリスティックな霊性の伸展とには強い結びつきがある。また、〔治療と霊性という〕二つの世界における主題理念の概念化と、「混乱した」生活史を理解するために使用される言語における主題理念の概念化との、一種の連続性と類似性に言及することもできる。治療の気風の台頭は刑務所でも非常に顕著であり、そこでは、治療の気風はホリスティックな宇宙の信憑性を強化するのに貢献している。イロウズが提唱しているように、ある程度まで、「治療の言説は、区画化された現代の〔学問〕領域を超えてこれを曖昧にしている。そして、自己を表現し形づくり導くための主要なコードの一つを構成するようになった」(Illouz 2008: 6)。治療の気風とホリスティックな霊性とのこの類似性は、現代の刑務所施設の状況においてとりわけ明白になる。そこでは、受刑者が自身の自己改善と「純良な秩序」とについて責任を取ることが奨励される (Bosworth et al. 2005)。フーコーたちにしたがえば、ヨーガは自己改善の理想を受刑者に浸透させる「自己の技術」と考えることができ、刑務所の懲戒制度を〔受刑者に〕内面化させるのである (Foucault et al. 1988)。

第三節　刑務所でのヨーガの実践——霊的に形成された〈自己改善の旅〉への入口

まあ、私は、人々が〔自己〕改革の準備ができているとき、その一歩を踏み出すために、何か他のものを探すために、ヨーガは助けになると思います。その理由は、ヨーガは人に〈さらに何かがある〉と気づかせるからです。少なくとも、これは私に起こったことです。ヨーガは、人が自分の内側を見て、〈自分自身を改善しよう〉と努めるのを助けます。（アンデル、再拘留センター）

新しい霊的概念・考え方・信念の習得は、取るに足らないことでも些細なことでもなく、むしろ、受刑者の日常生活に影響をあたえる。この影響は主に三つの異なるレベルで評価できる。すなわち、(1)刑務所での生活への日常的な対処において、(2)他者との関係において、(3)生活史を統合するさいの新しいカテゴリーの使用において、である。第一に、この新しい「知識のストック」の獲得は、刑務所内の受刑者の行動に影響をおよぼす。これは、並んで待つことや仕事をすることのような、日常の活動をおこなう方法において明らかである。この点について、ミゲルは、彼がこの〈精神的な旅〉を始めていらい、「私は、高齢者の身体を洗わなければならないとき〔彼は刑務所の擁護施設で働いている〕、愛をこめて心をつくして洗ってあげる。このようにすれば、素敵なエネルギーを感じるのです」と語った。同様に、マルコは「レタスを切っている間、呼吸法を実践しているので、それを楽しんでいます」と強調した。より複雑なレベルで、イスマエルは次のように語った。

刑務所では、人が自分の動物的本能によって自分自身を導くならば、〔刑務所の〕外には決して出られません。なぜなら、人々は争いをおこし、機嫌が悪いからです。……私はこうした〔動物的本能に従うような〕ことをすべて止めました。どうしてか。それは、ヨーガが私の在り方・考え方を変えたからです。人は別の方法で考えるようになるのです。

第二に、ホリスティックな宇宙は、不愉快な刑務所での体験に対処するための実用的な方策を提供するだけではなく、対人関係の行動規範を構築するさいの手引きも提供する。こうしたことに沿うことを、アントニオは語った。

私の中で混乱がありました。私は、なぜ人々がお互いを傷つけ合うのか、あるいは、どうして何人かの人々が善い人で他の人々が悪い人なのか、を理解できませんでした。しかし、その後、私たちは無知のためにお互いを傷つけることを理解しました。……これらの答えはすべて、瞑想／ヨーガによって私にもたらされました。……というのは、瞑想／ヨーガを始める前には、私の中で混乱があり、私はとても攻撃的だったからです。

ヨーガを学んでいるほとんどの者は、ヨーガの授業に参加するようになってから、〈自分の個人的な関係が良くなった〉と報告している。いくつかの事例では、これは彼らが「いっそうリラックスした」という事実に起因する。アントニオの事例に類似した他の事例では、疑似 - 行動哲学とともに、新しい行動倫理が原因と見られている。

第三に、前節ですでに述べたように、この霊的宇宙には程度が異なる習得や没入がある。こうしたことは、この〈霊的宇宙についての〉知識のレパートリーが自分の生活状況や生活史を解釈するために使われる方法にも影響をおよぼす。この霊的世界にもっとも深く傾倒している受刑者たちは、自分たち自身の生活史の行路を理解するために、新しいカテゴリーを使うことを肯定する〈翻身〉(Berger and Luckmann 1966)の過程を示している。一般的なパターンの一つは、過去・現在・未来をめぐる熟考を可能にする「自己内省」過程の活性化に関係する。ミゲルの言葉でいうと、「これが、すべてが機械的であることがなくなり、人が〈なぜ私は自分が現在していることをしているのか〉と自問する時」である。ヨーガとそれに関連する精神的な「知識のストック」は、この質問への答えと、過去を理解し未来に立ち向かうための行動計画とをもたらすのに役立つ。シュッツが主張するように、「時には、われわれは、特別な動機付け——例えば、手元にある知識のストックでは受け入れられない、または、その知識のストックと矛盾する〈奇妙な〉体験の乱入——が出現したとき、以前の知識体系を修正する」(1973: 228)。投獄はたしかに深刻な問題をふくむ状況であり、人々の以前の信念の改訂と、生活史の統合のための新しいカテゴリーの探求とをひきおこす可能性がある。ホリスティックな霊的想像は「それらの〈課せられた関連性〉――これは計画された目的を達成するのを妨げる――を随意に使用できる〈意思による関連性〉に変える」ように受刑者を助けることができる源である（Staudigl 2007: 243）。マルコの言葉はこれを例示している――「少しひどいように聞こえるかもしれませんが、時にはこのような場所〔＝刑務所〕に来て、学び始める必要があります」。同様に、もう一人の受刑者は次のように述べている――「私が〈機械的な〉生活を送っていたこと、私がどこへ向かっていたのか分からなかったことを理解しはじめる前に、それが私をここ〔＝刑務所〕に連れてきたのです」。同じように、ヒューレディも〈霊的覚醒への一里塚として、治療文化が「個人の苦悩や〈社会統合に反する〉逆機能」を肯定する〉という見解を提唱している（Füredi 2004: 43）。この点で、「精神的な知識のストック」は、霊的覚醒につながる精神的な行路の一部として、受刑者が苦痛な状況を再解釈する可能性をうみだす。

　このように考えてくると、ヨーガは、自己同一性の刷新と、「罪を犯すことの意味とそうしたいという願望における変化」（Farrall et al. 2011: 22）とをもたらすことにより、「認知的変容」（Giordano et al. 2002）をうながすための技術だとみなすことができる。一部の受刑者にとって、ヨーガの学習はさらに直接的で実質的な魅力さえもっている。というのは、それが実行可能な将来の雇用の選択肢だと思われるためである。ワールド・プレム〔前出のヨーガのNGO〕は、より多くのヨーガの体験をもつ受刑者が、刑務所から釈放されたとき、〔ヨーガの〕講師になる可能性を提供しているのだ[15]。ミレイア（二番目の〈隔離されて行なわれるヨーガ〉〔＝事例3〕に参加している受刑者）は、〈ヨーガの教師になる〉という自分の希望を表明した一人である。なぜ彼女が〈このヨーガに〉参加することを決めたのかを書き留めるように頼まれたとき、彼女は以下のように書いた。

私の主な理由は、肉体的・感情的・精神的な面で、私の生活の質を向上させることです。ヨーガは、西洋の考え方で汚染されすぎている、私たちの生活に意味を与えるための知的な方法です。ヨーガは私が精神的なバランスをとることを可能にします。ヨーガはすでに高血圧を克服するのに役立ちました。また、ヨーガは感情を制御するのを助けてくれます。現在、私は、今まで以上に、私の感情が私を圧倒しないようにする必要があります。私は、一一年間の禁固刑を終え、もうすぐ釈放される予定です!! しかし、何よりも、**私は、ヨーガ――また、ヨーガの教え――に〈将来の私の人生を方向転換させるための手段〉になって欲しいです。**

〔ゴシック体は原文が大文字であることを示す。〕

ほとんどの場合、内省の期間は――「魅力的な、従来の自己の〈新しい自己との〉置き換えを心に描くこと」(Giralano et al. 2002: 999. Farrall et al. 2011 による引用)と「〈自分を〉変容する機会にさらしむけること」(Farrall et al. 2011: 224)とともに――〈犯罪を〉思いとどまる過程の最初の段階である(Cusson and Pinsonneault 1986)。われわれの研究は、〈ヨーガが犯罪を思いとどまることを促すための本当の手段になりうるか否か〉を評価するためには、〈出所後の再犯率についての追跡調査がないために、」充分な期間にわたるものではなかった。だが、何人かの受刑者は、犯罪を思いとどまることをめぐって、以上のように述べたのである。

結論

ヨーガは世界的に非常に人気のある実践活動となっており、その人気は刑務所という環境にも浸透している。ヨーガは、瞑想とともに、アメリカ（Rucker 2005）、スイス（Becci and Knobel 2014）、チリ（Rabi Blondel 2011, 2012）、イギリス（Bilderbeck et al. 2013）のような多くの異なる国々（また、これら以外の多くの国々）の刑務所において、存在感を増している。刑務所という環境へのヨーガの導入は、感情の自制と自尊心をやしなう能力を強調することにより、受刑者の鬱状態と不安を軽減する有効性を力説する科学的研究によって、正当化されてきた（Bowen et al. 2006; Sumter et al. 2009, 2007; Harner et al. 2010; Bilderbeck et al. 2013）。

しかしながら、宗教社会学の観点から、ヨーガの分析は、⑴現代社会における宗教の定義、⑵宗教・霊性・健康療法・スポーツのあいだの境界線の画定方法について、疑問を投げかけている。クノープラウフ（Knoblauch 2003, 2008）が現代の宗教の形態における〈超越体験の核心性〉を強調しているのは、このことの検討にとってとりわけ適切である。本論文で提示された研究は、受刑者でヨーガを学ぶ者の大多数が、ヨーガの実践のもっとも特異な側面として「超越体験」をあげることを示した。受刑者たちの話によると、ヨーガは、現実が異なる味わい・性質・色合いをもつ「限定された意味領域」に、受刑者を移行させることができる。しかしながら、一見したところでは、ヨーガがもたらすものとダンスやランニングなどの他の身体運動がもたらすものとに、根本的な違いはないように見える。その違いは、これらの体験を説明するために使用されている言語を分析し、ヨーガの実践の論証的側面を分析して、初めて明らかになる。これは、ヨーガを学ぶ者にとっては、ヨーガと他のスポーツとの間には明らかにイーミックな〔評価内在的〕違いがあることを示している。受刑者の一人は、インタビューの中でこれを明確に述べている――「ヨーガは〔スポーツとは〕何か違ったものです。スポーツをするとき、人は身体を伸ばすことができますが、ヨーガの授業では、人はその人自身の〈本当の自己〉を見ます」。別の受刑者は「ヨーガは人の魂に意味をあたえます。それはこの世のものならぬ体験です」とつけくわえた。したがって、著者は〈ヨーガは身体活動であるのみならず、場合によっては、「精神的な知識のストック」への入口である〉と主張したい。この知識のストックは、受刑者にヨーガの授業での超越体験を理解するための特別な言語を提供する一方で、受刑者をより広範な精神的意味論の枠組みへ参入させるのである。実際、ヨーガの実践では、身体の動きと精神的な説明がお互いを構成しているため、〔日常の現実とは〕別の現実への道が開かれる。いいかえれば、〔身体的〕動作と精神的言説はたがいに教えあっているのだ。そして、「超越体験」がひきおこされ、ヨーガが刑務所の〔自己〕改善の環境において有意義で重要なものとされるのは、まさにこの〔身体的動作と精神的言説との〕相補性においてなのである。[16]

一部の受刑者にとって、ヨーガの実践はホリスティックな霊性への「精神的な旅」の出発点である。その旅によって、主体は自分自身を〈翻身〉の過程（Berger and Luckmann 1966）に没頭させるようにすることができる。このような場合、習慣・態度・日課が変化する過程がはじまるのと同じように、生活史を統合するための関連性とカテゴリーとの個人的体系が変容しはじめる。こうして、これらの受刑者の観点からは、ヨーガは単純な身体運動よりも〈宗教〉に似たものになる。その宗教とは、(1)〈象徴的宇宙〉（Berger and Luckmann 1966）としての宗教、(2)日常生活の体験を「超越的な」現実の層にむすびつける「客観化された意味体系」（Luckmann 1967: 43）としての宗教である。この観察結果は、〈ホリスティックな霊性は正式な制度的構造を持たない〉といえるかもしれないが、〈ホリスティックな霊性は完全に私的で個人的な形態の宗教では決してない〉ことも証明している。治療文化・精神文化・大衆文化のあいだの境界線を曖昧にするのは、〈個人ではなく、〉むしろ、社会的に作られ、文化的に基礎づけられ、相互主観的に支えられた意味の体系である。さらに、この霊的宇宙への道はただ一つではなく、入口が複数あることを心にとどめておくのも重要である。しかしながら、ヨーガは、刑務所という環境において、とりわけ霊的宇宙へ至ることの助けとなっている。ベッチが示唆しているように、「刑務所での生活は受刑者の自己のもっとも基本的な様相（受刑者自身の身体の統制）に影響をあたえる」（Becci 2012: 91）のだ。拘留されている状態は自分の身体を統制する能力の喪失を体験させるけれども、継続的なヨーガの実践は身体と心の統制が回復するような感覚をもたらす（Baarts and Pedersen 2009）。それゆえ、「不在の身体」（Leder 1990）が再び「現在する身体」となり、体験された身体感覚の意識を高めることは、しばしば、教師の論評、参加者の会話、書物によって共同構成された〈霊的宇宙〉につながる。ここで、身体が感じて体験していることと、身体の兆候に意味を与える利用可能な言語的資源との対応が生み出される〈過程〉に言及しよう。身体感覚は、獲得されつつある意味の宇宙の確実性を立証するのに役立つが、この「知識のストック」は、ヨーガの授業で体験されていることを命名して解釈するために使用されるのである。いいかえれば、ミゲルが述べたように、「本は私に答えを教えてくれます。ヨーガは私に実践をさせてくれます。そして、その結果が私の身体によって感じられているのです」。

註

1――この点に関して、スペイン憲法（第二五条）は、「自由の剝奪を含む刑事上の処罰は、〔受刑者の〕社会復帰と社会統合を目指すべきである」と述べている。

2――この研究プロジェクトは、アンナ・クロットーガレル（社会学者）とマルタ・プイグ（犯罪学者でヨーガのインストラクター）とともに、共同設計された。

3――このプロジェクトは、次の三つの側面を中心に構成された。(a)受刑者に対するヨーガの影響と意味の分析、(b)刑務所内でのヨーガの出現・正当化・普及を可能にした条件およびその制度上の成功、(c)「ヨーガの〔授業の〕企画者」の役割、および、現代社会において社会的に関与した形態をとるホリスティックな霊性。紙幅と議論の範囲に限りがあるため、この論文は主に最初の目的に焦点を合わせる〔第二の側面をめぐる議論の展開については、Griera et al. 2015を見よ〕。

4——ほとんどのボランティアは、クンダリニー・ヨーガのインストラクターで、年齢は二八歳から四八歳までであり、都市に住む中流階級に属している。ほぼ同数の男性と女性がおり、刑務所で教えることに対する彼／彼女たちの動機づけは、利他主義・見習い・個人的成長という観点からもたらされている。ボランティアたちは、刑務所でのホリスティックな治療と活動の主な担い手〔ウェーバー流にいうと"Träger"〕である。

5——ヨーガの授業を利用して、⑴他の受刑者と「いちゃつく」ようなこと——これは男女が混在する授業ではとくに問題となっていた——はしてはいけない、⑵異なる集団で生活している受刑者どうしが手紙（しばしば「ラブレター」）を交換してはいけない、などといった内部規則。何人かの受刑者がこれらの規則〔に従わなかったという理由〕のために〔ヨーガの授業から〕追い出された。

6——調査を計画するさいに、これに関する質問をふくめるか否かについて、考える余地があった。しかしながら、治安・機密保持・倫理的理由から、これについては尋ねないことにした。けれども、数週間の実地調査のあと、ほぼ全員の犯罪を知るようになった。なぜなら、通常、受刑者自身または刑務所職員が非公式の会話やインタビューでそれを暴露するからである。

7——この論文で使用されているすべての個人名は仮名である。

8——これは、ヨーガのコースの最後の週に、著者たちがコースの参加者に対して行なった調査に反映されている。彼らは「内なる平和」「つながり」「飛翔」「精神的および霊的な幸福」などの観点からそれを説明した。

9——スピカードが指摘しているように、「しかしながら、書かれた文章の一節の意味は一度に／瞬間的に——フッサールの術語を使えば〈単定立的に〉——捉えることができる。哲学的結論は、その証明を継続的に再現する必要なしに、〔単定立的に／瞬間的に〕理解することができる。しかしながら、概念的な思考とは異なり、芸術は〈複定立的〉である。すなわち、一曲の音楽の「意味」を再構成するには、初めてその音楽を体験したときと同じくらいの〔長い〕時間がかかる」（Spickard 1991: 197）。

10――同様に、マクガイアは「⑴自己と他者の間にある日常的境界線を人が超越できる複雑な方法についてのシュッツの洞察と、⑵人の身体と意識の直接的繫がりをめぐるメルロ＝ポンティの強調とを組み合わせると、〈いかに、宗教体験がきわめて主観的でありながらも、〔他者と〕共有された体験でありうるか〉についての手がかりを得る」（McGuire 2008: 113）と論じている。

11――われわれはこの側面を Griera and Clot-Garrell（2015a, b）でさらに詳しく解明した。

12――ある程度、調和・バランス・平穏を見つけるためには、「神聖であると考えられ、個人と切り離されているとは信じられていない、すべてに浸透している〈力〉または〈エネルギー〉」（Rose 1998: 13）とむすびつく必要がある、といわれている。

13――われわれの研究を通して、新しい知識の獲得と新しい人生の意味の構築とにおける〈相互主観性の決定的な役割〉が明らかになる。それは、独房監禁の実行のようなことに反対する、より多くの議論をひきおこす事実である（Guenther 2013）。

14――Griera and Clot-Garrell（2015b）で述べられているように、刑務所職員の役割は、刑務所でのヨーガとホリスティックな活動の成功をうながし保証するうえで、本当に、極めて重要である。現在の刑務所の制度的環境におけるこうした種類の活動の成功は、それらを成功させることに強い個人的な関心がなければ不可能であろう。

15――この点に関して、刑務所内での二回目の〈隔離されて行なわれるヨーガ〉のあと、受刑者のあいだで最も共有されていた陳情は〈刑務所にいるうちに、ヨーガのインストラクターになるための訓練を受けることができるように〉というものであった。受刑者たちはそれを適切な将来の雇用の選択肢として捉えている。ワールド・プレムのボランティアたちはその陳情を積極的に受けとり、その実現可能性を探求し始めた。

16――著者はこの定式化を匿名の査読者に負っている。その所見に感謝する。

謝辞

この論文は、カタロニア政府の法研究センターから助成金を受けました。この研究プロジェクトは、社会学者のアンナ・クロットｰガレルと犯罪学者でヨーガのインストラクターであるマルタ・プイグとともに実行されました。彼女たちの洞察に満ちた見解に深く感謝します。また、匿名の二人の査読者の適切で刺激的な所見にも感謝いたします。

Aupers, S., & Houtman, D. (Eds.). (2010). Beyond the spiritual supermarket: The social and public significance of new age spirituality. In *Religions of modernity: Relocating the sacred to the self and the digital* (pp. 135–160). Leiden: Brill.

Baarts, C., & Pedersen, I. (2009). Derivative benefits: Exploring the body through complementary and alternative medicine. *Sociology of Health & Illness, 31(5),* 719–733.

Baranay, I. (2004). Writing, standing on your head. *Griffith Review*, 4, 245–249.

Becci, I. (2012). *Imprisoned religion. Transformations of religion during and after imprisionment in Eastern Germany.* England: Ashgate.

Becci, I., & Knobel, B. (2014). La diversité religieuse en prison: entre modèles de regulation et emergence de zones grises (Suisse, Italie et Allemagne). In A. S. Lamine & N. Luca (Eds.), *Quand le religieux fait conflit. Désaccords, négociations ou arrangements.* Paris: La Découverte.

Beckford, J., & Gilliat-Ray, S. (1998). *Religion in prison. Equal rites in a multi-faith society*. Cambridge: Cambridge University Press.

Bellah, R., Madsen, R., Sullivan, W. M., Swidler, A., & Tipton, S. M. (1985). *Habits of the heart: Implications for religion*. California: University of California Press.

Berger, P. L., & Luckmann, T. (1966). *The social construction of reality*. London: Penguin Books.

Bilderbeck, A. C., Farias, M., Brazil, I. A., Jakobowitz, S., & Wikholm, S. (2013). Participation in a 10-week course of yoga improves behavioural control and decreases psychological distress in a prison population. *Journal of Psychiatric Research, 47*(10), 1438–1445.

Bloch, C. (2000). Flow: Beyond fluidity and rigidity. Human Studies, 23(1), 43–61.

Bosworth, M., Campbell, D., Demby, B., Ferranti, S., & Santos, M. (2005). Doing prison research: Views from inside. *Qualitative Inquiry, 11*, 249–264.

Bowen, S., Witkiewitz, K., Dillworth, T. M., Chawla, N., Simpson, T. L., Ostafin, B. D., et al. (2006). Mindfulness meditation and substance use in an incarcerated population. *Psychology of Addictive Behaviors*, 20, 343–347.

Chandler, S. (2010). Private religion in the public sphere: Life spirituality in civil society. In S. Aupers & D. Houtman (Eds.), *Religions of Modernity* (pp. 69–87). Boston: Brill.

Clear, T. R., & Sumter, M. T. (2002). Prisoners, prison, and religion: Religion and adjustment to prison. *Journal of Offender Rehabilitation,* 35, 127–159.

Clot-Garrell, A. (2011). *Exploring novel religious expressions in Catalunya. A case study in Barcelona.* Unpublished master dissertation, Lancaster University, United Kingdom.

Collins, R. (2004). *Interaction ritual chains.* Princeton, N.J.: Princeton University Press.

Cornejo, M. (2012). Religión y espiritualidad: ¿dos modelos enfrentados? Trayectorias poscatólicas entre budistas Soka Gakkai. *Revista Internacional de Sociología, 70*(2), 327–346.

Crewe, B., Warr, J., Bennet, P., & Smith, A. (2013). The emotional geography of prison life. *Theoretical Criminology*, 0(0), 1–19.

Csikszentmihalyi, M. (2000). *Beyond boredom and anxiety.* San Francisco: Josey-Bass.

Csordas, T. J. (2002). *Body/meaning/healing*. New York: Palgrave MacMillan.

Cusson, M., & Pinsonneault, P. (1986). The decision to give up crime. In D. B. Cornish & R. V. Clarke (Eds.), *The reasoning criminal* (pp. 72–82). New York: Springer-Verlag.

Dawson, A. (2011). Consuming the self: New spirituality as "mystified consumption". *Social Compass, 58*(3), 309–315.

De Michelis, E. (2008). Modern yoga: History and forms. In M. Singleton & J. Byrne (Eds.), *Yoga in the modern world: Contemporary perspectives* (pp. 17–35). New York: Routledge.

Farrall, S., Sharpe, G., Hunter, B., & Calverley, A. (2011). Theorizing structural and individual-level processes in desistance and persistence: outlining an integrated perspective. *Australian and New Zealand Journal of Criminology, 44*(2), 218–234.

Fedele, A., & Knibbe, K. E. (2013). *Gender and power in contemporary spirituality: Ethnographic approaches* (Vol. 26). New York: Routledge.

Fischer-White, T. G., & Gill Taylor, A. (2013). Yoga: Perspectives on emerging research and scholarship. *Journal of Yoga and Physical Therapy, 3*(3), 1–2.

Foucault, M., Martin, L. H., Gutman, H., & Hutton, P. H. (1988). *Technologies of the self: A seminar with Michel Foucault*. Boston: Univ of Massachusetts Press.

Fu¨redi, F. (2004). *Therapy culture: Cultivating vulnerability in an uncertain age.* London: Psychology Press.

Furseth, I., & Kühle, L. M. (2011). Prison chaplaincy from a Scandinavian perspective. *Archives de Sciences Sociales des Religions, 153*, 123–141.

Giordano, P. C., Cernkovich, S. A., & Rudolph, J. L. (2002). Gender, crime and desistance: Towards a theory of cognitive transformation. *American Journal of Sociology,* 107, 990–1064.

Goffman, E. (1961). *Asylums: Essays on the social situation of mental patients and other inmate*s (Vol. 277). New York: Anchor Books.

Goffman, E. (1971). *Relations in public: Microstudies of the social order*. London: Allen Lane.

Griera, M., & Clot-Garrell, A. (2015a). "Banal is not trivial. Visibility, recognition and inequalities between religious groups in prison". *Journal of Contemporary Religion, 30*(1), 23–37.

Griera, M., & Clot-Garell, A. (2015b). Doing yoga behind bars: A sociological study of the growth of holistic spirituality in penitentiary institutions. In *Religious diversity in European prisons: Challenges and implications for rehabilitation* (pp. 141–157). The Netherlands: Springer.

Griera, M., Clot-Garrell, A., & Puig, M. (2015). *La practica del yoga en los centros penitenciarios de Cataluña.* Barcelona: Centre d'Estudis Jurídics. Available online at: http://justicia.gencat.cat/web/. content/home/ambits/formacio__recerca_i_docum/recerca/cataleg_d_investigacions/per_ordre_cronologic/2015/ioga_presons/ioga_presons_cast.pdf. Last accessed 8 July 2016.

Guenther, L. (2013). *Solitary confinement. Social death and its afterlive*s. Minnesota: Minnesota University Press.

Harner, H., Hanlon, A. L., & Garfinkel, M. (2010). Effect of Iyengar yoga on mental health of incarcerated women: A feasibility study. *Nursing Research,* 59, 389–399.

Harris, A. (2013). Lourdes and holistic spirituality: Contemporary Catholicism, the therapeutic and religious thermalism. *Culture and Religion,* 14(1), 23–43.

Heelas, P., Woodhead, L., Seel, B., Szerszynski, B., & Tusting, K. (2005). *The spiritual revolution: Why religion is giving way to spirituality.* London: Blackwell.

Hervieu-Léger, D. (2001). Individualism, the validation of faith, and the social nature of religion in modernity. In K. R.

Fenn (Ed.), *The blackwell companion to sociology of religion* (pp. 161–175). Oxford: Blackwell.

Illouz, E. (2008). *Saving the modern soul: Therapy, emotions, and the culture of self-help.* California: University of California Press.

Johnson, R. (1987). *Hard time: Understanding and reforming the prison*. Pacific Grove, CA: Brooks/Cole Publishing.

Johnson, B. R. (2002). Assessing the impact of religious programs and prison industry on recidivism: An exploratory study. *Texas Journal of Corrections*, *28*, 7–11.

Kapsali, M. (2012). Towards a body-mind spirituality: The practice of yoga and the case of a Air. *Journal of Dance and Somatic Practices, 4*(1), 109–123

Kerley, K., Matthews, T., & Blanchard, T. (2005). Religiosity, religious participation, and negative prison behaviors. *Journal for the Scientific Study of Religion, 44*(4), 443–457.

Knoblauch, H. (2003). Europe and invisible religion. *Social Compass, 50*(3), 267–274.

Knoblauch, H. (2008). Spirituality and popular religion in Europe. *Social Compass, 55*(2), 140–153.

Leder, D. (1990). *The absent body*. Chicago: University of Chicago Press.

Luckmann, T. (1967). *The invisible religion: The problem of religion in modern society.* New York: Macmillan.

Luckmann, T. (1990). Shrinking transcendence, expanding religion? *Sociology of Religion, 51*(2), 127–138.

Martínez-Ariño, J., García-Romeral, G., Ubasart-González, G., & Griera, M. (2015). Demonopolisation and dislocation: (Re-) negotiating the place and role of religion in Spanish prisons. *Social Compass, 62*(1), 3–21.

Mauss, M. (1973). Techniques of the body. *Economy and Society, 2*(1), 70–88.

McGuire, M. B. (1990). Religion and the body. *Journal for the Scientific Study of Religion, 29*, 283–296.

McGuire, M. B. (2008). *Lived religion: Faith and practice in everyday life.* Oxford: Oxford University Press.

Merleau-Ponty, M. (1962). *Phenomenology of perception* (C. Smith, Trans.). New York: The Humanities Press.

Mold, F. (2006). Sickness and salvation: Social theories of the body in the sociology of religion. In J. Beckford & J. Wallis (Eds.), *Theorising religion: Classical and contemporary debates*. Farnham: Ashgate.

Natanson, M. (1970). Alfred Schutz on social reality and social science. *Phenomenology and social reality* (pp. 101–121). The Hague: Springer.

Neitz, M. J., & Spickard, J. V. (1990). Steps toward a sociology of religious experience: The theories of Mihaly Csikszentmihalyi and Alfred Schutz. *Sociology of Religion*, 51(1), 15–33.

Nevrin, K. (2007). "Transcending the individual and resisting modernity: Empowerment and sacralization in modern postural yoga". Paper presented at the conference *Religion on the Borders: New Academic Challenges to the Study of Religion,* Södertörn University College (Sweden), 19–22 April 2007.

Nevrin, K. (2008). Empowerment and using the body in modern postural yoga. Yoga in the modern world. In M. Singleton & J. Byrne (Eds.), *Yoga in the modern world: Contemporary perspectives*. (pp. 119–139). New York: Routledge.

Pagis, M. (2010). From abstract concepts to experiential knowledge: Embodying enlightenment in a meditation center. *Qualitative Sociology, 33*(4), 469–489.

Rabi Blondel, V. (2011). *Evaluación cualitativa del taller extraprogramático de kundalini yoga en centro penitenciario femenino metropolitano*. Santiago de Chile: Fundación Mujer de Luz. Non published document.

Rabi Blondel, V. (2012). La evaluación social en estrategias de invtervención no convencionales: Planteamientos, técnicas y desafíos para el caso del programa Yoga Integra en la Cárcel Femenina Metroplitana. Presented at VII—Congreso Chileno de Sociología, PreALAS, Santiago de Chile.

Rieff, S. (1966). *The triumph of the therapeutic: Uses of faith after Freud.* Chicago: Chicago University Press.

Rose, S. (1998). An examination of the new age movement: Who is involved and what constitutes its spirituality. *Journal of Contemporary Religion., 13*(1), 5–22.

Rucker, L. (2005). Yoga and restorative justice in prison: An experience of "response-ability to harms". *Contemporary Justice Review, 8*(1), 107–120.

Samuelson, M., Carmody, J., Kabat-Zinn, J., & Bratt, M. A. (2007). Mindfulness-based stress reduction in Massachusetts correctional facilities. *The Prison Journal, 87*, 254–268.

Schutz, A. (1973). In M. Natanson (Ed.), *Collected papers I: The problem of social reality*. The Hague: Matinus Nijhoff.

Sebald, G. (2011). Crossing the finite provinces of meaning: Experience and metaphor. *Human Studies, 34*(4), 341–352.

Sherry, J., & Kozinets, R. (2007). Comedy of the commons: Nomadic spirituality and the burning man festival. In R. W. Belk & J. F. Sherry (Eds.), *Consumer culture theory. Research in Consumer Behavior* (Vol. 11, pp. 119–147). Emerald Group Publishing Limited.

Singleton, M., & Byrne, J. (2008). Yoga in the modern world: Contemporary perspectives. New York: Routledge.

Smith, B. R. (2007). Body, mind and spirit? Towards an analysis of the practice of yoga. *Body and Society, 13*(2), 25–46.

Spickard, J. V. (1991). Experiencing religious rituals: A Schutzian analysis of Navajo ceremonies. *Sociology of Religion, 52*(2), 191–204.

Staudigl, M. (2007). Towards a phenomenological theory of violence: Reflections following Merleau- Ponty and

Schutz. *Human Studies, 30*(3), 233–253.

Sumter, M. T., Monk-Turner, E., & Turner, C. (2007). The potential benefits of meditation in a correctional setting. *Corrections Today, 69*, 56–67.

Sumter, M. T., Monk-Turner, E., & Turner, C. (2009). The benefits of meditation practice in the correctional setting. *Journal of Correctional Health Care, 15*, 47–57.

Tavory, I., & Winchester, D. (2012). Experiential careers: The routinization and de-routinization of religious life. *Theory and Society, 41*(4), 351–373.

Taylor, C. (1991). *The ethics of authenticity*. Cambridge, Mass: Harvard University Press.

Wacquant, L. (2002). The curious eclipse of prison ethnography in the age of mass incarceration. *Etnography, 3*(4), 371–397.

Waldram, J. (2009). Challenges of prison ethnograph. *Anthropology News, 50*(1), 4–5.

Winchester, D. (2008). Embodying the faith: Religious practice and the making of a Muslim moral habitus. *Social Forces, 86*(4), 1753–1780.

Woodhead, L. (2007). Why so many women in holistic spirituality? In K. Flanagan & P. Jupp (Eds.), *The sociology of Spirituality* (pp. 115–125). Aldershot: Ashgate.

Yin, R. K. (2003). *Case study research: Design and methods*. Thousand Oaks: Sage.

第四論文

シュッツ流の「祈り」の分析
——言語哲学の観点とともに

ケイジ・ホシカワ／
ミハエル・シュタウディグル

論文要旨

本論文においては、キリスト教の「祈り」という宗教現象を、学問上の二つの異なった分析の枠組みをくみあわせることによって考察する。まず、シュッツの「相互主観性」「内的時間」「複定立性」「多元的リアリティ」をめぐる理論を祈りに適用し、つぎに、言語哲学者たちの知見（とりわけ、ウィトゲンシュタインの「言語ゲーム」、オースティンの「言語行為」、エヴァンスの「自己関与の論理」）を参照しながら、議論をさらに展開させる。そして、こうした種々の論考を結びつけることが、祈りという宗教現象の理解にいかに新たな光を投げかけるか、を示したい。

祈りは、「マタイによる福音書」（第六章第六節）と「使徒行伝」（第一章第一四節）がそれぞれ示しているように、「個人的次元」と「社会的次元」という二つの主たる次元をふくんだ複合的な現象である。シュッツの、主観的レベルと相互主観的レベルにおける「内的時間」と、意識の「複定立的」構造とについての研究は、祈りの右の二つの次元を分析するための有益な観点を提供してくれる。くわえて、祈りは、これに特有な一群の規則に従うことにおいて、特有なつまり宗教的な「言語ゲーム」と見なすことができる。

しかしながら、本論文の結論部分においては、祈り（最終的には宗教）を「多元的リアリティ」「飛び地」「象徴的間接呈示関係」というシュッツの理論的枠組みの内部で分析したい。この枠組みは、日常生活という至高の現実のまっただなかにある「宗教的な限定された意味領域」を理解することを可能にしてくれる。一言でいうと、「キリスト教の祈りは、日常世界において〈宗教的な意味領域〉を構成し、その内部で生きるという実践である」と主張したい。この実践は、神への賛美・告白・感謝・祈願といった自己関与的な言語行為を中心にして営まれる。このことは、祈る人にとって、日常生活世界が異なる光（例えば、恩寵・賜物・救済といった光）のもとで現われるように、日常の言語を変容させ、日常生活世界を「見通す」（シュッツ）ことを可能にするのである。

キーワード
シュッツ、ウィトゲンシュタイン、祈り、キリスト教、言語行為、言語ゲーム、多元的現実

序論——「祈り」を分析するための現象学と分析哲学との融合

現象学は、その中心的主題として、分析の焦点を「意識」に置くのに対して、言語哲学は、その中心的主題として、「言語」を分析する。疑いなく、これら二つの伝統は、ほぼ一〇〇年にわたって相性がよくないか、時として敵対関係にあった。しかしながら、著者たちの理解では、これらは、具体的な分析に適用されたとき、非常にうまく調和させることができる。本論文において、このことを「祈りの分析」を通じて証明してみたい。祈りは、まさしく、二つの側面から成り立っている。

すなわち、意識的側面と言語的側面である。

まず、祈りは日常生活世界において出現し、この世界のまっただなかにおいて、その有意味な「場」ないし「飛び地」を構成する。いいかえれば、祈りは意識の流れという地平から飛び出し、「日常性を超越する」体験の中核となるのだ。著者たちの仮説に関していえば、シュッツ現象学の観点からこの過程を非常にうまく分析することができる。つぎに、祈り――これは神への賛美・告白・感謝・祈願といった行為においてもたらされる――はまったく言語的な行為である。すなわち、「行為遂行的」もしくは「自己関与的」な行為である。この第二の段階で、こうした側面をオースティンとエヴァンスの観点から分析するつもりである。それでも最終的には、ふたたびシュッツに立ち戻りたい。彼の「限定された意味領域」の説明は、祈りの「或る力」の説明を与えるための興味をそそる概念装置を提供してくれる。その祈りの「或る力」とは、日常性の世界を「見通し」、その認知様式を超越し、「実利的な動機」の限界から逃れる論理（例えば、恩寵・救済・贖罪などの論理）にあずかるための力である。

シュッツが強調するように、「リアリティを構成するのは、諸対象の存在論的構造ではなく、われわれの諸体験がもつ意味である」（1945b: 341）から、このことは「祈りにおける体験の意味がそのリアリティを構成する」ことを示唆する。この「体験の意味」は、疑いなく、言語ならびに意識における祈りのリアリティの構成と関係している。シュッツによれば、この構成は、具体化された志向性という観点から内在的に理解されるべきものである。このように、祈りのリアリティは人間の意識と言語の双方によって構成される。この事実は、シュッツの「限定された意味領域」の理論に立ち返ることにより、論証されるであろう。

以上のような背景知識から、（多くの論者によって、宗教の中核に置かれるべきだとみなされている）祈りという宗教現象を分析するために、二つの質的に異なる哲学のディシプリン（＝現象学と言語哲学）を結び付けることを提案したい。また、（祈りの分析の）副産物として、⑴現象学と言語哲学という二つの伝統はもはや敵対関係にあると考える必要はないこと、⑵これら二つの伝統は、主題となっている祈りを具体的に分析することにより、非常に相性よく調和することを示したい。

第一節　現代における宗教と、宗教の中核／本質としての祈り

第一項　現代における宗教の状況

世界の諸宗教の歴史的研究は、種々の形でなされる祈りの実践を解明している。本論文では、現代の世俗化された時代（バーガーの「聖なる天蓋」が重要性を失いつつある時代）という脈絡におけるキリスト教の祈りに、焦点をあてたい。

一九六〇年代以降、「宗教の世俗化」は宗教社会学者の間で大きな議論をよんでいる主題である。宗教意識は或る地域や人々においては強くなりつつあるが、世俗化は、思考や知識の一般的なあり

方〈自然科学のものもふくめて〉の結果として、世界の大都市や都市の近隣の多くでは加速化されている。

一九九〇年代から、PET、fMRI、SPECT、MEGなどの医療機器の発達により、神経科学〈脳科学〉は長足の進歩をとげた。神経科学者たちは、瞑想したり祈ったり神と「遭遇したり」している時の宗教体験をたんねんに記述しはじめた。ある傑出した神経科学者たち〈例えば、ベンジャミン・リベットやノーベル賞受賞者のジョン・エクルズ〉は非常に宗教的である〈それぞれユダヤ教徒とキリスト教徒〉。だが、他の多くの神経科学者たち〈例えば、同じくノーベル賞受賞者のフランシス・クリックもふくむ〉は宗教的信仰を公言することがないか、宗教について不可知論的な態度をとっている。多くの唯物論的神経科学者たちは、宗教体験を脳の物理的な働きに還元しようとしている。彼らの結論は「宗教的な人々は、たとえ神が存在していなくとも、宗教体験をすることができる」というようなものに見える。

神経科学からは離れるが、宗教哲学者のキューピットは、宗教的思考における根源的変容ないしパラダイム転換の必要性を指摘した。

もし、これまでわれわれに与えられてきた宗教的諸伝統のすべてがいまや終焉を迎え、第二の枢軸時代〔あらゆることについての考え直しを余儀なくされる画期的な時代〕がもうすでに始まっているのだとするならば、われわれには根源的に新しい宗教的思惟というものが必要になる。少なくともさしあたっては、

> 古い教団、古い教説、古い語彙、さらには、宗教とは何かということにかんする古い諸前提さえもきっぱりと放棄する必要がある。だから、「純粋な」宗教的思惟とは、過去ときっぱり決別し、まったく新しく始めることを企図する「ポスト伝統的な」性格をもった思惟なのである。(Cupitt 2001: 9)

> 外部のどこかに存在している、この上なくリアルな何か〔神など〕がリアリティを支配し、われわれの知識と価値のすべてを基礎づけているという、あらゆる形態の考えを放棄しなければならない。外部のどこかに存在しているように見えるもの〔例えば、神とかこの上ない実在〕は、実はわれわれ自身の手による、絶えず変わりつづける〔言語的〕投影像でしかない。客観的なリアリティ、客観的な真理、客観的な価値、客観的なあるいは絶対的な知識などというものは、どこにも存在していないのだ。(Cupitt 2001: 14)

さらに、キューピットは、あらゆる物事はわれわれの言語使用によってもたらされることを前提としながら、言語のこの上ない役割を強調する。

> われわれはもう形而上学を必要としていない。自分のまわりを見てみるといい。そこで目にするのは、言語によってそのようなものとして形成された、またどこにも切れめのない連続的な世界をつくるために言語（われわれの理論的言語も含む）によってつなぎ合わされた、

感性的体験だけではないか。〔言語によって〕それらすべてをひとつに組み立てるのは、他ならぬわれわれであり、〔言語によって〕見かけの上での「リアリティ」をそれに賦与しているのもまたわれわれなのである。（Cupitt 2001: 9f.）

われわれは、リアリティそのものとしての神が存在するか否かについては、客観的に知ることはできない。だが、キューピットの見解は、現代思想の顕著な傾向の一つを反映している。いかなる場合であれ、われわれは「たとえ神が客観的なリアリティとして存在しなくとも、人々は、言語によってもたらされる〈志向的対象〉としての神について語ることができ、神の存在を信じることができる」といえるのではないだろうか。

現代においては、至高の神がすべてを統制していると信じる義務はないが、シュッツ流の観点は、祈りという現象を分析するのに、これまでどおりに役に立つ。その理由は次のようなものである。第一に、神が実際に存在するか否かを知ることができなくても、われわれは言語によって「宗教的リアリティ」を構成することができる。第二に、神経科学は大変に進歩したが、その「意識」――シュッツはこれにふかく関与している――についての重要な洞察に、祈りの分析という分野における研究が屈したわけではない。それゆえ、意識は、それを（再）自然化しようというあらゆる試みにもかかわらず、神秘に包まれたままの状態にある。第三に、祈りに対するシュッツ流のアプローチと神経科学のアプローチは異なっており、両者は異質で自律的な「言語ゲーム」を必然的にともなう。それゆえ、意識をめぐるシュッツ流のアプローチは、神経科学のアプローチに還元されることはありえない。

第二項　宗教の中核にある祈り

『祈り――宗教史学的および宗教心理学的研究』（原書出版、一九一九年）という古典の著者であるハイラーは、祈りを宗教の中核的特徴とみなしている。あらゆる信条や傾向をもつ宗教学者や神学者をふくめた宗教の信者たちの見解を広く見渡しながら、ハイラーは、彼らはすべて「祈りは、宗教の中心現象であり、まさにあらゆる敬虔の炉石である」ことに同意している、と述べている。くわえて、フォイエルバッハ（最も激しい宗教批判者）ですらも「宗教の最深部にある本質は、祈りという、もっとも単純な宗教的行為によって顕わにされる」と断言していることを、心に留めておかなければならない（Heiler 1932: xiii–xv を見よ）。

ハイラーは、キリスト教の伝統に精通している著名人たちによって述べられた、祈りについての多数の見解を引用している。以下で引用されるものは〔その一部だが〕、祈りを宗教の中核的特徴とすることで、意見が一致している。アルント（偉大なプロテスタントの神秘家）は「祈りなしに神を見出すことはできない。祈りは、神を探し、神を見つける手段である」とくり返して強調する。プロテスタント神学を生き返らせたシュライエルマッハーは「宗教的になることと祈ることとは真にまったく同じことである」と述べている。ローテ（プロテスタントの神学者）は「宗教的衝動は本質的に祈りの衝動である。事実として、個人の宗教的生活の過程――神が個人にそしてその個人の宗教的生活にしだいに内在していく過程――は祈りによって統制される。……それゆえ、祈りを捧げない者は、当然、宗教的に死んでいるとみなされる」と論じている。ダイスマン（プロテスタントの神学者）は「宗教は、それが人の内に生きている場合は、いつでも祈りである」と考えている。ティーレ（比較宗教学の創始者の一人）は「祈りが完全に消滅しているところでは、宗教それ自体が終わっている」と語っている。サバティエ（哲学者にして宗教学者）は「心をあげての祈りがないところでは宗教もない」と述べている。最後の引用になるが、ヘティンガー（カトリックの護教家）は「祈りとは、最初の、最高の、もっとも荘厳な、宗教の現われにして証である」と断じている（Heiler 1932: xiii–xvi を見よ）。

こうした諸見解にもとづきながら、ハイラーは以下のように結論づける。

それゆえに、祈りがあらゆる宗教の真髄・中核であることに、まったく疑いはない。われわれが真に固有な宗教的生をとらえるのは、教義や制度、儀式や倫理的理想においてではなく、祈りにおいてである。祈りの言葉において、われわれは、宗教的魂の最深にして最内の動きに分け入ることができるのである。（Heiler 1932: xv）

最近では、『言語の箱舟』（二〇〇四年）の著者であるクレティエンが、次のような言葉から、祈りの現象学的研究を開始している。

祈りはとりわけ宗教的な現象である。その理由は、宗教的次元をうち広げ、それを維持すること、それに関わること、それを経験することを決してやめさせない、人間の唯一の行為が、祈りだからである。……祈りとともに宗教現象は始まり、祈りとともに宗教現象は終わりを告げる。（Chrétien 2004: 17）

第二節　祈りとシュッツ現象学

第一項　一人で行なう祈りと集団で行なう祈り

以下の議論においては、二種類の祈りに焦点をあてたい。すなわち、〔一人で行なう〕「孤独な祈り」と、他者とともに行なう「集団の祈り」とである。前者の一つの例は、「マタイによる福音書」において言及されている——「だから、あなたが祈るときは、奥まった自分の部屋に入って戸を閉め、隠れたところにおられるあなたの父に祈りなさい」（第六章第六節）。後者の例の一つは、「使徒言行録」にある――「彼らは皆、婦人たちやイエスの母マリア、またイエスの兄弟たちと心を合わせて熱心に祈っていた」（第一章第一四節）。こうした二種類の祈りは、相互に緊密に関係しており、相補的な関係にある。[1] シュッツ流の諸観点は、祈りのこうした二種類の側面を探究するのに有益だといいたい。なぜならば、それらの観点は、意識の主観的側面および相互主観的側面の双方を考察することを可能にするからである。

第二項　祈りとシュッツ現象学

シュッツの主観的体験と相互主観的体験との「相互作用」の分析は、注意深い吟味を要する。彼の論文「音楽の共同創造過程」（一九五一年）における議論――これはトランスパーソナルな体験の基礎を提供することを意図したものである――は、具体的で説得力に富む。シュッツは、ヴィーゼの「接触状況」、シェーラーの他我知覚の理論、サルトルの「他者を見ていると同時に他者に見られている」という核心的知見などに言及する。シュッツは、これらのすべての説明を、それのみにあらゆる種類の意志疎通が基礎づけられている「相互に波長を合わせる関係」を探究するための、自分の努力に結びつける。彼の言葉では、「〈我〉と〈汝〉とが、生きいきとした現在において、一つの〈我々〉として双方の当事者に体験されるのは、まさにこの相互に波長を合わせる関係によってなのである」（1951: 161）。

宗教的な共同体や社会において育まれた祈りは、こうした集団によって概念的にもたらされた言葉・成句・文から成立している。諸概念の集合体として解釈された祈りは、その社会的な構成が強調される。しかしながら、スピカードは、とりわけ〔宗教のイメージや象徴体系やコスモロジーではなく〕宗教体験に焦点をあてながら、バーガーやルックマンのシュッツ解釈を批判している（Spickard 1991: 193）。なぜなら、二人はサムナーやデュルケムの目——これは本質的に宗教体験をめぐる考察を妨げる——を通してシュッツを読んでいるからである。宗教体験は主観的現象である。それゆえ、宗教体験を主観性を体験している領域から切り離してはならない。スピカードは、フッサールの現象学と、シュッツによるその社会学への応用について、以下のように要約している。

　フッサール流の現象学は、体験の厳密な吟味によって、確実な知識を……主観性のうちに基礎づけようと試みている。とりわけ、シュッツの社会学への現象学の応用は、社会生活と体験との相互作用を際立たせるという試みであり、社会生活の主導権を説明するものではない。シュッツは明らかに自分を〔社会学者ではなく〕フッサール学派の現象学者と見なした。（Spickard 1991: 193）

先の「相互に波長を合わせる関係」、つまり、まさに共有された体験の可能性は、われわれの体験の「複定立的な」構成と密接に関わっている。シュッツは、音楽作品を例にひくことによって、想起・過去把持・未来把持・予期の間にあるそうした複定立的な相互関係について、以下のように記述している。

われわれの目的にとって、音楽作品とは……内的時間における音調の有意味な配列と定義してもよいだろう……。内的時間のうちに展開する音調の流れは、作曲家と受け手の双方にとって有意味な配列である。その理由は、音調の流れが、その流れに参与している意識の流れのうちに、継起する諸要素を相互に関係づける想起・過去把持・未来把持・予期を喚起するからである。また、音調の流れが双方にとって有意味な配列であるのは、その限りにおいてである。(1951: 170)

同様の観点に立ちつつ、スピカードは、祈りの複定立的側面を強調しながら、註釈している。

音楽や詩のように、祈りは複定立的現象である。祈りは、内的時間を組織的構成にするイメージの流れを呈示する。祈りは、それを聴く者をイメージからイメージへと導く――イメージが過去のものをくり返すときは過去へと、イメージが未来のことを予示するときは未来へと。神学が確信をもたらすとすれば、儀式的な祈りは体験をもたらす。(Spickard 1991: 200)

第三項　祈りの複定立的過程

祈りに全身全霊を捧げている人々は、明らかに、こうした複定立的な過程を体験している――否、むしろその過程そのものを生きている。このことは、「マタイによる福音書」と「ルカによる福音書」に見られる、キリスト教の中核的な祈りである「主の祈り」をもちいて説明できる。「マタイによる福音書」のなかで、イエスは次のように述べている。

だから、こう祈りなさい。
『天におられるわたしたちの父よ、
御名が崇められますように。
御国が来ますように。
御心が行われますように、
　天におけるように地の上にも。
わたしたちに必要な糧を今日与えてください。
わたしたちの負い目を赦してください、
　わたしたちも自分に負い目のある人を
　赦しましたように。
わたしたちを誘惑に遭わせず、
　悪い者から救ってください。』（第六章第九節―第一三節）

キリスト教徒たちが「わたしたちに必要な糧を今日与えてください」と祈るとき、そのうちの幾人かは、食糧がなかった過去を思い出しているかもしれない。また、幾人かは、必要な食糧を受け取る未来を期待しているかもしれない。キリスト教徒たちが「わたしたちの負い目を赦してください」と祈るとき、彼らは悪意によってひきおこされた〔自らの〕行為のことを思い出して、悪事は二度とおこさないことを心に決めているかもしれない。キリスト教徒たちが「わたしたちを悪い者から救ってください」と祈るとき、彼らは辛かった過去をふり返り、平穏無事な未来を想像しているかもしれない。

祈りを捧げている間に、信者たちは、シュッツが述べているように、想起・過去把持・未来把持・予期の相互作用を体験しているのである。その体験によって、連続して生起する諸要素が、だいたいにおいて、前反省的なレベルで相互に関係しているのだ。いいかえれば、スピカードが提言しているように、祈りは人々をイメージからイメージへと導くものと理解できるであろう――イメージが過去のものをくり返すときは過去へと、イメージが未来のことを予示するときは未来へと。

第四項　日常生活世界における「限定された意味領域」での祈り

日常生活世界は、われわれの誕生に先立って存在しており、組織化された世界として、すなわち、社会的な起源をもちつつ前もって構造化された世界として、われわれに体験され解釈される。一言でいえば、社会的世界のこの有意味な構成は、われわれのすべての体験・思考・行為の基盤なのである。シュッツは、「日常生活世界」を考察するために、統合された現象学的アプローチを展開した。この「日常生活世界」は、また一般に、次のようにも呼ばれる――「日常生活の世界」「日常世界」「至高の現実」「現実の対象と出来事の至高の世界」「生活世界」（たとえこれが〔フッサールの「超越論的立場」からのものではなく〕内世界的立場からのものであるとしても）。

こうした脈絡において、シュッツは「日常生活世界」の六つの特徴をあげている。

(1)特有の意識の緊張、つまり、生への十全な注意から生じてくる「充分な覚醒」。
(2)特有のエポケー、つまり、〔世界についての〕疑念の停止。
(3)活動ないし世界とかみあうこと（Wirken）による自発性の優勢な形態。
(4)自らの自己を体験するさいの特有の形態（全体性をもった自己としての活動する自己）。
(5)社会性の特有の形態（意志疎通と社会的行為からなる共通の相互主観的世界）。
(6)特有の時間展望（〔内的〕持続と宇宙的時間の交差から生じる、相互主観的世界における普遍的な時制構造としての標準時間）。（1945a: 230f. を見よ）

こうした背景情報に照らしてみると、祈りが実践される「場」は、日常生活世界のまっただなかにおいて、人間の意識によって出現させられる「飛び地」として理解できよう。シュッツは、「飛び地」という言葉によって、多様なリアリティが重なり合うこと、すなわち「一つの意味領域に属している区域が他の意味領域によって取り囲まれている」（1945a: 233 note）という事実を指摘している。また、彼が述べているように、多様なリアリティは「よその領地」（1945b: 307）に「飛び地」をもつこともある。こうして、われわれは「飛び地」を特権的場所として、ないし、別の「限定された意味領域」に入りこむ制度化された地点として、考えることができるだろう。この「飛び地」は、他のリアリティに入りこむために必要な「特有の認知様式」と「〔特有の〕注意的態度」を導入したり指示したりする[2]（1945a: 233 note）。

シュッツは、個々の限定された意味領域は「われわれの一群の体験がもつそれ固有の認知様式」を有している、と説明する。この認知様式は次のようなものをふくんでいる。⑴特有の意識の緊張、⑵特有の時間展望、⑶自己体験の特有の形態、⑷社会性の特有の形態。こうした特有の認知様式や態度の設定——これらは、日常性の有意性をさまざまな方法で括弧に入れ、理論・芸術・宗教などの世界に没入することにより、もたらされる——が、飛び地（実験室・劇場・寺院など〔における意味領域〕）を構成するのだ。この飛び地は、他の限定された意味領域——そこでは、あらゆる体験が整合性を保持しており、さらに、互いに並存可能に思われる——に接近する、特権的で習慣的な地点として構成される（1945b: 341 を見よ）。しかしながら、この〔意味領域の〕限定性は「変換公式を導入することによって、ある意味領域を別の意味領域に関係づける可能性はまったくない」（1945a: 232）ことを含意している。ある意味領域から別の意味領域への移行は、キェルケゴールが述べているような「飛躍」によってのみ可能であり、その「飛躍」は「ショックという主観的体験において現われてくる」（1945a: 232）のである。

われわれの例に帰ろう。キリスト教徒は神に祈る。なぜならば、彼らは「神が自分たちに祈るように命じ、神は自分たちの声を聞くことを約束した」と信じているからである。それゆえ、祈りはこの神からの呼びかけに対する応答として存在するようになった。したがって、祈りの場、祈りのリアリティ、祈りの飛び地は、その本質が日常生活世界の本質とはまったく異質なものとして理解できるだろう。先に引用したシュッツの発言に関連づければ、これらの世界の間に「変換公式」は存在しないのだ。

第五項　生活の流れを「断つ」祈り

カルメル会士である奥村一郎による祈りの説明は、日常生活世界と飛び地ないし祈りという限定された意味領域との関係をめぐるシュッツの説明と、非常に相性が良い。奥村は祈りを「生活の流れを断つこと」（Okumura 1974: 126）と解釈し、以下のように論じている。

> 祈りにおいて学ぶべきことの第一は、死ぬことである。自己のむなしさを真底まで自覚することである。無限であり、永遠である神の前に、あまりにもはかない自分の姿をありのままに見て、神のうちに死ぬことを学ぶ、それが祈りの底になくてはならない。たとえ、いっときの祈りでも、そこには、この死の体験が生きられなくてはならない。祈るときは生きる

ことを考えてはならない。（Okumura 1974: 123）

この文脈において「死ぬこと」とは、日常生活世界とのあらゆる関係を捨て去ること、ないし、そうした関係をもつことを禁じることを意味する。この手順と現象学的エポケーとの類比性は明白である。すなわち、そうした宗教的意味領域に接近することは、ある種の「宗教的エポケー」をともなうのである。〔すなわち、宗教の世界が支配的になり、日常生活世界はその背後に退いてしまうのだ。〕

さらに、奥村は「祈りのときには、言わば、人は時間にあって時間を超え、空間を離れずして空間を超える。つまり、この世にあって、この世のものではなくなる」（Okumura 1974: 135）と語っている。彼にとって、祈りの最も重要な原理は、日常生活の意識の流れを、竹の節が竹の幹を断つように、「九十度に、マンヨコに断つ」（Okumura 1974: 125f.）ことである。われわれは日常的な事柄を祈りにもちこんではならない。奥村がいう意味での「死ぬこと」は、こうした種類のあらゆる意味合いや行動を表現している。「生活の流れを〈断つ〉〔日常の世界との諸関係を断ち切る〕とは、生活のむなしさを知るゆえの生活からの果断な訣別」（Okumura 1974: 145）なのである。

非キリスト教徒には、奥村が伝えようとしていること〔「人は時間にあって時間を超える」など〕は矛盾に聞こえるので、理解できないかもしれない。しかしながら、われわれが承知しているように、宗教の教えはしばしば通常の思考形態や理解形態を超える。シュッツによる先の発言にもう一度結びつければ、祈りによって開かれた宗教の意味領域と日常生活の意味領域との間には「変換公式」によってもたらされる関連性は存在しないのだ。換言すれば、日常生活世界からの決別とは、祈りという飛び地を媒介として、この世界から飛び出して宗教的な意味領域に入っていくという決別として、理解できるだろう。これら二つの世界の間に「変換公式」がないとすれば、キリスト教徒が祈りを捧げるために日常生活世界との関係を断つとき、奥村が強調したように、竹の節が竹の幹を「九十度に、マンヨコに断つ」のと同じ仕方で、その関係を断たねばならない。このことは、人が、現実のアクセントを変更することによって、つまり、意識の流れの方向を変えることによって、日常世界という領域から祈りという領域へ移行することを意味する。しかしながら、この「移行」は、一つの存在論的レベルから他の存在論的レベルへの或る種の現実の〔物理的な〕移動だと誤解されてはならない。そうではなく、この「移行」は、日常世界の知覚と評価の修正ないしその変更として、理解されるべきである。

祈りの言葉は、個人的に動機づけられた信者によって語られることもあるし、集団によって集合的に語られることもある。いずれの場合でも、信者たちは、日常性における空虚さ・矛盾・不充分さに対して、祈りにおける新しい主題やリアリティに関与することによって、対処する。すなわち、日常性によって付与された意味の諸構造を変容することによって、信者たちは、至高の現実――人はそこに住んでいるけれどもそれを振り返らない――の相対的なものでしかありえない自然さを「見通す」ことを企てるのである。換言すれば、祈りの世界は、至高の現実の疑似存在論的等質性を突破しながら、信者の体験の流れという地平へと押し入るのである。この過程において、日常世界を知覚するわれわれの方法の生きられた調和的統一性は崩壊し、祈りにおいて認められた新たなヴィジョンが主題となり、最終的にそのヴィジョンが現実のアクセントを受け取る、といってよいだろう。別のいい方をすれば、祈りは体験の流れという地平から「飛び出し」、まさに体験の中核へと入っていくのである。こうして、われわれの〔日常世界の〕支配的な体験方法を変える通路が拓かれるのだ。これと同時に、日常世界においてわれわれの注意をひきつけている支配的な主題や関連性（一生懸命に働くこと、自動車を運転すること、友だちと喋ることなど）は、この時までは問題なく優勢であったにもかかわらず、〔祈りが始まると〕見捨てられてしまう（Schutz and Luckmann 1974: 186–190 を見よ）。そして、「まったく他なるもの」が心に浮かび上がってくるのである[3]。

第六項　祈りの前、祈りの最中、祈りの後

祈りが始まる前、祈りの最中、祈りが終わった後という、それぞれの時の流れにおいてもたらされる諸過程は、次のように述べることができよう。最初の段階において、いまだに祈りに関与していないキリスト教徒たちは、日常世界に住んでいる。彼らは、この世界についてのあらゆる疑いを停止して、常識、他者との意志疎通、社会的役割、相互主観的世界の標準時間――これらはすべて、われわれの標準的な存在を構造化する「実利的な動機」という拘束のもとでもたらされている――によりながら、普通の社会生活を営むことを当然のこととしている。次の段階において、まさに自分を祈りに委ねようとしている人々は、理由は何であれ、自分たちの関心と焦点を日常生活世界と

通常の社会活動から祈りの世界へと変更する。こうした状況において、宗教的意識や緊張はしだいに高揚してくる。さらに、この過程が継続するにつれて、宗教的な意味領域への入り口であった、祈りという行為が支配的なものとなり、祈りを捧げている人は宗教的な意味領域に没入するようになる。この宗教的意味領域は、日常生活世界といかなる存在論的関係ももってはいないが、まさに日常生活世界の所与とわれわれのその世界への関わり方とに、新たな光をあたえる。このように考えると、集合的（＝相互主観的）に共有されていた世俗的常識と標準時間をもつ日常世界は消え失せてしまい、「宗教的リアリティ」が日常世界を別様に理解するための最も重要な地点となる。すなわち、日常世界を、恩寵、愛や救済という賜物、無条件の歓待の約束などという光のもとで理解するようになるのだ。

祈りの世界においては、時として、神との永遠の霊的交わり、神との対話、神との人格的接触が実現するかもしれない。けれども、こうした祈りの「成就」の詳細な記述は本論文の目的ではない。希求の祈りが終わりに向かうにつれて、宗教的な意識・心・注意・緊張などは消え始め、祈っている人は日常世界へと帰っていく。しかしながら、この過程は、予測できない頻度で、その人の意識の流れにおいてくり返されたりそこに沈澱したりしていく。その頻度は、信者の見解に依存しているのみならず、信者の見解を変容させたりもする。[4]

第三節　祈りと言語哲学

第一項　祈りの言語とそのリアリティの構成

これまでの議論から「祈りのリアリティ――これは宗教的な限定された意味領域への接近を可能にする飛び地として解釈される――は実践的な意識の或る特有の態度によって構成される」と結論しうる。すなわち、「祈りの意義は、意識の流れの方向を日常生活世界から宗教的な限定された意味領域へと変えるという、その力のうちにある」ということだ。次の段階として、以下では、こうした脈絡におけるリアリティと言語の間にある関係について考察したい。

われわれは、シュッツが、ジェイムズの『心理学の原理』（一八九〇年）にある「下位‐宇宙」と彼自身の「限定された意味領域」とを峻別していることに、注意しなければならない。すなわち、シュッツは「リアリティを構成するのは、諸対象の存在論的構造ではなく、われわれの諸体験がもつ意味である」（傍点引用者）（1945b: 341）と強調しているのだ。もしもわれわれの諸体験の意味がリアリティを構成するのであれば、祈っている間に生じる諸体験の意味が祈りというリアリティを構成することになる。そして、諸体験の意味は、疑いもなく、言語と結びついている。一言でいえば、祈りの言語は祈りのリアリティを構成するのに本質的な〈働きをする〉ものなのだ。「祈りの言語ゲーム」が営まれたときに、祈りのリアリティが構成される。先のキューピットの「客観的なリアリティ、客観的な真理、客観的な価値、客観的なあるいは絶対的な知識などというものは、どこにも存在していないのだ」という言葉はこの結論を正当化する。リアリティは人間の言語によって構成され、神のリアリティですらも言語の投影によるものと解釈できるかもしれない。

プロテスタントの教理神学者であるリンドベックは、言語によるリアリティの構成について、次のように論じている。

> 宗教は、現実を描写したり、信念を系統化したり、心的態度・感情・情緒を体験することを可能にしたりする表現形式に似ている。……宗教は、論証的かつ非論証的象徴という記号体系、ならびに、それに伴う特徴的論理や文法からなる。その論理や文法があるからこそ、宗教の記号体系は有意味に使用されうるのである。(Lindbeck 1984: 33)

それゆえ、リアリティの感覚と言語の意味とは相互依存的な関係にある、いや、おそらくそれらは表裏一体のものである、と推測できる。

こうした議論の脈絡とも関連するが、シュミットは「数千年にわたって、人々は、かなりの宗教的発言は事実について述べている、と考えてきた。しかしながら、もしもわれわれの分析が正しければ、この長い伝統、現代の相当数の神学者にも強く信じられているこの伝統は、誤りである。……宗教的主張は事実にかかわる知識には属していないのだ」(Schmidt 1968: 224) と論じている。

また、ウィルソンは、宗教言語の分析において、キリスト教の文献・信条・儀礼などで使用されている文を次の五つに分類した。

(1)命令・指図・勧告・願望などを表現している文。
(2)道徳的見解を表現している文。
(3)事実上の真実（しばしば歴史的な真実）を表現している文。
(4)言葉の意味にかかわる情報を伝えている文、ならびに、分析的真理を表現している文。
(5)自然的／物理的世界に対置された、超自然的／形而上学的な世界についての情報を伝えているように思われる文。（Wilson 1968: 356）

シュミットとウィルソン（(1)(2)(5)）の双方が示唆しているように、キリスト教の文献・信条・儀礼などの脈絡で使用されている文は、ひじょうにしばしば事実・論理・実証などとはまったく関係ない多数の要素を含んでいるのである。こうした研究結果は、キリスト教の中核ないし本質たる祈りの場合にも、同じようにあてはまる。祈りにおいて使用される言葉・成句・文は、自然科学・事実報告・合理的推論などで使用されるものと、鋭い対照をなしている。祈りで使われている言葉と結びつけていえば、「行為遂行的発言」[5]という概念——これは言葉や言語の行為遂行機能に注意を向けさせる——が、祈りについての考察に有益な観点をもたらしてくれる。

第二項 「言語行為」としての祈り

オースティンは、一人称・単数・現在形・直接法・能動態という形態をとる動詞で表現された「行為遂行的発言」を分析することによって、「言語行為」論の基礎をきずいた。彼の哲学が知られるようになるまで、哲学者たちは長い間、陳述文の目的・役割は、ある事態を記述するとかある事実を〈正しく/間違って〉陳述することのみだろう、と想定していた。だが、オースティンは、これは事実ではない、と主張した。彼は、行為遂行的発言を、「約束する」「命名する」などといった動詞の機能に細かな注意を払うことによって分析した。そして、「こうした発言を行なうことは何らかの行為を遂行することであり、それはたんに何事かを言うだけのこととは考えられない」と強く主張したのである。行為遂行的発言は「いかなるものをも〈記述〉〈報告〉せず、さらにいかなる事実確認もせず、しかも〈真/偽のいずれ〉でもない」。そして、「その文を述べることが行為の遂行そのものであるか、その一部分をなすかである」（Austin 1975: 1-7を見よ）。

オースティンの洞察によりながら、エヴァンスは『自己関与の論理』（一九六三年）において、キリスト教の言語を神への「自己関与」と全身全霊をあげた「傾倒」との表現だとみなしながら、行為遂行的発言というアイデアを宗教哲学の研究にもちこんだ。彼は、明示的にであれ暗黙のうちにであれ、ある公式（「私はXをYとして認識する」）をもった、キリスト教の言語の多様な表現を研究したのだ。そして、宗教的発言を、それらが「態度表明的」ないし「傾倒的」（後述）であるとき、「自己関与的」であると解釈した。こうした公式をもつ言語を分析することによって、エヴァンスは「傾倒」という行為の論理を解明したのである。

> これまでの古い論理学は、命題（陳述・断定）を扱っている。すなわち、命題間の関係と命題にあらわれる名辞間の関係とをとり扱っているのである。しかし、現代の聖書神学は、非命題的な言語――神が現わす啓示（人間に対する神の「言葉」）と人間が用いる宗教言語（神に対する人間の言葉）の双方における非命題的な言語――の重要性を強調している。いずれの場合にも、言語または「言葉」は命題的ではない（あるいは、たんに命題的であるわけではない）。非命題的言語〔の本質〕は、神的なものであれ人間的なものであれ、自己が関与する行為なのである。……人は、礼拝という行為において、神に対して自分を傾倒させ、神に対する彼の態度を表明しながら、神に呼びかけているのである。(Evans 1963: 14)

これらの概念（オースティンの「行為遂行的発言」、エヴァンスの「自己関与的発言」）は、祈りを捧げているときに使われる言語を考察するための助けとなる。「態度表明型」の行為遂行的発言（「大体において、行動に対する反応や他人に対する行動に関係するものであり、かつ、態度や感情を表出することを目的として構成されている」(Austin 1975: 83) 行為遂行的発言の一種）という知見は、キリスト教の祈りの研究にはきわめて実りが多い。オースティンやエヴァンスの概念を応用することは、祈りを宗教的リアリティを構成する可能性という観点から解釈することを、助けてくれる。

「主の祈り」に話をもどせば、この祈りは新約聖書において二つの形で見られることを思いおこそう。第一のものは「マタイによる福音書」のなかにあり（第六章第九節－第一三節）、すでに引用したものである。第二のものは「ルカによる福音書」に、以下のような文章で見られる。

そこで、イエスは言われた。「祈るときには、こう言いなさい。

『父よ、
御名が崇められますように。
御国が来ますように。
わたしたちに必要な糧を毎日与えてください。
わたしたちの罪を赦してください、
わたしたちも自分に負い目のある人を
皆赦しますから。
わたしたちを誘惑に遭わせないでください。』」（第一一章第二節－第四節）

これら二つの主の祈りで使用されている言葉や文は、神への懇願・請願[6]・切望の表現であり、主の祈り全体に反映されている。それらは、自然科学や日常生活における事実についての言明ではなく、むしろ、広い意味でのオースティンの「行為遂行的発言」やエヴァンスの「自己関与的発言」

の具体例とみなすことができよう。

祈りは（例えば「賛美」「告白」「感謝」「祈願」などの行為遂行的／自己関与的な）種々の重要な要素を組み合わせたものをふくんでいる。聖書から具体例をいくつか引用しよう。

(1)賛美――「主はわたしの力、わたしの歌。主はわたしの救いとなってくださった。この方こそわたしの神。わたしは彼をたたえる。わたしの父の神、わたしは彼をあがめる」（「出エジプト記」第一五章第二節）。

(2)告白――「自分の罪を公に言い表す〔告白する〕なら、神は真実で正しい方ですから、罪を赦し、あらゆる不義からわたしたちを清めてくださいます」（「ヨハネの手紙一」第一章第九節）。

(3)感謝――「恵み深い主に感謝せよ。慈しみはとこしえに」（「歴代誌上」第一六章第三四節）。

(4)祈願――「求めなさい。そうすれば、与えられる。……あなたがたの天の父は、求める者に良い物をくださるにちがいない」（「マタイによる福音書」第七章第七節・第一一節）。

オースティンの洞察を祈りに応用すれば、賛美・告白・感謝・祈願で使用されている言葉や文は、いかなる仕方であれ、事実を記述したり報告したり確認したりしているのではない。こうした言葉や文を述べることは或る行為を行なうこと、もしくは、その行為の一部分である。これらの言葉や文は、神に対する信者の態度や傾倒の表現であり、自己関与的／行為遂行的な発言なのである。[7]

第三項　祈りにおける「自己関与の論理」

祈ることの根底には神への信仰がある。例えば、あるキリスト教徒が「私は、神が存在することを、信じています」と述べるとしよう。この発言は、たんに「神が存在する」という言明ではなく、神へのその人の全面的傾倒の表現なのだ。「私は、神が存在することを、信じています」と述べることは、自己関与をともなった一種の行為遂行的行動なのである。これは、その信者は、神が決めた道徳上の決まりに従いながら、神への忠誠を誓っていることを意味している。（この道徳上の決まりは、〔トマス・ア・ケンピスの〕『キリストに倣いて』に見られるような、信者の共同体〔＝教会〕――これは例えば「神秘的身体」〔「キリストの神秘体」〕という形で示されている――をいかに組織化するかをめぐる正しい方法にかかわっている。）また、「私はXをYとして認識する」という行為遂行的公式を明示的に述べることは、その人がXに対して積極的な態度や意思をもっていることを意味している。例えば、「私は聖霊を生命の源として認識します」と述べることによって、その信者は、認識するという行為を遂行し、聖霊を生命の源として受け入れる態度と聖霊に対する傾倒とを表明しているのだ（Evans 1963: 150f. を見よ）。

さらに、たとえ「信じている」「認識する」といった行為遂行的／自己関与的な動詞が、祈りの文で明らかには見られない場合でも、こうした特徴は示されている。例えば、祈りを捧げている人が「神は私の創造者です」というとき、この文は事実にかかわる言明のように見えるが、実際には「私は、神は私の創造者である、と信じています」もしくは「私は、神は私の創造者である、と認識しています」という文の省略形なのである。一言でいえば、「私はXを信じている（信仰している）」とか「私はXをYとして認識している」という公式が、キリスト教伝統の言語に浸透しているのだ。さらにいえば、「私はXを犯してしまいました」と述べることは、たんに事実を述べているのみならず、Xを犯したことを告白し、「Xを犯したことを赦してください」と神に嘆願することでもある。「私の息子は重い病気を患っています」と述べることは、たんに事実を述べているのみならず、神に「息子を治してください」と訴えかけること、請願することでもある。それゆえ、キリスト教徒の祈りで使用される言語は、高度に、行為遂行的性質ないし自己関与的性質をもっているといえる。[8]

第四項　「言語ゲーム」としての祈り

著者たちの理解では、本論文におけるこれまでの見解は、ウィトゲンシュタイン（とりわけ「言語ゲーム」という概念）と関連づけることができる。別言すれば、著者たちはこれまで、行為遂行的性質／自己関与的性質をもった言葉を、個々の言葉の個別のレベルにおいて分析してきたのだが、以下の議論では、キリスト教の言語を「体系性」「全体性」といった観点から考察することに歩みをすすめたい。彼自身きわめて宗教的であったウィトゲンシュタインは、宗教哲学（とくに分析哲学の流れをくむもの）に注目すべき影響をあたえてきた。

二七歳のウィトゲンシュタインは、第一次世界大戦に従軍していた一九一六年六月一一日[9]、次のような文章を書いた――「生の意味を、すなわち世界の意味を、われわれは神と称することができる。そして、父としての神という比喩をこれに結びつけること。祈り[10]とは生の意味についての思考である」（Wittgenstein 1961: 73）。また、彼は後年『哲学探究』（Wittgenstein 1958）の第一部第二三節において、「言語ゲーム」の諸例をあげながら、その最後の例として、「祈ること」をあげている。さらに、『哲学的文法』では「われわれは言語を明確な規則に従ったゲームという視点から考察する。われわれは言語をそのようなゲームとくらべ、それと照合する」（Wittgenstein 1974: sec. 36）と述べている。ウィトゲンシュタインによるこの最後の言明は、独自の諸規則に従って営まれる「体系をなす言語ゲーム」として解釈しうるキリスト教にも適用できる。

ウィトゲンシュタインの洞察は、キリスト教の祈り（キリスト教に特有な或る一群の規則[11]に従った、直接的な神への語りかけ、神との対話、神との霊的交わりと解釈された祈り）をめぐる著者たちの分析的アプローチを、さらに展開することを可能にしてくれる。祈りは、一つの限定された意味領域――これはわれわれの意識によってもたらされ、日常生活世界のリアリティとは異質なリアリティを構成する――における言語行為ないし言語ゲームとみなすことができよう。

右のように、キリスト教を「一つの体系をなす言語ゲーム」として解釈することを正当化するには、ウィトゲンシュタインの『確実性の問題』〔邦訳書名〕（Wittgenstein 1969）からいくつかの節を抜粋することが有益だろう。キリスト教において言語を使用しながらなされる種々の活動は、関連を欠いているのではなく、相互に関連しあっている言語活動の壮大な体系を形成している。ウィトゲンシュタインは、テスト・確証・論証・知識をめぐる議論において、「体系の内部」「判断の全体」「命題の全体系」などといった成句を用いながら、そうした活動を導くことにとっての体系の重要さを強調している。後述するように、彼の言明は、シュッツの「多元的リアリティ」論――とくに「変換公式を導入することによって或る意味領域を別の意味領域に関係づける可能性はまったくない」という点――と見事に両立するのである。

ウィトゲンシュタインは〔『確実性の問題』において〕以下のように論じている。

> 一つの仮説をめぐるあらゆるテスト、すべての確証と反証とは、それらが生じるときにはすでに一つの体系の内部にある。〔＝それらは一つの体系の内部で初めて成立する。〕……ある体系は、われわれが論証と呼ぶものの核心に属している。体系とは論証の出発点であるよりも、論証の生きる場である。(Wittgenstein 1969: sec. 105)
>
> われわれは多くの判断が形づくる一つの全体を受け入れることになる。われわれが何事かを信じるようになるとき、信じるのは個々の命題ではなくて、命題の全体系である。(Wittgenstein 1969: sec. 140-141)

われわれの知識は一つの大きな体系をなしている。個々の知識はわれわれが認める価値を

この体系のなかでのみ有することができる。(Wittgenstein 1969: sec. 410)

このような言葉は、次のような点において、宗教にも適用できよう。(1)キリスト教徒は宗教的諸命題の全体系を信じる。(2)この体系の内部でのみ、個々の宗教的言葉・成句・文は意味をもつことができる。(3)宗教的知識は壮大な体系を形成しており、個々の構成要素(言葉であれ成句であれ文であれ)が付与された価値をもつのは、この体系の内部においてのみである。

さらに、リンドベックは、宗教や哲学の場合でさえも、異なる言語ゲームの通約不可能性について論じている。

〔リンドベックの立場である〕文化‐言語型アプローチは「異なった宗教や哲学は、真理・体験・カテゴリーの妥当性について、通約できない観念を持っているかもしれない。ゆえに、或るものにとって最も重要なもの(「神」)は何であるかについても、通約できない観念を持っているかもしれない」という可能性を認めている。(Lindbeck 1984: 49)

ウィトゲンシュタインの体系性・全体性・全体系性の強調に鑑みると、現実/非現実、真/偽、有意味/無意味などは言語ゲームの全体系の内部で決定される、と考えてよいだろう。[12] そして、キリスト教を種々の下位体系の言語ゲーム——そのうちの一つが祈りである——から成り立つ上位体系として捉えれば（後述）、この解釈をキリスト教に適用することができよう。

第五項　ウィトゲンシュタイニアン・フィデイズム

ウィトゲンシュタインの右のような洞察を受け入れる、いわゆる「ウィトゲンシュタイニアン・フィデイスト」（ウィトゲンシュタイン流の唯信主義者）とよばれる多くのキリスト教哲学者や神学者たちは、次のように主張している。すなわち、「キリスト教は、全体として、神の観念と神への傾倒に基礎をおいた宗教的言語ゲームの体系である」と。彼らの意図は、キリスト教を、神の存在を認めない無神論・自然科学・世俗的常識などによる攻撃から護ることである。例えば、フィリップスは「宗教的概念の有意味性をめぐる基準は、宗教それ自体の内部で見出されるべきである」とか「間違いや混乱が生じたか否かは、宗教内部に見出される基準によって判定されるべきである」などと述べている（Phillips 1965: 12）。エヴァンスは、日常言語学派のスローガンをもじって、「分析的な哲学者がキリスト教的な概念を研究するとき、彼が準拠すべき基本的な〈日常言語〉は聖書の言語である」（Evans 1963: 17）と強調している。

こうしたすべてのウィトゲンシュタイニアンの論点は、まさに、それ独自の論理や文法をもつ言語ゲームの体系とみられた、キリスト教に当てはめることができる。異なる複数の言語ゲームは、現実性・真実性・有意味性などにかかわるそれら独自の基準をもっている。いいかえれば、キリスト教は、無神論・自然科学・世俗的常識などの言語ゲームの体系とは異質な、それ独自の言語ゲームの体系を構成しているのである。キリスト教はそれ独自の世界を構成しており、そのままで秩序だっているのである。〔だからこそ、これと対立する外部の言語ゲームからの攻撃をかわすことができるのだ。〕

　こうした議論には、「言語ゲームの体系として理解されたキリスト教は、いかにして、その中核的要素である祈りと関係づけられるのか」という疑問が出されるだろう。これに対しては、祈りをキリスト教という上位体系の下位体系とみなすことができる、と答えよう。〔もちろん、「下位体系」だからといって、祈りがキリスト教における中核的地位を失うわけではない。〕祈りで使用される言葉・成句・文は、キリスト教という脈絡の内部でのみ適切な意味をもつのだ。「祈り」や「キリスト教」を先に引用したウィトゲンシュタインの言明に代入して、「祈りが実践されるときには、それはすでにキリスト教という体系の内部にある」「キリスト教という体系は出発点であるよりも、祈りが生きる場〔固有の領域〕である」「キリスト教という体系の内部でのみ、祈りはわれわれが認める価値を有することができる」などと論じることができよう。

第六項　「根拠」無用の祈り

　第二節第一項で述べたように、本論文の目的は、今日の世俗化された時代におけるキリスト教の祈りに焦点をあてて考察を展開することである。なぜなら、キューピットが耳目を集めるような解説をしているように、キリスト教信仰に盤石な基礎づけをすることは、現代ではほとんど不可能に思われるからである。とはいえ、キリスト教信仰は信者がそれを信じるための/それに傾倒するための盤石な地盤や基礎をもたなければならないか否か、という問いがある。これに対する回答は「否」である。信者たちは、自分たちの信仰のために地盤や基礎をもっていないとしても、キリスト教に全身全霊を捧げることをやめる必要はないのだ。

キリスト教ないしその祈りは、「神は存在する」「神はこの世を創造した」「神はわれわれを愛している」などという、信者たちが傾倒している枠組みを構成する命題から成り立っている。キリスト教徒は、こうした宗教的信念に、合理的な理由や正当性を与えることができるだろうか。神の存在についていえば、ある人は「神は私の内部に自らを現わされた」というかもしれない。また、ある人は、パウロが述べたように、「生きているのは、もはやわたしではありません。キリストがわたしの内に生きておられるのです」(「ガラテヤの信徒への手紙」第二章第二〇節)というかもしれない。しかしながら、今日の世俗化した時代においては、神の存在を信じることを合理化したり正当化したりすることは、きわめて難しい。だが、言語ゲームという観点からは、キリスト教徒は、自分たちの信念の基盤や基礎に根本的理由や論理的根拠を与えられないとしても、それでも、キリスト教を信じることができる。いいかえれば、そうした基盤や根拠は、キリスト教という言語ゲームを営むために、必要なものでもないし本質的なものでもないのである——なぜならば、言語ゲームとしてのキリスト教には「根拠がない」からである。

正当化や基礎づけの過程は、遅かれ早かれ、終点に到達する。ウィトゲンシュタインは、この根拠づけの過程について、鋤と岩盤の比喩を使いながら語っている——「私が根拠づけの委細を尽くしたのであれば、私は固い岩盤に達しているのであって、私の鋤は〔その固さのために〕そり返ってしまう。そのとき、〈自分はまさにこのように行動するのだ〔!〕〉と叫びたくなる」(Wittgenstein 1958: 217)。このように、根拠づけや基礎づけの過程は、ここで終わりを告げるのである。この終点に到達した信者は、まさに「いまや私は私のあらゆる信念の基盤に到達した。私はこの立場を絶対に変えない」(Wittgenstein 1969: sec. 246)と断言するに違いない。「証拠を基礎づけ正当化する営みはどこかで終わる。しかし、ある命題が端的に真として直観されることがその終点なのではない。すなわち、言語ゲームの根底になっているのは……われわれの営む行為である」(Wittgenstein 1969: sec. 204)。

キリスト教とその祈りの枠組みを構成する諸命題は、ウィトゲンシュタインが記述した「固い岩盤」ないし「引き受けるべきもの、与えられたもの」(Wittgenstein 1958: 226)である。基礎づけや正当化を継続しつづける過程は、「自分はまさにこのように行動するのだ〔!〕」といいたくなったときに、終わる。ウィトゲンシュタインは次のように述べている——「基礎づけられた信念の基礎になっているのは、何ものによっても基礎づけられない信念である」(Wittgenstein 1969: sec. 253)、「われわれの信念に根拠がないことを洞察するのが難しいのだ」(Wittgenstein 1969: sec. 166)、「君は、言語ゲームはいわば予見不可能なものであることを、心にとめておかねばならない。私のいわんとするところは、こうである——それには根拠がない。それは理性的ではない(また非理性的でもない)。

それはそこにある——われわれの生活と同様に」(Wittgenstein 1969: sec. 559)。

キリスト教および種々の形態をもつ祈りの枠組みを構成する命題を、基礎づけたり根拠づけたりすることは不可能だし、その必要もない。祈りに全身全霊をささげている信者は、まさしく「われわれはまさにこのように行動するのだ!」と断言するであろう。祈りは信者の神への傾倒の言語的表現である。ウィトゲンシュタインが「言語ゲームは人が何かを信頼している場合にのみ可能である」(Wittgenstein 1969: sec. 509)と語っているように、宗教的言語ゲームも信者が神を信頼しその存在を信じている場合にのみ可能なのである。

第四節　結論的見解

第一項　これまでの議論の要約

これまでの議論において、祈りという宗教現象に社会-現象学的な視点と言語哲学的な視点からアプローチするために、シュッツ、ウィトゲンシュタイン、オースティン、エヴァンスたちの洞察を紹介した。言語哲学的な知見にしたがえば、祈り——これは、神への賛美・告白・感謝・祈願という行為によって実践される行為遂行的活動/自己関与的活動として理解される——は、人の宗教的生活世界の構成に根本的な役割をはたすことが、明らかとなった。こうした脈絡において、キリスト教における祈りを、それに特有な一群の規則に従うことによって実践される「直接的な神への語りかけ、神との対話、神との霊的交わり」として解釈した。
この「規則」という点については、サールが指摘したように、「統制的規則」と「構成的規則」という二種類の規則を区別できよう。日常生活において、われわれは前者を注視する傾向にあるが、本論文の分析では、「新たな形式の行動を創造したり定めたりする」がゆえに、後者に重きをおくべきである（Searle 1980: 33-42を見よ）。実際に、それに特有な一群の規則に従っている根拠のない言語ゲームである、キリスト教の祈りは、それが日常生活世界のまっただなかにおいて相関する「リアリティ」ないし「宗教的な限定された意味領域」を構成／再構成するかぎり、構成的なものである。[13]
別の観点からみれば、祈りの言葉はその意味がずっと保持されるような性格をもつがゆえに、祈りの言葉と、キリスト教徒が日常生活において否応なしに参加しなければならない祈り以外の言語ゲームとの関係をめぐって、疑問が生じる。実際に、祈りという行為は、日常的な生活世界という至高の現実の内部で実践されるけれども、それは生活世界以外のつまり宗教的な「限定された意味領域」を構成する結果になる。奥村および祈りを「生活の流れを断つこと」と解釈する人々によれば、祈りのリアリティは閉じられている、もしくは、他の言語ゲームから切り離されている。これとは対照的に、ボヘンスキーやシェリーは「問題となっている、聖なる／宗教的な言葉や言説と、俗なる／日常的な言葉や言説との間には、複雑な相互作用がある」と提言している（註12参照）。だが、言語〔哲学〕的説明は、言語ゲームとしての祈りの論理構造の理解に新たな光を投げかけるために、祈りの「内部性」「全体性」「全体系性」などを強調している。このことを踏まえれば、「祈ってい る人は、自律的で自己充足的で、それ自体を他の言語ゲームに関係づける手段をもっていない〈内部ゲーム〉に参加している」といえるだろう。

しかしながら、まさにこの脈絡において、シュッツと彼の「象徴理論」および「多元的リアリティ」の構成におけるその象徴理論のすぐれた役割とを頼みとすることが、こうした事態についてのさらに説得力のある説明をもたらしてくれる。

第二項 祈りとシュッツの「象徴的間接呈示」の理論

すでに述べたように、シュッツも「変換公式を導入することによってある意味領域を別の意味領域に関係づける可能性はまったくない」(1945a: 232) という事実を強調している。だが、彼は、自分の象徴理論を用いることによって、この「変換公式」の欠如から生じる意志疎通の問題と取り組んだ。簡潔にいうと、シュッツは、「象徴」を「一段高次の秩序の間接呈示的指示関係」として、次のように定義したのである。

象徴とは、一段高次の秩序の間接呈示的指示関係である。すなわち、その関係において、対関係のうちの間接呈示する側は、われわれの日常生活のリアリティの内部における一つの対象・事実・事象などであるが、他方、その対関係のもう一方である間接呈示される側は、われわれの日常生活の体験を超越している〈高次の〉観念を指し示すという、間接呈示的指示関係である。(1945b: 331, 343, 337-339)

祈りにおいて使用される言語は、疑いもなく、その言葉のシュッツ流の意味で、全体として「象徴的」である。本論文の文脈では、例えば、祈りで使われる「神」という言葉は、われわれの日常生活のリアリティの内部で間接呈示する「対象」〈=音／文字〉を呈示し、その言葉によって間接呈示される「何か」〈神そのもの〉は、日常生活の体験の枠組みを超越する〈高次の〉「観念」である。神への賛美・告白・感謝・祈願といった、祈るという言語行為は、「間接呈示する」側面と「間接呈示される」側面とを連結する。換言すれば、「象徴的間接呈示」という図式は「記号の意味する性質」〈意味するもの〉を示している。だが、この図式は、記号によって示されているもの〈意味されるもの〉に関係する「指示の図式」と混同されてはならない(Srubar 2014: 86を見よ)。この二つの図式の区別という観点から、スルーバーに従いながら、以下のようにいえるだろう。

シュッツは記号の理論についてのみ考えていたのではなく、むしろ、「生活世界の記号の序列」の理論について考えていたのである。このように、シュッツにとって、記号過程は生活世界を構成する力であり、この力によって、生活世界の異質な諸リアリティが、それらの構成的レベルとともに、互いに関係づけられたり編み合わされたりするのだ。(Srubar 2014:

86)

このことを前提とすれば、根本的な論点は、「変換公式」を見出すこととにはまったく関わらない。すなわち、一つの「リアリティ」を他のリアリティに翻訳することにはまったく関わらないのである。そうではなく、根本的な論点は、こうした一つのリアリティを、他のリアリティに照らして、それ自体に関連させることに関わる。すなわち、一つのリアリティをそれ自体（くわえて、その想定された全体性・合理性・真理性など）に関連させる、異なった自己反省的でクリティカルな方法を可能にすることに関わるのである。いいかえれば、祈り——これはある種の「宗教的エポケー」〔宗教的リアリティが支配的である状態〕を具体化し、まさにそれを具現する——は、一方では、閉じられた言語ゲームの「内在的枠組み」を構成するが、同時に他方では、シュッツがいうように、人に日常的な生活世界の至高の現実の内在的秩序を「見通さ」せるのである。

第三項　祈りの領域から日常生活世界を「見通す」

この点について、現象学者と「自然的態度」にある人物（「独断論者」）との意志疎通の問題を指摘した、シュッツのやり方が参考になる。

> 現象学者は、現象学的還元を遂行した結果、自然的態度のうちにある「独断論者」に自ら

の認識を伝達することの困難に、自分が直面していることに気づく。伝達するということは、現象学者と独断論者の間にある共通の基盤を前提にしてはいないだろうか。(1945a: 256f.)

著者たちの理解では、現象学者の立ち位置がそうした困難を解決する鍵である。現象学者は「超越論的態度」を放棄して自然的態度にもどる必要はない。シュッツが述べるように、現象学者が「自らが隅々まで見通している超越論的状況としての自然的態度の〈内に〉自分自身を位置づける」(1945a: 257) とき、その困難は消滅する。

この議論は、シュッツ流の現象学と言語哲学とを目下の論題の理解をさらに深める見解に結びつけるための、示唆に満ちている。この特別にシュッツ的な方法は、行為遂行的な象徴的行為としての祈りの社会的具現のより良いさらに深い、理解の助けとなる。ハイデガーの有名な言葉があるが、現実のこととして、人は祈りの対象としては抽象的すぎる「自体原因」(自己原因)には祈らないのである――おそらく「自体原因の前に人間は畏怖の念から膝まずくこともできず、また、かかる神の前で音楽を奏したり踊ったりすることもできない」(Heidegger 1969: 72) だろう。まったく同様の見解から、シュッツは「具現された志向性」または祈ることによって他のリアリティに接近するという〔具体的な〕人間から、考察を始める。祈りは、祈る人に世界や日常生活の意味連関を「見通す」ことを可能にさせ、それらを異なった光〔例えば、恩寵・賜物・救済といった光〕のもとで顕現させる。こうして、日常世界やその基本的動機ともいうべきいわゆる「根源的不安」(1945a:

228）に対して支配的である実利的な基盤や構成は、異なった反実利的な論理にとって代わられる。その論理は、この存在の究極的「無根拠性」と、それに対して責任を引き受けなくてはならないという義務と天命を中心にはたらくものである。[14]

著者たちが証明しようとしたように、現象学と言語哲学は、「祈り」の分析に応用されたとき、生産的に共同作業をすることができる。意識の側面と言語の側面からなる祈りは、日常生活世界において現われ、この世界のまっただなかにその「場」ないし「飛び地」を構成する。いいかえれば、祈りは、意識の流れのあらかじめ決められた地平から飛び出し、体験の生きいきした中核へと入っていくのである。このように、祈りは、われわれの自我を、超越を体験する種々の形態――これは体験の水平的構造を「所与の垂直的上昇様式」へと変容させる――に向けて開くのだ（Steinbock 2007）。

最後に、こうしたことをもう一度強調するために述べると、祈りは、或る異質な存在論的リアリティへの接近を社会的に構成することに関わるのではない。「垂直的に上昇する世界」の理解が、メルロ＝ポンティがいうように、この世界から出てくるのである。さらに一歩すすめて、祈りを、宗教的な生活世界を有意味に構築するための根源的行為とみなさなければならない。祈りは、われわれが「宗教的エポケー」と名付けたものにより、それ特有の態度や体験様式をもたらすことにおいて、宗教的な世界を構築する。この「エポケー」の設定／再設定は、日常世界における「飛び地」（教会・寺院・聖なる遺跡など（における意味領域））の創造によって促進される（その「飛び地」に依存しているのではない)。そして、日常世界では、相互作用や意志疎通の種々の象徴的パターン(「象徴的間接呈示」)が社会的に導き出され、慣例化され、少なくともある程度までは制度化(儀式化)されるのである。

以上のように解釈すると、シュッツの〔現象学的〕説明は言語〔哲学〕的アプローチをまさしく生産的に補足するのである。この脈絡において、彼の象徴(および言語一般)についての理論は、この上なく重要なものである。象徴を、われわれが「多元的リアリティ」に関わることを可能にする、或る種の「意味のクリップ」(Srubar 2007: 201-203)とみなすことにおいて、祈りの象徴体系は日常性の中に「飛び地」を創造する。そして、この飛び地は祈りという象徴の世界を作動させる。すなわち、「実利的な動機」に支配された世界をめぐるわれわれの合意を超えて〔これを絶対不変のものとすることなく〕、われわれがいつもさらに広く深く考えるようにさせるのだ。

註

1――二種類の祈り、すなわち、他人と一緒に行なう／共同体的な祈りと、一人で行なう／個人的な祈りとのそれぞれの重要性に関して、クレティエンは読者に簡潔な歴史学的研究を紹介している。そして、「他人と一緒に行なう祈りの優位性が、多くの宗教伝統において強調されている」と指摘している。さらに、「キリスト教においては……すべての祈りは本質的に共同体的なものである。なぜなら、すべての個人は、〈神秘的なキリストの身体〉〈＝教会〉の成員としてのみ、それゆえ、常に教会の内部でのみ、祈り、祈ることができるからである」と論じている（Chrétien 2004: 33f.）。しかしながら、本論文で採用されている現象学的な観点からは、一人で行なう／個人的な祈りもまた重要である。なぜなら、〈学問的な〉方法論からいうと、他人と一緒に行なう／共同体的な祈りの分析は、一人の人間の／個人的な意識のレベルへの接近、および、その意識の流れのなかで生じる意味付与行為を前提としているからである。このように解釈すると、「他人と一緒に行なう祈りの優位性」は存在論的優位性としてのみ理解されるべきである。いいかえれば、例えば、修道士の住む人里はなれた場所でなされる、静かな／沈黙の〈個人的な〉祈り――これはその意義を祈りの個人的な表現から導きだす――でさえも、まさに祈りの基本的な社会性の一様態なのである。

2――本論文の論題全体に関連して、「コンピューターの宗教的世界」という特異な飛び地の内部から「多元的諸リアリティを架橋する」ための興味深い例が、ヴァルテマテによって論じられている（Waltemathe 2014）。「多元的諸リアリティを架橋する」という考えは、「意味の飛び地」としての芸術に関連付けて、マクダフィーによってさらに包括的に議論されている（McDuffie 1995）。

3――もちろん、「まったく他なるもの」という体験は、数えきれないほどの異なった仕方で解釈できよう。例えば、(1)われわれが日常世界内で達成したあらゆる物事の究極的な無価値性やわれわれ自身の有限性、(2)同定できない他者からの呼びかけ、(3)われわれが搾取することに慣れた自然の雄大さ、(4)あらゆるリアリティの「授けられた」という性質、などに関連づけて解釈できよう。本論文の脈絡では、「超越」というこの体験は自足的なものではなく、むしろ、われわれに課せられた日常的な有意味性の自己超越と本質的に関係していることを、心に留めておくことが重要である。換言すれば、「まったく他なるもの」からの呼びかけに応答することにおいてのみ、われわれはその日常的な有意味性——われわれは、反省することもなく、常にそして既に、この中で生きている——を「見通す」ことを学ぶのである。(われわれが議論しているように、祈りは、われわれが体験するこの自己超越を明確に表現する一つの方法である。)この脈絡において、シュッツの「関連性」という概念は、疑いなく、さらなる分析に値する。

4——この文脈において、フッサールの〝Einströmen〟(「流入/流れ込むこと」)という概念に言及するのが良いかもしれない(Husserl 1970: 210を見よ)。この概念は、超越論的態度において生きられた体験——これは取り消せない方法で「自然的態度」を修正し豊かなものにする——がいかに「自然的態度」にかえった後も構造的に保持されているかを示すために、彼が創出したものである。

5——以下では、〝performative utterance〟が問題になる。utterance やその動詞形の utter は、広義には、口頭で述べること以外に、文に書くこともふくむ。たとえば、「〜を約束する」と口頭で述べても紙に書いて渡しても、「約束する」という行為を遂行することにおいては同じである。以下の議論では、「発言」と書いていても、口頭の場合のみならず、筆記の場合もあることを断っておく。ただし、本論文は「祈り」についての議論なので、当然のことながら、声を出して祈ることが考察の中心となる。〔星川記〕

6——クレティエンは、ファン・デル・レーウの祈りと崇敬を区別した著書『宗教、その本質と現われ』(Van der Leeuw 1964)を批判しながら、「願望〔祈願〕と祈りとの結びつきは本質的なものであり、これは祈りに与えられた種々の定義を統合することに資する」と強調している(Chrétien 2004: 29)。

7――クレティエンは、「声をだす」祈りと「声をださない」祈りとの対照について、現象学的な議論を行なった。それによると、古代においては「大きな声で、明確に、分かりやすく祈ることが、もっとも普通でもっとも一般的な種類の祈り方である」。そして、「声をだす祈りは、心の内で呟く音という無秩序なものに終止符をうった。……声は祈りのための〔たんなる〕道具ではないのである」。クレティエンの解釈によれば、祈りの声は祈りの本質である（Chrétien 2004: 29-33）。著者たちは、全体として彼に同意するけれども、声をださない祈り／呟く祈りも、祈りとして受け入れることができる。なぜなら、こうした祈りは声をだす祈りが形を変えたものに過ぎないからである。

8――次のような反論があるかもしれない――ある人が、祈りにおいて「自分は神の存在を信じている」と自分自身に語りかけるとき、その人は、存在論的に神の存在を証明しようとはまったく思っていないが、「神の存在は客観的に確実である」と解釈されているだろう。別言すれば、ある人が「聖なる神は賛美されるべきだ」と述べるとき、その祈っている人にとって「神は客観的に存在している」とされている、というわけである。このことを前提とすると、ある状況において、祈っている人が神の存在への自分の信念を表明することにより事実的言明を行なっているのではない場合でも、その人は「自分の発言は自分とって主観的にのみ確実である」と主張しているのでは決してないことになる。

こうした反論に対して、著者たちは「言語によって構成された〈或る志向的対象〉」（第一節第一項を見よ）として「神」を理解することを提案したい。換言すれば、著者たちは、このように述べることにおいて、神の存在にかかわる存在論的議論や神学的議論に関与しないことを提案したいのである。こうした議論は著者たちの分析範囲を超えている――「神」は客観的に存在するかもしれないし、存在しないかもしれない。たとえ、その信者が神の存在を「客観的に確実」たらしめる主張をするとしても、「客観的」という言葉の厳密な意味において、神の存在は「客観的」なものではない。なぜなら、無神論者や非キリスト教徒は神の客観的存在を容認しないかもしれないからである。だが、いかなる場合であれ、神の存在は「志向的対象」として解釈しうる。その理由は、無神論者や非キリスト教徒ですらも、「神」を「志向的対象」として想像できるからである。自己関与の論理は「主観的」に思われるが、これは、対象言語のレベルではなくメタ言語のレベルにおける著者たちの〔分析のための〕「準拠枠」である。

9――実はこの「六月一一日」という日付は、編集者によって書き換えられたものである。この日付をめぐる問題は、実に不可解で神秘的である。〔星川記〕

10――ウィトゲンシュタインは「語りうるもの」の世界（事実の世界）と「語りえないもの」の世界（絶対的価値や宗教の世界）とを明確に区別した。彼は、個人的に、これらの二つの世界を「祈ること」によって架橋しようと試みたうえに、生涯を通じて、祈りに真剣な眼差しを向けていた。

11――信者が従っている規則のすべてを、明示的に同定することは不可能である。サールが述べているように、これは必要なことではない。その理由は以下のようなものである――「この規則がそもそも規則であり、かつ、必ずしもわれわれが従っていることをわれわれ自身が〈明確に系統立てて説明できるという意味において〉知るという必要なしに、依然として実際は従っているという種類の規則であることは、明白であるように思われる。……時として、人間の行為の一断片を適切に説明するためにも、われわれは、行為者自身が規則を述べることができなかったり、あるいは、そのような規則に従って行動している事実を自覚していなかったりするような場合においてすら、〈その行為は一つの規則に従ってなされた〉と想定しなければならない」（Searle 1980: 42）。

12――日常的な言語ゲームから切り離された「限定された意味領域」における行為としての祈りという、著者たちの祈りの理解は、いくつかの反論を招くかもしれない。祈りの言語が日常的事柄にかかわる言語ゲームと切り離されうるか否かという問題は、容易ならぬ重要な問題である。たとえば、ボヘンスキーは「宗教的言説はその使用者の言説全体ときわめて密接に結びついている。すなわち、宗教的言説を同一主体の世俗的言説と切り離したり、これと分けて考察したりしてはならないのだ。それゆえ、二つの言説（宗教的言説と世俗的言説）の関係をめぐる問題が、宗教的言説の場合にはとりわけ重要である」と述べている（Bochenski 1965: 58）。さらに、シェリーはキリスト教で使用される言葉を四つに分類した。⑴「神」「三位一体」「地獄」などの特別に宗教的な言葉、⑵「全知の」「無限の」「精神」などの形而上学的な言葉、⑶「父」「原因」「創造する」「贖う」「現実の」「真理」などの、通常の日常的文脈から離れて使用されているが、日常言語から借用された類推的な言葉、⑷「死」「平和」「磔刑にする」などの日常的な言葉、および、「そして」「しかし」「すべての」「〜ない」などのいかなる文脈でも不変な言葉（Sherry 1977: 57）。⑵⑶⑷の分類に属する言葉は非キリスト教的な文脈においても使用されており、四つの分類に属するすべての言葉は複雑に交錯している。それでも、ウィトゲンシュタインが強調しているように、言語ゲームの「体系性」「内部性」「全体性」に焦点をあわせれば、「〔キリスト教の祈りで使用される〕一群の言葉・成句・文などはそれら独自の〔祈りの〕言語ゲームを構成している」と考えることは可能である。

13——この文脈での「新たな」という言葉は「これまで存在していなかった」ということを必ずしも意味するものではない。この「新たな」という言葉は、たとえ祈りの内容が以前のものと同じであったとしても、信者が自分を祈りに捧げるときには常に、その信者は、日常生活のまっただなかにおいて、それ独自の認知様式をもつ限定された意味領域を構成〔／再構成〕することを意味している。もちろん、文字通り「新たな」祈りが一度表現された場合には、それが存在するようになることもある。

14——シュッツの「反実利的な動機」については、これを論じたバーバーの論文（第一論文）を参照されたい。

謝辞

日本学術振興会（科研費JP 25244002）および The Austrian Science Fund（FWFP 23255-G19）には、本研究の企画・執筆を援助してくださったことに対して、深く感謝します。〔また、査読をしてくださった二人の匿名の査読者の指摘や提案にも感謝します。〕

文献一覧

Austin, J. L. (1975). *How to do things with words*. Cambridge, MA: Harvard University Press.

Barber, M. D. (2015). Resistance to pragmatic tendencies in the world of working in the religious finite province of meaning. *Human Studies*. doi:10.1007/s10746-015-9356-2).（本訳書の第1論文）

Bochenski, J. M. (1965). *The logic of religion*. New York: New York University Press.

Chrétien, J.-L. (2004). *The ark of speech*. (A. Brown, Trans.). London: Routledge.

Cupitt, D. (2001). *Emptiness and brightness*. California: Polebridge Press.

Evans, D. D. (1963). *The logic of self-involvement*. London: SCM Press.

Heidegger, M. (1969). *Identity and Difference*. (J. Stambaugh, Trans.). New York, Evanston and London: Harper & Row.

Heiler, F. (1932). *Prayer: A study in the history and psychology of religion*. (S. McComb, Trans.). London: Oxford University Press.

Husserl, E. (1970). *The crisis of European sciences and transcendental phenomenology*. (D. Carr, Trans.). Evanston: Northwestern University Press.

Lindbeck, G. A. (1984). *The nature of doctrine: Religion and theology in a postliberal age*. Philadelphia: The West Minster Press.

McDuffie, M. F. (1995). Art as an enclave of meaning. In S. Crowell (Ed.), *The prism of the self* (pp. 205–219). Dorcrecht: Springer.

Okumura, I. (1974). *Prayer*. Tokyo: Daughters of St. Paul.

Phillips, D. Z. (1965). *The concept of prayer*. London: Routledge & Kegan Paul.

Schmidt, P. F. (1968). Factual knowledge and religious claims. In R. E. Santoni (Ed.), *Religious language and the problem of religious knowledge* (pp. 213–225). Bloomington: Indiana University Press.

Schutz, A. (1945a). On multiple realities. In M. Natanson (Ed.), *Collected papers I: The problem of social reality* (pp. 207–259). The Hague: Nijhoff.

Schutz, A. (1945b). Symbol, reality and society. In M. Natanson (Ed.), *Collected papers I: The problem of social reality* (pp. 287–356). The Hague: Nijhoff.

Schutz, A. (1951). Making music together: A study in social relationship. In A. Brodersen (Ed.), *Collected papers II: Studies in social theory* (pp. 159–178). The Hague: Nijhoff.

Schutz, A., & Luckmann, Th. (1974). *The structures of the life-world*. London: Heinemann Educational Books Ltd.

Searle, J. R. (1980). *Speech acts: An essay in the philosophy of language*. Cambridge: Cambridge University Press.

Sherry, P. (1977). *Religion, truth and language-game*. London: The Macmillan Press.

Spickard, J. V. (1991). Experiencing religious rituals: A Schutzian analysis of Navaojo ceremonies. *Sociological Analysis, 52*(2), 191–204.

Srubar, I. (2007). *Phänomenologie und soziologische Theorie. Aufsätze zur pragmatischen Lebenswelttheorie.* Wiesbaden: VS Verlag für Sozialwissenschaften.

Srubar, I. (2014). Pragmatic theory of the life-world and hermeneutics of the social sciences. In M. Staudigl & G. Berguno (Eds.), *Schutzian phenomenology and hermeneutic traditions* (pp. 83–92). Dordrecht: Springer.

Steinbock, A. J. (2007). *Phenomenology and mysticism: The verticality of religious experience.* Bloomington: Indiana University Press.

Van der Leeuw, G. (1964). *Religion in essence and manifestation.* (J. Turner, Trans.). London: George Allen & Unwin Ltd.

Waltemathe, M. (2014). Bridging multiple realities: religion, play, and Alfred Schutz's theory of the lifeworld. In H. Campbell & G. Priece Grieve (Eds.), *Playing with religion in digital games* (pp. 238–254). Bloomington: Indiana University Press.

Wilson, J. (1968). Verification and religious language. In G. L. Abernethy & T. A. Langford (Eds.), *Philosophy of religion* (pp. 356–364). London: The Macmillan Company.
Wittgenstein, L. (1958). *Philosophical investigations.* In G. E. M. Anscombe, R. Rhees & G. H. von Wrigh (Eds.). (G. E. M. Anscombe, Trans.). Oxford: Basil Blackwell.
Wittgenstein, L. (1961). *Notebooks 1914–1916.* In G. H. von Wright & G. E. M. Anscombe (Eds.). (G. E. M. Anscombe, Trans.). Oxford: Basil Blackwell.
Wittgenstein, L. (1969). *On certainty.* In G. E. M. Anscombe & G. H. von Wright (Eds.). (D. Paul & G. E. M. Anscombe, Trans.). Oxford: Basil Blackwell.
Wittgenstein, L. (1974). *Philosophical grammar.* In R. Rhees (Ed.). (A. Kenny, Trans.). Oxford: Basil Blackwell.

後記

本論文は、星川啓慈『宗教哲学論考——ウィトゲンシュタイン・脳科学・シュッツ』（明石書店、二〇一七年）の第六章として、すでに訳出している。本論文は、内容的には原文と同じだが、原文にごく一部の加筆をしたり、原文にはない見出しをつけたりするなどしている。

第五論文

宗教と暴力
――宗教的コミュニケーションの逆説

イリヤ・スルバール

論文要旨

宗教的知識システムは暴力を禁じる一方で、同時に、それを動機づける傾向があるため、宗教と暴力は相反した逆説的な仕方で関係している。本論文では、その相反性の根源をさぐり、宗教システム内で暴力を生みだす特定のメカニズムとそれに関連する実践とを明らかにする。本論文では〈宗教システムにおける暴力は少なくとも三つの形態で存在する〉と主張している。(1)暴力は「聖なるもの」とのコミュニケーションに内在している。(2)暴力は、宗教的に解釈される生活世界を形作っている、包含と排除のプロセスによって生みだされる。(3)暴力は、さまざまな宗教的物語のそれぞれの意味論によって、動機づけられたり緩和されたりする。この論文は〈ヒエロファニー〈聖体示現〉の一契機としての暴力は、宗教システム内での生きられた体験を構成し、〔宗教的物語の〕意味論を緩和することによっても完全に排除することはできない〉と結論している。

キーワード

宗教、暴力、生活世界の構造、コミュニケーション、包含、排除、言説、意味論

はじめに

以下の議論は、諸宗教の歴史の探求でもなく、神学的な論文でもない。それは、社会理論の〔分析〕方法を適用することによって、暴力と宗教的知識システムとの内在的関係および相反的関係の双方を探求する試みである。取り上げられる諸事例は、〔議論の〕明晰性のために挙げられたものであり、この論文全体の脈絡において理解されなければならない。

第一節 「聖なるもの」とのコミュニケーションとしての暴力

宗教的信念が激烈な行動を動機づけることができるのは明らかである。宗教的確信によって引き起こされた暴力は、現在はいうまでもなく、人類の全歴史における数え切れない紛争と戦争に現われている。この主題に関する膨大な文献は、通常、次のような問題に直面している。すなわち、〈多くの宗教的知識システムに内在している物語の意味論は何らかの方法で暴力を禁止するが、宗教的知識システムに由来する実践はいくつかの形態をとる暴力をともなう〉という問題である。その結果として、多くの研究者は〈宗教と暴力の関係は基本的な相反性——これは、宗教的知識システムが暴力を禁じると同時に暴力を動機づける傾向にある、という事実に現われている——によって特徴づけられる〉と結論づけている（Angenendt 2009; Baudler 2005; Derrida 2002; Fürst 2006; Greyerz and Siebenhüner 2006; Oberdorfer and Waldmann 2008; Juergensmayer 2000; Schieder 2008; Stobbe 2010; Kippenberg 2011）。その相反性に焦点を当てた以下の議論では、〈暴力はその構造的属性として宗教に内在しているのか（Girard 1981）〉、それとも、〈暴力的な宗教行動はそれぞれの宗教システムの物語の意味論によって助長された一時的に誤った行動を意味しているのか（Guttmann 2009）〉を明らかにしたい。この問題を解決しようとする試みは、しばしば、それぞれの物語の内容を比較分析する。そして、こうした試みは（多神教と一神教についての論争、および、暴力に対するそれらの言い立てられた傾向についての論争が示すように）多かれ少なかれ暴力的な諸宗教の類型を提供する（Assmann 1998; Schieder 2008）。

　しかしながら、宗教システムが暴力に関して示している相反性にさらに光を当てるために、われわれは社会理論におけるいくつかの承認された研究方法を手引きとすることができる。ホッブズによって提唱され、ヨーロッパの啓蒙運動の伝統に由来するそのような研究方法の一つは〈社会的現実に内在する暴力は、共同体の成員によって正当化された〈反－暴力〉（a counter-violence）〔これは暴力を伴わないものではなく、本論文では、一種の暴力である場合が多い〕によってのみ制限されうる〉ことを教えている。そのような反－暴力は、マックス・ウェーバーが彼の〈支配〉の概念で示しているように（Weber 1978: 220）、まさにそれが象徴的に存在することによって効果があるかもしれない。この観点からみれば、宗教と暴力の相反する関係は、社会秩序と暴力一般の相互関係における特別な場合をたんに表わしているにすぎないだろう。もう一つのより洗練された〔問題の〕解決策は、〈愛・真実・貨幣・権力が、強いられたコミュニケーションを受け入れる動機の類型を代表している〉という、ルーマンの一般化された〈象徴的メディア〉の概念から生まれる（Luhmann 1997: 332ff.）。政治・経済・科学が自己組織化する下位システムになった〔機能〕分化した社会では、権力・貨幣・真実がそれぞれのメディアを代表している。ルーマン（Luhmann 2002: 202ff., 224）によれば、宗教システムはある特定の一般化されたメディアとは関係がない。むしろ、宗教システムは、コミュニケーションのシステムを広げるために、そのようなさまざまなメディアを使用し、それらのメディアをそれぞれに形作る。これらの種類のメディアはすべて、行為者の身体性に関わっており、行為者と社会システムとの接点として、セクシュアリティ・知覚の欠陥・肉体的欲求・暴力を利用している。それゆえ、こうした形態をとる身体性は、社会のコミュニケーション構造において継続的に存在し続けている（Luhmann 1997: 378ff.）。したがって、ルーマンの示唆をわれわれの脈絡にあわせて解釈することによって、次のような議論ができる——首尾よい宗教的コミュニケーションが、愛（感情）および／または伝えられた内容の真実性への信念に根拠をおくことができないならば、貨幣／〔肉体的〕欲求および暴力のみが、行為者に宗教システムを受け入れるよう動機づけるために残されたシステム的選択肢を表わしているように思われる。たとえ歴史を通して、経済的な理由によって宗教的所属が変わることがあったとしても（Abulafia 2011: 470ff. に示された例を見よ）、〈暴力がその場合のより一般化された動機を表わしている〉と間違いなく想定できる。[1]

右で示された見解から、〈どのようにして宗教と暴力という問題にもっと精緻に取り組むことができるか〉をめぐって、いくつかの重要な手がかりを引き出すことができる。ホッブズの『リヴァイアサン』は、暴力と反 - 暴力の相互作用があらゆる種類の社会秩序を構成することを、思い出させる。ルーマンは、暴力が、関係する行為者の身体を即座に占有するコミュニケーションの手段として、社会システムの意味構造に埋め込まれていることを示している。宗教的知識システムは、人類の文化的自己プログラミングの最も古い方法だと考えることができる。パーソンズ（Parsons 1966）がすでに述べたように、宗教的知識システムは、現実を意味のある世界に変換し秩序づける、最初の観察可能な形態の知識として出現する。社会秩序の構築過程において、暴力が常に存在していることを認めるとき、暴力が宗教システムにおいてとる形態について検討しなければならないだろう。さらに、〈これらの形態がどのように生みだされるのか〉〈それらの動機づけの潜勢力がどこから来るのか〉を問わなければならないだろう。これらの問いに答えるために、宗教的知識を社会秩序を正当化するシステム的な機能においてのみ理解することはできない。社会の自己記述の一部として、宗教的知識システムは、世界を生活世界に変える意味構造を生みだすのを助ける。したがって、〈これらのシステムが暴力を生活世界の構造にどのように組み込んでいるのか〉を理解しようとしなければならないだろう。そのためには、視点を変え、宗教を「現象そのもの」として考える必要がある。その理由は、明らかに、宗教的知識の起源が他のどの知識システムよりも、その成員の生きられた体験・感情・身体にさらに密接に関連しているからである。

しかしながら、「宗教的」という言葉の意味は非常に曖昧なものとみなしうるから、「宗教的知識システム」という術語の使用には注意が必要である。異文化間でなされる研究は、閉鎖され成文化され規範化されたシステムという意味での「宗教」の概念が、典型的なヨーロッパの宗教的知識の理念を表わしていることを、明らかにしている（Matthes 1992）。そして、デュルケム（Durkheim 1995）以来、われわれは〈神を信じることは宗教体験の普遍的属性ではない〉ことを知っている。われわれは〈宗教的知識システムが生活世界の文化的形成の最初の観察可能な形態として出現する〉と想定している。それゆえ、〈宗教的知識システムがシステム理論の意味において自己完結した実体を表わしている〉とは主張しない。むしろ、次のような事実に狙いを定めている。⑴宗教的知識システムが非日常的な現実の生きられた体験にもとづいているという事実。したがって、⑵宗教的知識システムは、生活世界の構造——これは、日常的知識の領域と非日常的知識の領域とを分離し、そのうえで、それらを特定の方法で結びつける——に線を刻むという事実である。ここで、アルフレッド・シュッツの仕事を参考にすることができる。彼は、〈超越の体験〉が生活世界の構造を形作る最も強力な人類学的契機に属していることを指摘し、この体験が生活世界のあらゆる層に浸透していることを主張した（1962a）。「日常的な働きかけの世界」（Wirkwelt）の実際の状況は、未来に関連しているので、過去によって超越されている。日常的な相互作用内における他我の他者性は、他我に関する私の知識を超えている。例えば宗教のような、日常生活を超えた諸実在と関係する「限定された意味領域」での体験は、生活世界を構成するもう一つの別の実質的な超越の源を象徴している。シュッツ流の実利的な観点では、超越的な実在の領域に固有の〈他者性〉の契機は、この〔日常世界とこれを超越する領域との〕ギャップを埋めることを可能にする行動を求める。したがって、超越に対処することは〔他者との〕相互作用およびコミュニケーションを必要とし、その結果として、それは間接呈示的な記号システムおよび実践を生みだす。すなわち、一般的にいえば、それは文化を生みだすのだ。

コミュニケーションは相互的な過程として考える必要がある。超越的な意味領域で描かれる諸実在と関連したコミュニケーションを分析するとき、(1)これらの実在に近づくという行為者の実践と、(2)これらの実在が行為者の体験において自らを明確にする仕方との双方を、考慮しなければならない。この点に関して、われわれはシュッツの著作（1962b, 2003: 130）に興味深い手がかりを見いだす。そこで、シュッツは、人の自分の人生の最終段階が、世界の無限の存在に直面して、はっきり見えるようになったときに現われる「根源的不安」について論じている。彼の示唆に従うならば、生活世界内部での非日常的実在とのコミュニケーションは、象徴を使うというたんなる記号論的な過程としては現われない。そのコミュニケーションはまた、超越的実在の圧倒的な影響――これは行為者の実践において明らかにされる――によって引き起こされる、感情的で肉体的な体験をふくむ。それに応じて、このことと関連する研究文献（Eliade 1998; Smith 1967, 1978; Otto 1979; Luckmann 1967）は、宗教的知識システムが超越をあつかうこと、すなわち、人間の生活や人間の行動範囲を超えた実在の体験――その力は人生行路に干渉する――をあつかうことに、同意している。哲学や科学のような非日常的現実の領域を論じる他の知識システムと比較して、宗教的知識は身体や感情と密接に絡み合っているがゆえに、関連する行動を動機づける強い潜勢力を生じさせる。宗教体験の身体的関連性は、官能的なセクシュアリティから自己懲罰や禁欲主義までのさまざまな形態で現われるのだ。

これらの形態はすべて〈宗教システムは、たとえ超越に対処し非日常的知識を提供するように指示されていても、逆説的に、行為者の物質的な肉体に密接に結びついている〉ことを示している。その肉体的な関係から生まれた動機づけの潜勢力は、反事実的な〔物事の〕維持を主張しつつ、宗教的命題を生きられた価値に変換する。生きられた超越の体験は、あらゆる対象および日常生活のあらゆる状況に直面して、ヒエロファニーとして現われる可能性がある（Eliade in Stobbe 2010: 29）。そして、それは激しい感情を呼び起こし、精神状態を変え、行為者たちを別の意味領域へとみちびく。ルドルフ・オットー（Otto 1979: 22ff.）は、「聖なるもの」との「対峙」によってもたらされた基本的な人間の体験を、“fascinosum”と“tremendum”として、つまり「魅惑」と「畏怖」として、特徴づけている。このように、「神聖さ」は、同時に、魅力的で圧倒的で恐ろしい力として体験される。恐怖・圧倒的な力・魅力は、「神聖さ」と人間の身体性を強力なやり方で結びつける感情的な契機である。適切にも、オットーは「神聖さ」に内在する別の決定的な属性を、人間の心を活性化する「エネルギー」の契機として定める。これは興奮と情熱的行動――これらは内向的な禁欲主義または外向的な英雄行動において現われる――につながる（Otto 1979: 27）。このように、すでにオットーの説明から、宗教的知識システムにおける暴力がおよびうる種々の形態を理解できるのである。

しかし、〈「神聖さ」という現象に隠された暴力の潜勢力はどこから来たのか〉という疑問は残る。俗なるものと「聖なるもの」との間の境界線――これは、ヒエロファニーの体験に現われ、宗教的に考えられた生活世界の構造を貫いている――があるからとはいえ、二つの領域が密接に絡み合っていることを忘れてはならない。「神聖さ」の日常生活に対する関係は、人間の身体性との結びつきにおいて表われるだけではない。この関係は、「聖なるもの」をめぐって心がかき乱される体験が生活世界に統合され、生活世界の秩序がもたらされる仕方においても表われる。手付かずの社会における生きられた空間の構造に関する研究（Eliade 1998; Bourdieu 1977; Müler 1970）は、聖なる世界の秩序が「聖なるもの」の領域への日常的秩序の投影にもとづいていることを示している。このようにして、日常生活における事物・動物・植物・人間ならびに社会関係は象徴的な意義を獲得し（1962a）、「神聖さ」の力で「満たされる」ようになる。そのような「聖なる」意味の構造を日常世界に逆投影することによって、日常的秩序は正当化されるのだ。

また、このメカニズムは明らかに宗教的知識システムにおける暴力の条件にもあてはまる。日々の生活の中に突入してくるという超越的な力としてのヒエロファニーの生きられた体験は、行為者にとりつく暴力の感覚――これは日常生活でも体験できる――によって特徴づけられる。マリノフスキー（Malinowski 1954: 11ff.）が示しているように、その感覚の強度の違いが、直面している状況を日常的な慣習によって安定させるか、それとも、儀式的な実践によって安定させるかを決定する。このように、超越的な力の諸形態に内在する秩序は、明らかに日常生活の地平に存在する暴力の体験にもとづいている。この日常的な知識のストックには、日常生活における暴力が統制された反-暴力によってうまく抑制される、という体験も含まれている。ルネ・ジラール（Girard 1981）によれば、「聖なるもの」に対処するこの実践は供犠の儀式の中で実行されている。また、ジラールは「神聖さ」を超越的な力の生きられた体験の結果として考えている。しかしながら、その圧倒的な力に帰せられる諸属性は、日常生活において行為者自身によって生みだされ、次に、「聖なるもの」の領域——ここでは、それらの属性は日常世界に影響を与える外部の潜勢力として想像される——に投影される暴力の諸属性である。このように、「聖なるもの」の力は、供犠に象徴される反-支配力（a counter-power）によってのみ、鎮められる。供犠によって、「社会は、あまり関係のない生贄をつかって……暴力を免れようとしている。そうしなければ、暴力はその社会の成員（社会が最も保護したい人々）にぶちまけられるであろう」（Girard 1981: 4）。

したがって、ジラールによると、〔暴力をともなう〕反-暴力による暴力の追放は宗教システムの本質そのものを意味する。この意味で、彼は「暴力は聖なるものの心臓〔核心〕であり秘密の魂〔根本原理〕である」と述べている（Girard 1981: 31）。ジラールの〈供犠は、超越的な力によって引き起こされる暴力を防ぐことができる〉という想定は、〔聖なるものとの〕相互関係を確立することによって〔暴力を〕鎮める、贈り物のメカニズムを指すのではない。それどころか、その想定は〈超越的な〔暴力的〕力を実行に移す理由は、その理由を象徴する生贄を殺すことによって〔あるいは自分の肉体に懲罰をあたえることによって〕追放されうる〉という解釈を主張する（Girard 1981: 18 ff.）。このように、宗教的な脈絡において暴力を「浄化すること」は、他者〔生贄にされる人間など〕に向けられるだけでなく、禁欲主義と自己懲罰の形で行為者自身にも向けられるだろう。

聖なるものとのコミュニケーションの手段として機能する自己攻撃的な宗教的実践は、宗教的知識システムに広く行き渡っているように見え、多種多様な文化形態および歴史形態を示している。キリスト教の脈絡では、その宗教的実践は〔キリスト教の歴史において異なる公的・修道院的・私的な形態をとってきた〕〈鞭打ち苦行〉という現象において最も過激な形で現われている（Erbstösser 1970; Gougaud 1925）。この脈絡では、自分を鞭打つという暴力は、ある人の自分の罪に対する自己懲罰をともなう。それは、信者を超越的な領域に近づけるべき、あるいは、信者を肉体の興奮によってその領域に同化させるべき、自己浄化の行為をもたらすことを意図している（Speyer 1970: 246 ff.）。また、われわれは、馬などの動物の毛でできた〔苦行や懺悔のさいに用いられる着心地の悪い〕シャツを着ることなどの、より穏やかな形の自己懲罰についても知っている。普通に考えれば、そのような宗教的な自己攻撃行為がジラールのいう意味での一種の〈自己犠牲〉であることを、認識することは難しくない。

「聖なるもの」とのコミュニケーションの一形態としての、自分自身による鞭打ちまたは自発的に受け入れられた鞭打ちは、さまざまな宗教的脈絡で起こる。それは古代ユダヤ教の儀式、イスラム教のシーア派の祭り、ヘレニズム文化の秘密の儀式、古代ローマのルペルカーリア祭などに存在していた（Kippenberg 2011; Maffesoli 1982）。こうした状況では、自分自身の身体に対する宗教的に動機づけられた自己攻撃と暴力は、超越的世界とのコミュニケーションを可能にするように思われる。しかしながら、それはそのような極端な形に限定されない。むしろ、それは生活でのすべての禁欲的な行為における浄化力としても効果的である。宗教的な断食の実践——これは、超越的な領域への接近や聖なるものとのコミュニケーションの手段として、異なる文化で採用されている——における自己否定と身体的欲求の抑制は、いくつかの「高等宗教」の中核に見いだすことができる。例えば、仏教の中核に、最も極端な形ではジャイナ教の中核に、見出すことができるのだ（Gerlitz 1954; Juergensmeyer 2006）。

これらすべての〔自己攻撃や断食の〕形態において、行為者はより価値のあるものを手に入れるために、良いもの（例えば、その人の〔世俗的〕幸福）を放棄することによって、「聖なるもの」とのつながりを模索する。その意味での暴力は、反 - 暴力として機能するだけではなく、「聖なるもの」とのコミュニケーションの手段としても機能する。この暴力は、記号的仲介を排除し、真実性の感覚を身体的に生きられた体験として確立し、〔極端な場合には〕「神秘的合一」の忘我的な状態、つまり、超越的な「神聖さ」と一つになるという感覚をひきおこす。ここでは、暴力は、「聖なるもの」——これは、宗教システムにおいていかなる記号論的統制がなされていようとも、宗教システムとその実践の構造的中核に内在している——との非記号論的コミュニケーションの手段として現われている（Srubar 2014）。

エリアーデ（Eliade 1998）に従いながら、宗教的に解釈された生活世界の構造の中で稼働する、暴力の別の生成メカニズムを見てとることができる。エリアーデは、「聖なるものと俗なるもの」に関する彼の研究で、次のように主張する――「神聖さ」は、「客観的な現実の中に自分の住居を定めようとする……宗教的人間の欲求」と「純粋に主観的な体験の終わりのない相対性によって自分は無力にされたくない、という宗教的人間の欲求」との基本的状態を象徴している（Eliade 1998: 28）、と。「聖なるもの」の超越性は、その力によって正当化され、また一見、人間の意思によって影響されない秩序の信憑性を保証するように見える。ルーマン（Luhmann 2002: 36）の見解をいいかえると、〈この秩序の妥当性の根拠は超越的なので、それを信じる以外に他の可能性はない〉となる。すべての信念に構造的に存在する疑いの契機は、宗教的な脈絡では、逆説的に、信憑性に対する切望を強め、それによって信念自体を強化する。その結果として、宗教的知識システムとその実践は硬直化する傾向がある。そして、宗教的知識システムは、可能な代替解釈とみなされない逸脱ではなく、むしろ生活の聖なる秩序に対する危険とみなされる逸脱から、それ自体を強力に防護する。この防護はたんに競合する諸世界観の問題ではない。このような対立に内在する暴力の激しさは、宗教システムの身体に関連する特徴――これは、宗教システムの意味論的な物語の中に、魂と肉体のための望まれた保護として反映されている――によって強化されている。魂と肉体の救済は、神聖な秩序からの内的（異端的）なまたは外的（邪教的）な逸脱によって、取り返しのつかないほどの危険にさらされる可能性がある。この脈絡における逸脱に対する防護は、規範と制裁の柔軟な相互作用という特性を喪失する。むしろ、その防護は、そのような危険を暴力的に排除することと、危険をもたらす行為者を拒絶することを求めている。ここでの要点は、たんに、何らかの制裁による規範の確認に関係しているのではなく、むしろ、文化的秩序の維持と関係者の個人的な救済をめぐる確信の防護に関係している。この場合でも、暴力の実行は、「聖なるもの」と一つになるコミュニケーションの契機をふくんだ、狂乱状態をひきおこす可能性がある。原理主義へ向かう宗教システムの傾向はこのメカニズムに由来する。

第二節　宗教的な包含と排除のダイナミックス

宗教的知識システムは、明らかに、そのシステムのまさに中核構造に根ざした暴力を生みだす可能性を含んでいる。この可能性が現実になるとき、宗教的知識システムは、⑴宗教的に考えられた生活世界の構造と、⑵その類型化と関連性のシステムとを、根底的に変更するダイナミックスを解放する（1962a）。これまで、俗なる領域と聖なる領域とにおける宗教的生活世界の分割によって引き起こされる、暴力の発生を検討してきた。われわれは〈暴力はそれら二つの領域の相互作用――これによって超越的な力としての「神聖さ」が日常的秩序を正当化する――に起因する〉と主張した。そして、〈宗教システムの硬直がその結果としてどのように生じるか〉を見てきた。逆説的だが、宗教的に解釈される生活世界の構造にダイナミックスをもたらすのは、まさにこの硬直なのである。この生活世界の構造は、俗なるものと「聖なるもの」との分離によって形作られるだけではなく、この相違にもとづいて、包含と排除のプロセスによっても形作られる。それゆえ、このダイナミックスは確かに暴力の新しい潜勢力を生みだす（Oberdorfer and Waldmann 2008: 78ff.; Luhmann 2002: 208ff.）。疑いもなく、このプロセスは社会的現実の多くの領域に存在し、さまざまな要因によって活性化される可能性がある。こうしたことを考えると、〈宗教的知識システムの構造にこのプロセスがどのように組み込まれているのか〉を探ることが不可欠である。

エリアーデの研究は〈宗教的知識システムにおける物語の基本的な機能は、無秩序をその構造が有意味な行為を可能にする秩序に変換することにある〉ことを示している。この変換の妥当性は、ヒエロファニー――これは、世俗性と「神聖さ」との間にある溝を埋めるために暴力が使用される儀式での行為で起こる――の生きられた体験にもとづいている。したがって、この儀式化された暴力は「聖なるもの」と交わるための手段を意味している。エリアーデは〈そのような生活世界の構造は、中核的性格をもち、（有意味な世界を無意味な混沌から分離する）中心と周辺の区別によって形作られる〉と指摘している（Eliade 1998: 42ff.）。こうした構造は、包含と排除をひきおこす社会空間を横切る境界線を確立し、それゆえ、内部的秩序を〈外部的奇妙さ〉から分離する。このような社会関係の再定義は、暴力をひきおこす宗教的な生活世界の構造におけるダイナミックスを説明している。このダイナミックスは、社会空間における社会関係の基本的諸条件に影響をおよぼし、相互主観性の形態のみならず相互理解においても広範囲にわたる変化を生みだす。

右で言及されたダイナミックスは、宗教的生活世界内部とその境界線上の双方で効力が生じる。歴史上の証拠は〈宗教的知識システムは、実効性の厳格さにもかかわらず、その象徴的諸宇宙の異なる見解で表現された諸変種の影響を受けやすい〉ことを証明している。これらの変種は、歴史変動への宗教システムの連続的な適応を表わすだけでなく、同時に存在するかもしれない。その結果として、これらの宗教システムは正統的変種と異端的変種とを区別することをくり返し強いられる。宗教システム内のこのような区別に固有の暴力の潜勢力は、宗教的知識システムの境界線上での正統宗教と邪教の区別によって引き起こされる暴力よりも、しばしばさらに激しい。その理由は、宗教システムの外部に存在している奇妙さは、宗教システム自体の生活世界の内部で混乱をひきおこす変種よりも容易に無視できるからである。もちろん、包含と排除の潜勢力を生みだす対立は、とりわけ宗教的生活世界が他の宗教的知識システムと対峙しているときに、宗教的生活世界の境界線上でも生じる。いずれの場合（内的異端の場合と外的邪教の場合）でも、シュッツ（1962b）によって実用的な相互主観性の基本条件として示された〈視座の相互性〉は根本的な変化を受ける。何が変わるかといえば、たんに〈いくつかの共通の関連性を共有している〉という仮定ではない（1964）。親和性のない宗教システムに言及することは、きっと、〈俗なるものと「聖なるもの」との間に違いがあるだろう〉という予想——これは何らかの儀式の実践を条件とする——もふくむ。まさしく、誤解は〈親和性のないシステム内での俗なるものと「聖なるもの」とを区別するための行為者の能力が混乱し、日常的な行動のために神聖に動機づけられた行動がとられる〔その逆もある〕可能性がある〉という事実にもとづいている。歴史は、そのような誤解によって暴力をひきおこす力の多くの実例を提供している。ジェイムズ・クックは、自分の船に必要な修理をするためにハワイに戻ってきたとき、原住民の視点から見ると、彼らの宇宙論的秩序を破壊するような行為を犯した。それゆえ、その行為は〔原住民の〕暴力的な対応につながった[2]（Girard 1981）。ハムを好まない一六世紀のカトリック信者のスペイン人は、たぶん、マラーノ〔もともとは、レコンキスタの時代にイベリア半島に住んでいたスペイン人とポルトガル人のユダヤ教徒のこと。さらに、秘密裡にユダヤ教を信仰する改宗ユダヤ人のこと〕またはモリスク〔もともとは、レコンキスタの時代にイベリア半島でカトリックに改宗したイスラム教徒のこと。さらに、秘密裡にイスラム教を信仰している疑いをかけられた人々のこと〕だと疑われただろう。それゆえ、個人的に致命的な結果をともなう、神聖な異端尋問にかけられたかもしれない。今日でさえも、アメリカの航空会社の飛行機に乗っている乗客は、〔食事のさいに〕ハムではなく七面鳥を要求した場合、〔先住民族ではないかと〕怪しまれるかもしれない。

　親和性のない宗教的知識システムにおいて、神聖な行動と日常的な行動が混乱している場合、自分の宗教のものではない儀式的行為の実効性は、疑われるため、受け入れられない可能性が高い[3]。これは、主に、これらの儀式的行為が関係者自身の戒律や禁止令と矛盾する場合である。関係者自身の知識システムは超越的に正当化されているので、その〔知識システムの〕秩序の妥当性は〔外部との〕接触の影響を受けるはずがない。したがって、矛盾する行為はその秩序に対する脅威となり、その行為の影響を受けた個人の精神的・肉体的存在に対して悲惨な結果をもたらすかもしれない。そのような背景があるがゆえに、視座の相互性は減衰し非対称になる。矛盾する行為をしている行為者たちは、聖なる秩序から排除され、それゆえ、人間性を喪失し、消滅の危機にさらされる可能性がある。この〈視座の〉非対称性によって正当化された暴力行動は、この脈絡では、「聖なるもの」に内在する永遠の真実の強要を意味している。もしも宗教的知識システムに内在していると思われるこの論理にしたがうならば、そのシステムの真理主張を支持するための必要条件として、宗教的知識システムが暴力を生みだすこと、および、どのように暴力を生みだすのか、を理解できるようになる。これは、デリダの著作（Derrida 2002）で論じられている、宗教システムにおける「自動免疫化」の「神秘的な根拠」の核心であるように思われる。

宗教システムにおける包含と排除のダイナミックスは、それが視点の相互性を減衰させることによって相互理解を妨げるため、暴力を生みだすことを指摘した。したがって、〈宗教システムに内在する暴力の潜勢力の強さは、システム〈同士〉の〈相互翻訳能力〉に依存している〉ように見える。この能力は、一つのシステムに属している「聖なるもの」を、その聖なる秩序を危険にさらすことなく、別のシステムの意味論に移行させるものである。この依存は、経験的事実にもとづきながら、一神教と多神教の違いによってしばしば説明されている（Assmann 1998）。そのために、諸宗教システムにおける暴力に関する議論の焦点は、それらの物語の意味論に移るけれども、それらの内部論理と身体的根拠は未確定のままである。宗教システムの意味論上の相違に言及している研究は〈異なる個々の神々の間の機能的な「分業」形態における「聖なるもの」の物語的表現は、異なる多神教システムの相互翻訳を可能にする〉ことを指摘している。自分たちのシステムのさまざまな領域に責任を負う多神教の神々は、自分の名前とは別の名前で崇拝されている他のシステムにおいてもそれぞれの責任があるために、認識できる。古代世界の文化的に異質な諸都市に関する最近の研究は、次のような一連の文書について報告している。それらの文書では、〈ある宗教システムの〉神々の名前および異なる宗教システムにおいてそれらの神々に相当する神々の名前が体系的に記載されているので、異なる文化に属する人々も、自分たちの象徴的宇宙でも共通な神々の名前において契約を確認することができる（Assmann 1998）。多神教のシステムにおける「聖なるもの」の翻訳可能な表現とは対照的に、〈一神教の諸宗教におけるそのような翻訳の可能性はかなり低くなる〉と考えられている。唯一神の絶対的な排他性は、その神以外に、他の宇宙論的な秩序の内部でその神の役割を引き継ぐ他のいかなる神の存在も許さない。それゆえ、アスマンは〈これらの〔一神教の〕システムの内部論理は、他の宗教的知識システムに直面したとき、〔その信者たちに〕回心と服従を厳しく強制する〉と主張している。

一神教と多神教に関する比較研究は〈宗教的物語の意味論は、包含と排除のメカニズムによって、宗教システムで生みだされた暴力の潜勢力を強制したり抑止したりすることができる〉ことを実証している。だが、具体的な一神教の例は、いかなる規制緩和にもかかわらず、その暴力の潜勢力が力を得るメカニズムの強さの例証となっている。この力の潜勢力を考慮して、アスマン（Assmann 1998: 47ff.）は、一神教のシステムを「対抗宗教」（a counter-religion）として説明している。一神教の宗教の排除の潜勢力に関するアスマンの主張は、対応するさまざまな研究（Koselleck 1979; Goody 1986; Bellah 2011; Wittrock 2005; Arnason et al. 2005）によって充分に検証されているように思われる。だが、これと対照的な彼の〈ひたすら平和的な多神教〉という概念は疑わしい。それどころか、他の研究者による研究は〈包含と排除のメカニズムを生みだす〔一神教の〕暴力は、他の〔多神教の〕宗教的知識システムおよびその実践においても実効性がある〉ことを示している。古代世界の多神教の象徴的宇宙では、聖地に対する軽蔑や乱暴な扱いが戦争の理由とみなされていた（Stobbe 2010: 13）。これは、アジアにおける神を立てない宗教ないし単一神教〔一柱の神を信仰する宗教形態。同じ一神教でも唯一神教が他の神々の存在を認めないのに対し、単一神教は他の神々の存在も認め、その中の一柱を一時的に主神として崇拝する〕の宗教的知識システムにも当てはまる。また、これらの宗教は内部の宗派や外部の邪教との接触によって引き起こされた、暴力的な衝突によっても特徴づけられている。さらに、これらの宗教は「聖なるもの」に対する礼拝において暴力を用いたり、「神聖なるもの」とのコミュニケーションの手段として暴力を用いたりする。(1)イスラム教や仏教との対決におけるヒンズー教の原理主義化、(2)伝統的なアジアの武術と仏教の融合、(3)一方での道教の信者と儒教の信者との対立、他方での仏教の〔異なる宗派の〕信者間の対立は、そのことに対する実証的証拠を提供している（Alito 1992; Campbell 1991: 520ff.; Heesterman 1992; Khoury 1976; Lal 2006; Rzepkowski 1976; Shulman 1992; Steinach 1976; Juergensmayer 2000, 2006）。これらの調査結果を考慮して、何人かの研究者は、それらの宗教システムに帰される非暴力的な性格を、脱構築されるべき「西洋オリエンタリズム」の産物とみなしている（Wilke 2006）。したがって、右で挙げられた証拠は、

〈異なる種類の宗教的意味論が宗教的知識システムの暴力の潜勢力を緩和する可能性がある〉という結論を受け入れるが、同時に、〈宗教的意味論がこの暴力を完全に排除できない〉ことも示している。

第三節　宗教と暴力の相反関係

われわれは、今、宗教的知識システムにおいて暴力を生みだす三種類のメカニズムを見分けることができる。第一の事例では、暴力は「聖なるもの」の生きられた体験の身体性に由来する、非記号論的コミュニケーションの手段として機能する。この体験に自らを現わしている圧倒的な超越的な力の暴力に直面して、〈供犠などの〉儀式化された暴力もまた、「聖なるもの」との接触を確立するための適切な手段とみなされている。第二のメカニズムは、生活世界の構造が宗教的知識によって解釈されるようになったときに、生活世界の構造が受ける変化に限定されていた。そこでは、聖なる秩序の解釈によって形作られた人々の社会空間は、中心と周辺に分けられる。そして、その聖なる秩序は超越的な力の「神聖さ」によって正当化されるので、聖なる秩序自体は高度の堅固さを獲得する。この脈絡では、包含と排除のダイナミックスが効果的になり、視座の相互性内部において非対称性をひきおこす。したがって、邪教は個人的・精神的・肉体的な幸福に対する危険とみなされており、自分自身の宗教システムに内在している「聖なるもの」の防護下にない〔邪教を信じている〕人々の同化または消滅が求められている。暴力を生みだす第三のメカニズムは、宗教的物語の意味論における（つまり、言説のレベルにおける）「聖なるもの」の表現に見出すことができる。暴力の容認と禁止に関する広範な戒律の作成にはかなりの違いがある。だが、〈意味論の効果は右で説明された〔暴力をうみだす〕メカニズムを一時的に強制または緩和することができるけれども、その効果は明らかにそのメカニズムが機能するのを完全に妨げることはできない〉と考えられる。意味論のこの能力が限定的である理由は、右で明らかにされた宗教システムの構造に組み込まれている。すなわち、〈「聖なるもの」の肉体的体験から暴力を排除することは「神聖さ」の存在の直接感覚を否定するだろう〉ということである。そして、「神聖さ」は宗教的物語の中心主題なので、もし宗教的物語に内在する暴力が追放されたならば、物語自体が消失するだろう。

ここで、〈暴力を放棄する宗教的意味論が愛の意味論として頻繁に浮かび上がる〉という見解は、反論されるかもしれない。疑いもなく、この意味論もコミュニケーションの身体的手段に基礎をおいている。だが、その手段は暴力ではなく、セクシュアリティにもとづいている。実際には、この意味でのセクシュアリティは、多くの点で、生きられた形態か儀式化された形態をとる非記号論的コミュニケーション（一人の個人だけでなく人類全体をも超越している領域とのコミュニケーション）として現われる。マックス・シェーラー（Scheler 1973）は、愛情のある性行為の興奮——そこでは〈超越〉という橋渡しを目撃することができる——によって生みだされた、二種類の生きられた体験を確認している（Scheler 1973: 119ff.）。第一に、性行為は他者と一体になるという感覚を生みだし、男性の疑いの余地のない存在を示す。第二に、性交はその男性を、彼とは無関係に存在し神聖な意味で彼を超越している、出産過程と結びつける。シェーラーは明らかに、セクシュアリティを、その男性が、⑴他者の存在を体験し、⑵「神秘的合一」に到達し、⑶「聖なるもの」と融合することを可能にする（Scheler 1973: 135）ための「入口」（Scheler 1973: 117）として考えている。シェーラーによれば、性行為で体験されるようなヒエロファニーの魅力的で圧倒的な性格は、他者・宇宙・神をつつみこむ包括的な愛をもたらすのである。

文化や宗教の歴史に関する研究（例えば、Baudler 1991; Rotter and Rotter 2002; Métral 1981; Hunger 1984; Maffesoli 1982を見よ）は、セクシュアリティが実際にはヒエロファニーの一形態としてみなされ、それゆえ、「聖なるもの」とのコミュニケーションとして儀式化された形で役立ったことを示す、広範な証拠を提供している。聖なる結婚の儀式は、多くの古代宗教に広まり、その後の宗教システムの物語の中にはっきりとした痕跡を残した（Hunger 1984）。しかし、これらの研究はまた、宗教的脈絡におけるセクシュアリティは種々の点で暴力に関連していることも示している。さまざまな文化において、儀式での性交は男性と女性の神聖な契機たる「聖なる結婚式」――それは（生命を取り扱うという）神の特権を人間の権力者に移譲する――を象徴している。性的興奮が「聖なるもの」とのコミュニケーションとしても役立つという酒神祭のような慣行は、しばしば、暴力行動（Maffesoli 1982）または人身御供（Baudler 1991: 60ff., 170ff.）と組み合わされた。他方で、儀式での性交はまた、「聖なるもの」によって保護された共同体の生きられた空間の向こう側にある野蛮な混沌に潜む、〈悪〉を手なずけて制止する行為としても理解された（Baudler 1991: 111f.）。セクシュアリティと暴力とのこうした関係は、後世の高等宗教に見られる愛の意味論では抑制されていた（Scheler 1973, 135; Métral 1981）。だが、例えばキリスト教神秘主義では、アヴィラのテレーズ（＝聖テレサ）の「恍惚」もしくは「天使が彼女の心臓をくり返し激しく槍でつきさし、いわば霊的痛みをひきおこした」という例のように、その関係の痕跡は今でも見ることができる（Behn 1957）[4]。したがって、暴力に対抗する愛の宗教的意味論が、ただ、ある種の「聖なるもの」の非暴力的に生きられた体験に由来するものでないことは、明らかである。それどころか、愛の宗教的意味論は、セクシュアリティに基づいていることにおいて暴力の諸契機を含んでおり、それらが宗教的知識システムの内部でもっている相反する作用を共有しているのである。

このような背景を考えると、今や冒頭で議論された宗教的知識システム内部での暴力の相反する位置づけの理由を、より明確に見ることができる。ジラールとともに、われわれは〈宗教システムにおいて、暴力は「聖なるもの」とのコミュニケーションの手段とみなされている〉と想定できる。〈供犠などの〉儀式化された暴力を実行することは、超越的な力によって引き起こされる暴力行為を緩和または阻止するはずである。それゆえ、暴力の契機は、宗教システムの〈効率〉という考え方と密接に絡み合っているので、このシステムから排除することはできない。暴力の契機の排除によって、〈宗教システムは「聖なるもの」との生きられたコミュニケーションにある、まさにそれ自体の「実質」を失うかもしれない〉という危険がある。（ヨーロッパの啓蒙運動の脈絡で試みられてきたような）理性的な反省を用いて、そのコミュニケーションから身体的な構成要素を排除しようとする試みは、宗教を〔たんなる〕公理的な哲学システムに変えるであろう。それゆえ、宗教の宗教的・倫理的戒律は活力を失い、「ヴォイス・ブラスト」として（つまり、たんなる〈声の音〉として）、空虚な命題に変わってしまう。したがって、暴力との関係は、宗教的物語における中心点の一つであり続ける。この脈絡では、暴力との関係は、それ自体を、神義論の問題として提示する。そして、神義論の異なる解決策は、それぞれのシステムを特徴づける実践を形作る（Weber 1978: 518ff.; Eisenstadt 1992a, 1992b）。これまで見てきたように、悪の阻止を求め、日常世界からの暴力の追放を意図する宗教的実践は、自己束縛・儀式的犠牲・邪教の暴力的絶滅など、まったく異なる形態をとる反-暴力を採用するであろう。

宗教システムにおける、意味を付与するコミュニケーションの手段としての暴力は、宗教的物語の異なる意味論で表わされる社会統制に従属している。宗教的生活世界に組み込まれた社会空間の中心構造を考えると、これらの意味論は、(1)儀式的な反-暴力によって保護された領域の範囲について、(2)どの社会集団や個人がその保護下にあるかを決定する条件について、定めなければならない。したがって、これらの決定から導き出される包含と排除のダイナミックスは、逆説的な結果につながる。すなわち、普遍的な非暴力を神義論の問題の解決策として提唱する宗教的知識システムにおいてさえも、提案される普遍性は、将来において実現されるべき課題とみなされるがゆえに、現時点ではまだ制限が付されているのだ。しかしながら、〔非暴力の〕普遍性の制限は排除を意味し、その暴力の潜勢力は「個別の」ままでいる人々に影響を与えるだろう。ここで、宗教的コミュニケーションの一般的な逆説と向かいあうことになる。第一に、われわれは〈暴力は、ヒエロファニーの生きられた体験における、すなわち、「聖なるもの」の体験された存在とそれに内在する超越的な真実とにおける、構成条件に該当する〉と論じた。さらに、われわれは〈暴力は、超越的な力を統制するために、したがって、聖なる秩序によって保護されている領域内での非暴力を確立するために、宗教的知識システムにおいて「聖なるもの」とのコミュニケーションの手段として機能する〉ことを明らかにした。宗教的知識システムの問題としての非暴力の追求は、最終的には「聖なるもの」とのコミュニケーションに現われる暴力によって常に正当化される。それゆえ、宗教的物語の意味論によって主張される非暴力は、不安定でありつづけ、暴力そのものを生みだすという危険を常にはらんでいる。宗教的知識システムに内在するこの相反性は、不可分のままでその構造に統合されており、いかなる自己反省の手段によっても取り除くことはできない。

　こうした脈絡において、比較宗教史におけるさまざまな研究を参照できるが、それらは暴力に関して宗教システムがもつ内在的な相反性を裏づけている（Bellah 2011; Arnason et al. 2005; Oberdorfer and Waldmann 2008; Juergensmayer 2000）。この相反性は、宗教史のあらゆる時代に現われており、初期の宗教システム、枢軸的宗教システム〔カール・ヤスパースの「枢軸時代」の宗教システム〕、ポスト枢軸的宗教システム〔「枢軸時代」以降の宗教システム〕にも見られる〔ヤスパースの「枢軸時代」とは、紀元前五〇〇年頃（紀元前八〇〇年から二〇〇年の間）に発生した、人類史上における画期的時代／精神過程のこと〕。しかしながら、宗教システムにおいて暴力を生みだす異なるメカニズムは、その文化的形態を変容させる可能性があり、その影響の強さは時代が異なれば変わるであろう。例えば、宗教の進化に関する研究（Bellah 2011）は〈供犠の儀式がさかんな初期の〔宗教〕システムでは、暴力は本質的にヒエロファニーの属性に帰される〉ことを示唆している。初期の〔宗教〕システムでは、「聖なるもの」の相反性は、俗なる世界と聖なる世界との間に介在する〈神の国王〉の姿に象徴されている。したがって、国王は生と死を決定できる。すなわち、国王は「〔人々を〕生きさせたり、死なせたりする」権限をもっているのだ。しかし、「枢軸的な」世界宗教も、「聖なるもの」の内部における暴力の存在〔という問題〕に取り組まなければならない。実際、枢軸的な世界宗教は初期の宗教について考えかつこれを変容させるけれども、同時に、初期の宗教の動機や主題を継承もする。枢軸的な世界宗教の脈絡では、暴力の問題は神義論の問題として生じ、これは異なる枢軸的〔宗教〕システムでさまざまな解決策をもたらした（Weber 1978）。別の言い方をすると、枢軸的な宗教の物語も、「聖なるもの」の相反性――「聖なるもの」は、一方では良いことを象徴しているが、他方では暴力と不幸を引き起こしている――に対処しなければならないのだ。

それぞれの〔宗教的〕物語のかなり異なる意味論にもかかわらず、畏敬〔の念〕は、いくつかの共通の特徴――これは、種々の宗教システムの枢軸的方向転換に関する比較研究によって認識されてきた――を提示するかもしれない（Arnason et al. 2005）。すなわち、先行する宗教システムとの相違――これがその方向転換で実現されていることを見出すのだが――は、頻繁に「規範的反転」

として解釈されてきたのだ（Wittrock 2005; Assmann 1998）。そのような反転のために、宗教システムを支配している戒律は、後続のシステム内で禁止事項に変わり、それゆえ、以前に正当であった戒律を口にすることは逸脱行動となる。この例は、ヴェーダの儀式に反対する初期仏教における動物の生贄の禁止、また、ユダヤ教とキリスト教との間にある同様の相違において見られる（Pollock 2005）。正統宗教と邪教とを分離するこの反転により、枢軸的〔宗教〕システムは包含と排除の暴力の潜勢力をうながす排除的特性を維持する（Wittrock 2005）。同時に、枢軸的システムは、例えば「犠牲」による「聖なるもの」とのコミュニケーションのような伝統的な主導観念をひきついでいる。枢軸的システムの暴力に関する相反的立場は、新しい〔宗教的〕物語の中で異なる意味論上の解決策を見出すが、この相反的立場は新しい脈絡においても依然として生きているのだ。

これは、ユダヤ教とキリスト教の物語における犠牲に関する重要な箇所を比較すると、明らかになる（Hafner 2008: 92）。アブラハムは、〔自分に対する〕ヤーヴェの情愛を留めおくために、彼の息子であるイサクをヤーヴェに生贄としてささげる準備ができていることを明らかにした。これに対して、キリスト教の神は、自分の息子を人類のために犠牲にすることによって、すべてを包摂する神の愛をはっきりと示している。キリスト教信者は、聖体拝領の儀式でパンとワインに象徴されている、犠牲になった〔神の〕息子の血と肉体を口にすることによって、〔キリスト教への〕自分たちの傾倒を強めるように求められている。このように、「聖なるもの」とのコミュニケーションの一形態としての暴力は、たとえキリスト教においてその存在が象徴的に隠されていても、ユダヤ教とキリスト教双方の物語の説明で形をかえて保持されているのだ。この場合の「規範的反転」において、キリスト教信者の宗教的生活から暴力と暴力的な犠牲の慣習とを排除しようという試みを、見て取れるかもしれない。たとえそうであっても、神の愛は、そこでは〈キリストを犠牲にするという激烈な行為〉によって伝えられることも、認識しなければならない。このことを考えると、神のすべてを憐れむ愛の意味論が、宗教システムの論理の構成部分である〈暴力を生みだす包含と排除のメカニズム〉を中断することができないことを、認識しなければならない。よく知られているように、(1)前述の物語（すなわち、キリストの神聖さ、化体説、ウトラキズム〔パンとワインの両方が聖餐で平信徒にも振舞われるべきとする主張〕の問題に関する物語）の正統的な読み方についての論争、ならびに、(2)形をかえたそれらの物語への追従は、それらの暴力の潜勢力を活性化した。そして、それらは一連の迫害、激しい紛争、ついには宗教戦争を引き起こしたのである（Lambert 1977; Baudler 2005: 141ff.）。

宗教システムが人類の文化的自己プログラミングの最も古い方法を表わしているという事実を想起すると、宗教システムと暴力との相反関係は一つの欠点とみなすことができよう。しかし、実際のところ、まさにこの相反性の中に、宗教システムを継続させるための重要な条件をさがしだすこともできる。一方で、この相反性は「聖なる」ということばの意味論上の表現の可変性と歴史変動への適応を可能にする。他方で、この相反性は宗教体験の身体的基盤――これは、個人を宗教的諸価値に結びつけ、現在の状態における宗教システムの安定性／硬直性を生みだす――を提供する。このように、宗教的知識システムの組織化された内容は、時間の経過とともに変化するかもしれないが、その妥当性は変わらない。こうしたことによって、宗教的知識システムは、歴史の過程を通してその継続を可能にする「進化論的な」免疫メカニズムを与えられるのである。

おわりに――宗教と政治宗教

宗教システムの持続は、信者の生活を超えて、大きな影響を与える。宗教システムは、社会の記憶と自己記述をふくむ「集積情報」の内部で、意味論の一つの形態――宗教以外の知識システムは宗教本来の活性化力を悪用するためにこれを借用する――を表現している。フェーゲリン（Voegelin 2000a, 2000b）、シュミット（Schmitt 2005, 2007）、マンハイム（Mannheim 1991）は、それぞれに、〈西洋社会の近代化の過程で生じる世俗的イデオロギーと、それに対抗する形態をもつ宗教的知識とは、やはり、〈暴力を発生させるそのメカニズムをふくむ〉伝統的宗教システムと同じ意味論的形態および同じ実践を採用する〉ことを示した。フェーゲリンとシュミットによる現代の「政治宗教」の分析は〈政治宗教というシステムが、宗教システムの非合理的な核心（すなわち、ヒエロファニーの生きられた体験）を受け入れることなく、宗教システムの意味論的形態をどのように利用するか〉を明らかにしている。実際、「政治宗教」は、とりわけその内容の組織化とその結果としての実践に関して、宗教システムと一連の共通の特徴を有している。フェーゲリンは〈「政治宗教」もまた生活世界を世俗の領域と超越の領域とに分けている〉ことを実証している。政治宗教の枠組みの中で、日常的な人生行路は世俗的領域を反映しているが、日常的領域を統制する超越的な諸原則は隠されたままである。しかしながら、これらの隠された諸原則は啓示によって自らを現わすわけではない。「政治宗教」の脈絡では、〈隠された諸原則は、学問的妥当性を要求する分析により、日常生活の表面下で確認しうる〉と主張されている。「階級闘争」、「人種法」、国家建設という理念、その他の社会的メカニズムなどの隠れた世俗的な力が、「政治宗教」において「聖なるもの」の場所を占めている。「聖なるもの」とまったく同じように、政治宗教の掟は、日常生活世界という現実の内部で〈何が良いもので、何が悪いものであるか〉を明示し、対応する実践を評価する。しかしながら、これは包含と排除という前述の暴力的効果を活性化する。このことを考えると、「政治宗教」は「良い暴力」という逆説に直面している。これは、すでに見たように、過去の宗教における神義論の問題にも内在している問題である。

世俗的な掟を作動させることは、宗教的知識システムの別の特徴（すなわち、課された〈掟の〉内容に対する肉体的および感情的な結びつき）の存在を前提としている。「政治宗教」の場合、人々は「聖なるもの」とその啓示に代わる世俗的な神話によって、自分たちの掟に結びつけられている。それゆえ、人々はこの結びつきから自分たちのアイデンティティを獲得する。その結果、暴力的な手段によって、その結びつきを防護する準備または強制する準備ができているのである。しかしながら、人々が世俗的な儀式において体験しようと努める「神秘的合一」は、「聖なるもの」の永遠性とは関係がなく、むしろ、一時的なイデオロギーによって明示された〈集合的な目的〉と関係があるのだ。

> 〔世俗〕内的世界の集合的存在が神にとって代わるとき、人は、世界の神聖な内容に奉仕する松明もち（つまり道具）となる。……世界の内容に関する知識とその知識にもとづく技術とは……人の尊厳に対する犯罪として拒絶されることはなく、むしろ、人間と神〔〔世俗〕内的世界の集合的存在〕との宗教的・恍惚的な結びつきを達成する手段として、促されかつ望まれている。……新聞やラジオによる〔世俗的〕神話とその宣伝の形成、集会とパレード、戦闘における〔作戦の〕立案と死者は、〔世俗〕内的世界の形をとる神秘的合一を作り上げている。……〈憎しみは愛よりも強い〉という認識が生まれ、したがって、〈共通の目的を実現するための適切な手段は、人間の攻撃性を解放し、憎しみを作り上げる〉という認識が生まれる。（Voegelin 2000a: 63f.)

「政治宗教」が「聖なるもの」を生活世界の現世的領域に移すという事実からもたらされる極端な結果は、シュミットの『政治的なものの概念』（Schmitt 2007）と『政治神学』（Schmitt 2005）にはっきりと現われている。シュミットは〈「聖なるもの」を現世的な構成物によって置き換える政治的知識システムは、「例外状態」（つまり、味方と敵の突然の再定義を必要とする状況）という恒久的な危険をひきおこす〉と主張している。社会空間における包含と排除の〈経済〉のこの秩序再編は、より高次元にある超越的秩序に頼ることはできない。むしろこれは、たまたま権力を握っている人々によってなされる、偶然でその場かぎりの決定によってもたらされる。その結果として、独裁政権と抑圧は、現代の「政治宗教」の論理が要求する種類の政治体制を象徴しているであろう（Schmitt 2005）。このように、シュミットは、フェーゲリンと同様の方法によって、政治宗教の中核で機能するコミュニケーションの手段としての暴力を明らかにしている。

フェーゲリンとシュミットの異なる意図にもかかわらず、二人の分析は〈現代的なものの文化的自己プログラミングが（世俗化と啓蒙運動のすべての過程にもかかわらず）伝統的な宗教的知識システムの暴力の潜勢力を保持している〉ことを証明している。生活世界の諸構造は、宗教と暴力の相互関係を中心に循環し、社会の文化的自己プログラミングに深く刻み込まれているが、宗教的知識の領域に限定されていないのは明白である。生活世界の諸構造は、（宗教とともに）現代の言説を決定づける、社会的自己記述の世俗化された意味論にも存在しているのである。

註

1――驚くべきことに、宗教についての彼の最後の研究においてさえ、ルーマンは彼の見解が必然的にともなうこれらの結果に注意を払わなかった——たとえ、彼が紛争を生みだす宗教の性格を指摘していたとしても、である（Luhmann 2002: 120 f.）。

2——ベラーは、ハワイ諸島の宗教システムの「原型的」な性格を強調している（Bellah 2011: 182, 201）。

3——例えば、「カーゴ・カルト」において、土着の民族が彼らが〈魔法の力をもっている〉と信じていた西洋人の日常行動を模倣しようとした事実は、地元の宗教文化に対する軽蔑的態度をひきおこした（Worsley 1957）。

4——この出来事を描いている、ローマのサンタ・マリア・デラ・ヴィクトリアにある、ジャン・ロレンツォ・ベルニーニの有名な彫刻も見よ。

文献一覧

Abulafia, D. (2011). *The great sea. A human history of the Mediterranean*. London: Lane.

Alito, G. (1992). Orthodoxie in der chinesischen Kultur. In S. N. Eisenstadt (Ed.), *Kulturen der Achsenzeit, Bd. II.1: China, Japan* (pp. 126–175). Frankfurt: Suhrkamp.

Angenendt, A. (2009). *Toleranz und Gewalt. Christentum zwischen Bibel und Schwert*. Münster: Aschendorf.

Arnason, J., Eisenstadt, S. N., & Wittrock, B. (Eds.). (2005). *Axial civilizations and world history*. Leiden, Boston: Brill.

Assmann, J. (1998). *The memory of Egypt in Western Monotheism*. Cambridge and London: Harvard University Press.

Baudler, G. (1991). *Gott und Frau. Die Geschichte von Gewalt, Sexualität und Religion*. Munich: Kösel.

Baudler, G. (2005). *Gewalt in den Weltreligionen.* Darmstadt: Wissenschaftliche Buchgesellschaft.

Behn, I. (1957). *Spanische Mystik. Darstellung und Deutung.* Düsseldorf: Patmos.

Bellah, R. N. (2011). *Religion in human evolution. From the paleolithic to the axial age.* Cambridge, Mass., London: The Belknap Press of Harvard University Press.

Bourdieu, P. (1977). *Outline of a theory of practice*. Cambridge: Cambridge University Press.

Campbell, J. (1991). *Die Masken Gottes. Bd.II: Mythologie des Ostens*. Basel: Sphinx.

Derrida, J. (1992). *The force of law.* NewYork/London: Routledge.

Derrida, J. (2002). *Acts of religion.* New York/London: Routledge.

Durkheim, E. (1995). *The elementary forms of religious life*. New York: Free Press.

Eisenstadt, S. N. (Ed.). (1992a). *Kulturen der Achsenzeit, Bd. II.1: China, Japan*. Frankfurt: Suhrkamp.

Eisenstadt, S. N. (Ed.). (1992b). *Kulturen der Achsenzeit, Bd. II.2: Indien*. Frankfurt: Suhrkamp.

Eliade, M. (1998). *The sacred and the profane. The nature of religion* (W. R. Task, Trans.). New York: Harcourt, Brace & Inc.

Erbstösser, Martin. (1970). *Sozialreligiöse Strömungen im späten Mittelalter*. Berlin: Akademie Verlag.

Fürst, A. (Ed.). (2006). *Friede auf Erden? Religionen zwischen Gewalt und Gewaltbereitschaft.* Freiburg: Herder.

Gerlitz, Peter (1954). Fasten im religionsgeschichtlichen Vergleich, PhD thesis, University Erlangen.

Girard, R. (1981). *Violence and the sacred*. Baltimore: Johns Hopkins Univ. Press.

Goody, Jack. (1986). *The logic of writing and the organization of society*. Cambridge: Cambridge University Press.

Gougaud, L. (1925). *Dévotions et practiques ascétiques du moyen age.* Paris: Abbaye de Maredsous.

Greyerz, K. V., & Siebenhüner, K. (Eds.). (2006). *Religion und Gewalt.* Go¨ttingen: Vandenhoeck & Ruprecht.

Guttmann, H.-M. (2009). *Gewaltunterbrechung, Warum Religion Gewalt nicht hervorbringt, sondern bindet.* Gütersloh: Gütersloher Verlagshaus.

Hafner, J. E. (2008). Victime und Sacrifice. In B. Oberdorfer & P. Waldmann (Eds.), *Die Ambivalenz des Religiösen* (pp. 77–104). Freiburg: Rombach.

Heesterman, J. C. (1992). Ein geteiltes Haus: hinduistisch-muslimische Beziehung. In S. N. Eisenstadt (Ed.), *Kulturen der Achsenzeit, Bd. II.2: Indien* (pp. 275–293). Frankfurt: Suhrkamp.

Hunger, H. (1984). *Die Heilige Hochzeit. Vorgeschichtliche Sexualkulte und –mythen*. Wiesbaden: Verlag Medical Tribune.

Juergensmayer, M. (2000). *Terror in the mind of god. The global rise of religious violence*. Berkeley, Los Angeles, London: Universitty of California Press.

Juergensmeyer, M. (Ed.). (2006). *The Oxford handbook of global religion*. Oxford: Oxford University Press.

Kalisch, M. (2006). Monotheismus des Islam und die Problematik von Toleranz und Gewalt. In A. Fu¨ rst (Ed.), *Friede auf Erden? Religionen zwischen Gewalt und Gewaltbereitschaft* (pp. 151–166). Freiburg: Herder.

Khoury, A.-T. (1976). Die Gewalt in der Lehre und im Leben der Buddhisten. In E. Kroker (Ed.), *Die Gewalt in Politik, Religion und Gesellschaft* (pp. 123–138). Stuttgart: Kohlhammer.

Kippenberg, H. G. (2011). *Violence as worship*. Stanford, CA: Stanford University Press.

Koselleck, R. (Ed.). (1979). Zur historisch-politischen Semantik asymmetrischer Gegenbegriffe. In *Vergangene Zukunft.* Frankfurt am Main: Suhrkamp.

Kroker, E. J. M. (Ed.). (1976). *Die Gewalt in Politik, Religion und Gesellschaft.* Stuttgart: Kohlhammer.

Lal, V. (2006). Intolerance for Hindu tolerance: Hinduism, religious violence in pre-modern India, and the fate of a ‘modern’ discourse. In K. V. Greyerz & K. Siebenhüner (Eds.), Religion und Gewalt (pp. 51–84). Göttingen: Vandenhoeck & Ruprecht.

Lambert, M. D. (1977). *Medieval Heresy*. London: Erward Arnold.

Luckmann, Th. (1967). *The invisible religion.* New York: Mac Millan.

Luhmann, N. (1997). *Die Gesellschaft der Gesellschaft*. Frankfurt: Suhrkamp.

Luhmann, N. (2002). *Die Religion der Gesellschaft*. Frankfurt: Suhrkamp.

Maffesoli, Michel. (1982). *L’ombre de Dionysos. Contribution à une sociologie de l’ orgie*. Paris: Méridiens/ Anthropos.

Malinowski, B. (1954). *Magic, science and religion and other essays*. Gardens City: Doubleday.

Mannheim, Karl. (1991). *Ideology and Utopia*. London: Routledge.

Matthes, J. (Ed.). (1992). The operation called ‘Vergleichen’. In Zwischen den Kulturen? *Die Sozialwissenschaften vor dem Problem des Kulturvergleichs (Soziale Welt, Sonderband 8)* (pp. 75–99). Göttingen: Schwartz.

Métral, M.-O. (1981). *Die Ehe. Die Analyse einer Institution*. Frankfurt: Suhrkamp.

Müller, W. (1970). *Glauben und Denken der Sioux. Zur Gestalt archaischer Weltbilder*. Berlin: Reimer. Oberdorfer, B., & Waldmann, P. (Eds.). (2008). Die Ambivalenz des Religiösen. Freiburg: Rombach.

Otto, R. (1979). Das Heilige. Munich: Beck [Engl. Trans. by J. W. Harvey: *The idea of the holy.* Harmondsworth: Penguin Books 1959].

Parsons, T. (1966). *Societies. Evolutionary and comparative perspectives.* Englewood Cliffs: Prentice Hall.

Pollock, S. (2005). Axialism and empire. In J. P. Arnason, S. N. Eisenstadt, & B. Wittrock (Eds.), *Axial civilizations and world history* (pp. 397–450). Leiden, Boston: Brill.

Rotter, E., & Rotter, G. (2002). *Geschichte der Lust—zwischen Himmel und Hölle*. Düsseldorf: Patmos.

Rzepkowski, H. (1976). Die Gewalt in der Lehre und im Leben der Hindus. In E. Kroker (Ed.), *Die Gewalt in Politik, Religion und Gesellschaft* (pp. 139–149). Stuttgart: Kohlhammer.

Sahlins, M. (1981). *Historical metaphors and mythical realities: Structure in the early history of the Sandwich Islands Kingdom.* Ann Arbor: University of Michigan Press.

Sahlins, M. (1986). *Tod des Kapitän Cook*. Berlin: Wagenbach.

Scheler, M. (1973). *Wesen und Formen der Sympathie.* Bern: Francke.

Schieder, R. (2008). *Sind Religionen gefährlich?.* Berlin: Berlin University Press.

Schmitt, C. (2005). *Political theology. Four chapters on the concept of sovereignty*. Chicago and London: University of Chicago Press.

Schmitt, C. (2007). *The concept of the political*. Chicago and London: University of Chicago Press.

Schutz, A. (Ed.). (1962a). Common-sense and scientific interpretation of social action. In *Collected papers, Vol. I: The problem of social reality* (pp. 3–47). The Hague: Nijhoff.

Schutz, A. (Ed.). (1962b). Symbol, reality and society. In *Collected papers, Vol. I: The problem of social reality* (pp. 287–356). Den Haag: Nijhoff.

Schutz, A. (Ed.). (1962c). On multiple realities. In *Collected papers, Vol. I: The problem of social reality* (pp. 207–259). The Hague: Nijhoff.

Schutz, A. (Ed.). (1964). The stranger. An essay in social psychology. In *Collected papers, Vol. II: Studies in social theory* (pp. 207–259). The Hague: Nijhoff.

Schutz, A. (Ed.). (2003). Das Problem der Personalität in der Sozialwelt. In *Werkausgabe, Vol. V 1A: Theorie der*

Lebenswelt 1. Die pragmatische Schichtung der Lebenswelt (pp. 95–162). Konstanz: UVK.

Shichor, Y. (1992). Konfuzianismus in einem land: Einige Betrachtungen zur universalistischen und partikularistischen Kollektividentita¨t in China. In S. N. Eisenstadt (Ed.), Kulturen der Achsenzeit, Bd. II.1: China, Japan (pp. 91–107). Suhrkamp: Frankfurt.

Shulman, D. (1992). Die Dynamik der Sektenbildung im mittelalterlichen Südindien. In S. N. Eisenstadt (Ed.), *Kulturen der Achsenzeit Bd. II.2: Indien* (pp. 102–128). Suhrkamp: Frankfurt.

Smith, W. C. (1967). *Questions of religious truth*. London: Golancz.

Smith, W. C. (1978). *The meaning and end of religion*. New York: Harper & Row.

Speyer, A. V. (1970). *Das Wort und die Mystik. Part II.: Objektive Mystik*. Johannes Verlag: Einsiedeln.

Srubar, I. (2014). Gewalt als asemiotische Kommunikation. In M. Staudigl (Hg) (Ed.), *Gesichter der Gewalt* (pp. 74–86). München: Fink.

Steinach, U. (1976). Die Gewalt im Islam. In E. Kroker (Ed.), *Die Gewalt in Politik, Religion und Gesellschaft* (pp. 150–178). Stuttgart: Kohlhammer.

Stobbe, H.-G. (2010). *Religion, Gewalt und Krieg*. Stuttgart: Kohlhammer.

Voegelin, E. (Ed.). (2000a). The new science of politics. In *Modernity without restraints (collected works)* (Vol. 5, pp. 77–241). Chicago: Chicago University Press.

Voegelin, E. (Ed.). (2000b). The political religions. In *Modernity without restraints (collected works)* (Vol. 5, pp. 19–73). Columbia and London: Univ. of Missouri Press.

Weber, M. (1978). *Economy and society* (E. Fischoff et al., Berkeley et al. Trans.). Berkeley: University of California Press.

Wilke, A. (2006). Gewaltlosigkeit und Gewaltausübung in Hinduismus und Buddhismus. Tamilische Devotion, Singhalesischer Buddhismus und die Macht der Repräsentation. In A. Fürst (Ed.), *Friede auf Erden? Religionen zwischen Gewalt und Gewaltbereitschaft* (pp. 83–150). Freiburg: Herder.

Wittrock, B. (2005). The meaning of the axial age. In J. P. Arnason, S. N. Eisenstadt, & B. Wittrock (Eds.), *Axial civilizations and world history*. Leiden, Boston: Brill.

Worsley, Peter. (1957). *The trumpet shall sound: A study of "cargo cults" in Melanesia*. London: MacGibbon & Kee.

「あとがき」に代えて[1]——シュッツ流の「宗教現象学」の可能性

はじめに

二〇一七年に『ヒューマン・スタディーズ』誌が「アルフレッド・シュッツと宗教」という特集[2]を組んだ（以下「特集号」と略記）。ウィーン大学のM・シュタウディグル氏が編者で、欧米の研究者と筆者が寄稿者である。特集号のタイトルは「アルフレッド・シュッツと宗教」よりも「アルフレッド・シュッツと宗教現象学」のほうが相応しい。実際、編者による「序論」のメインタイトルも「アルフレッド・シュッツと宗教現象学」となっており、「宗教現象学」の業績として寄稿論文が紹介されている。そして、この特集号は、シュッツの現象学的アプローチを本格的に取り入れた点で、宗教学・宗教現象学にとって新たな頁を開いたといえよう。本論文集はこの特集号の翻訳である。

この特集に対して、二〇一九年に、英国の若手宗教学者で活発な研究活動を展開しているJ・タケットが、英文で二六頁にもわたる本格的な批判論文[3]を発表した。そのタイトルは「宗教現象学の可能性についてのア・プリオリな批判――〈シュッツと宗教〉についての特集号への応答」である。タケットはフッサールの『論理学研究』に見える「無前提性の原理」を根拠にして批判を展開した。だが、この原理への依拠が正当性のないものだとしたら、彼の批判は崩壊することになる（後述）。

この「〈あとがき〉に代えて」では、タケットの批判も織り込みながら、「シュッツ流の〈宗教現象学〉の可能性」について考察を展開することにより、読者の本論文集の理解に資するようにしたい。以下での議論は次のような手順となる。(1)伝統的な宗教現象学について述べ、(2)本論文集の内容について、編者のシュタウディグル氏の「序論」の最初を補足することにより、簡単に紹介する。そして、(3)フッサールの著作を参照しながら、タケットの批判の核心部分（「無前提性の原理」）を吟味したうえで、(4)シュッツ流の「宗教現象学」の可能性・有効性について思いをめぐらす。

ちなみに、「脳神経科学の目覚ましい発展により、宗教現象学など時代遅れになるのではないか」という意見もあろう。しかしながら、「人称」「因果論」「意味」などをめぐる問題を考慮すれば、この見解はあまりにも素朴である。比喩的にいえば、「死」にいたる過程の生物学研究や、「死」を意識する脳神経科学やがいかに進歩しようとも、「自分にとって死のもつ〈意味〉の問題」はそうした自然科学的研究とは論議領界が異なるのである。

第一節　宗教現象学とは何か[4]

第一項　宗教現象学の分類

宗教現象学とは何かを一言でいえば、「現象学的アプローチによって宗教現象の意味や構造を明らかにしようとする」ものといえよう。そのような宗教現象学の発生を促したのは、宗教現象の固有性・独自性に対する洞察である。宗教現象学は「宗教が他の諸領域から区別される〈独自〉な領域としてあるので、それに固有な方法によって捉えられ、理解されねばならない」（長谷）と考える。それゆえ、宗教現象を（デュルケムの集合表象などの）社会的原因や（フロイトの無意識などの）心理的原因などから派生する二次的現象として説明したり、ある哲学的理論から捉えたり、ある歴史的起源から説明したりすることに反対する。つまり、宗教現象は「宗教以外のもの」から導き出されてはならないのである。この意味において、宗教現象学は「反還元主義」の立場にたつのだ。

歴史的にみると、宗教現象学はもともとフッサールの哲学的現象学以前に、それと繋がりのないところで成立していた。このことが、以下で見るように、宗教「現象学」の不幸の始まりである。フッサールは一八八七年に論文「数の概念について」により教授資格を取得したが、これが『算術の哲学』として出版されたのは一八九一年である。また、現象学をより広く世に知らしめることになった『イデーン』第一巻が出版されたのは一九一三年である。これに対して、シャントピー・ド・ラ・ソーセイが『宗教史教本』において「宗教現象学」（Phänomenologie der Religion）という語を最初に用いたのが、一八八七年である。[5]すなわち、「宗教現象学」という術語の登場は、現象学者としてのフッサールが本格的に活躍し始める二〇年ほど前なのだ。このことが宗教現象学の理解を困難にしている一因である。

宗教現象学は当初「宗教史学」や「比較宗教学」という形をとっていた。その後の学問的展開に鑑みると、（一例としてだが）宗教現象学は大きく三つの類型に分けることができよう。

(1)ソーセイたちの研究に見られる傾向で、宗教の歴史的研究・比較研究・分類学としての宗教現象学。

(2)レーウやブレーカーたちの研究に見られる傾向で、宗教現象の記述的類型学を超えて、宗教現象の構造と意味の把握を目指すものとしての宗教現象学。

(3)シェーラーやリクールたちの研究に見られる傾向で、他の研究者たちと比較して、フッサールの哲学的現象学のより大きな影響のもとにある宗教現象学。

この分類からわかるように、「宗教現象学」というのはその内実にかなり異質な領域を含んだものなのである。本稿では、主として(2)に分類される宗教現象学を中心に議論を展開したい。その理由は、「宗教現象学が宗教学に対して最も大きな貢献をしたのはこの分野」（長谷）だからであるし、これにくわえて、シュッツ流の宗教現象学は、寄稿論文の内容から判断しても、(2)に分類するのが適切だと思うからである。ただし、この(2)の分類に属する宗教現象学の理解は、(1)と(3)との中間的な位置づけもあり、最も複雑であろう。

第二項　宗教現象学の立場・方法

「現象」とはもともと「自己自身を顕わにすること」であるから、宗教現象学では、宗教はその本来の独自の意味や価値を有するものとして、自らを現わしてくることになる。こうした宗教現象の理解と関連して、宗教現象学には最大公約数的に四つの立場・方法があると思われる。

(1)反還元主義——宗教現象学は、宗教現象を社会・無意識・道徳など、宗教以外のものによって説明する還元主義に反対する立場をとる。

(2)エポケー——フッサールでは「エポケー」とは、(1)科学と常識との共通の態度としての「自然的態度」を括弧に入れること、(2)意識の対象の背後にそれ自身で実在するものを想定する素朴な立場を排して、意識に現前するものをそのあるがままの在り方で注視すること、であった。フッサールのこの自然的態度への哲学的懐疑は、意識対象の背後的実在の否定を意味しないという。というのは、エポケーは否定でも肯定でもなく、この両者をはなれた純粋な懐疑にわれわれの素朴な信頼を一度徹底的にさらしてみることだからである。

宗教現象学では、自らの神学や宗教哲学による宗教的信念を留保する。この文脈におけるエポケーは、まず自分の信じている宗教の真理を唯一絶対とする態度を括弧に入れることである。とはいえ、ある宗教が、自らが絶対の真理や価値の顕現であることを主張している事実を否定するのではない。むしろ、宗教がそのような絶対的真理や究極的価値にかかわるものであることを、それが宗教現象である限り、ありのままに受け入れて、そこに現われる本質構造・真理意識・価値意識をもあるがまま明らかにしようとする。

　宗教現象学がエポケーをその方法とすることは、宗教を一切の先入見をもって捉える立場をはなれ、宗教現象がみずからを示す「そのあるがままの姿」を受け入れる立場にたつことを意味する。

(3)本質直観――本質直観とは、フッサールでは「知覚された個別の対象から、それを超えて諸対象に共通の普遍的な本質を取り出す直観」とでもいえよう。本質直観理論の特徴は「経験的直観において個別的な対象が意識に与えられるのと同様に、本質直観においては普遍的本質が意識に与えられる」[6]とする点である。

　宗教現象学が本質直観の概念のもとに問題としているのは、対象としての宗教現象から直接の働きをうけ、無私な観照によって、宗教現象に内在するロゴスをあるがままに直観し記述する働きである。そのロゴスというのは「対象の内面の構造を精神の内的法則にしたがって、展開し開示しうる高次の論理性」（武内）である。

　たとえば、神秘体験の告白は、個人差にあふれ、一人ひとりの神秘家の生命そのものの表出とみなされるが、神秘主義の階梯は、(1)浄化への道、(2)照明への道、(3)合一への道という三段階をいつでもくり返している。「宗教的本質直観はそのような現象の内にある本質的構造を導きとして一つ一つの個性豊かな宗教の内容を理解し、また個性的な体験に即しながら、しかもこれを理想類型に昇華させることによって、その本質構造を追求していくこととなる」[7]（武内）。

宗教史は特殊宗教を問題にするのに対し、宗教現象学は多種多様な宗教現象のうちから構造の諸形態をとりだし、「宗教現象の普遍的構造」を発見し、その意義を明らかにすることにつとめる。「現象形態である祈りや供犠の意味規定も、それぞれそれらの諸現象の一般的な本質とか共通の根本構造とかと考えねばならない」（武内）。

(4)中立の立場——宗教現象学の論議領界内部において、研究者はいかなる宗教の立場にも固執せずに「中立の立場」をとり、諸宗教の形態・意味・構造などを本質直観的に記述する。この点で、宗教現象学は、ある宗教の真理を出発点にする神学や、ある種の哲学的真理を前提としている宗教哲学などの規範的学問とは、一線を画する。

第二節　シュッツと宗教現象学

第一項　シュッツからの「委任事項」としての宗教学・宗教現象学

シュッツの生涯を学術的に詳しく描いた長大な伝記『アルフレッド・シュッツ』[8]を著わしたH・ワーグナーは、「結びの言葉」で、シュッツの仕事は「一つの課題、一つの委任事項として私たちと彼の後継者たちの前に置かれている。彼が始めたことを、私たちは何としても続けなければならない」（ワーグナー、五一二頁）と述べている。

たしかに、シュッツ自身は宗教について多くを語っているわけではない。このことは、特集号の論文の執筆者の共通理解でもあるし、シュタウディグル氏もこの点について言及している（後述）。それでも、学問としての宗教学・宗教現象学において、シュッツの現象学的理論を宗教現象の解明・分析に応用することは、後世の宗教学者・宗教現象学者に「委任」された「事項」（「委任事項」）なのだから、特集号の執筆者たちは、これを引き受けたことになる。そして、本論文集に収められた諸論文が雄弁に語っているように、その仕事は特集号において豊かな形で結実した、といえるであろう。

特集号の寄稿者たちのスタンスについても言及しておきたい。まず、シュッツはフッサールの超越論的立場／超越論的現象学に精通していたが、自らはこの立場にたつことはなかった。シュッツの一連のフッサール研究やワーグナーの伝記を読めば、シュッツのフッサール理解の深さが理解できよう。さらに、一九五七年のロワイヨモン会議のさい、E・フィンクたち現象学の著名な研究者たちは、シュッツのフッサール現象学をめぐる学識の深さを理解していた。このことはロワイヨモン会議の記録からも証明できる。それでもシュッツは超越論的立場にたつことはなかったのである。シュッツの遺産を宗教に適用しようという論文の執筆者たちも、フッサール流の超越論的現象学の立場から論文を執筆しているわけではない。

特集号に収められたすべての論文が〈人物研究ではなく〉「アクチュアルな主題」をめぐって執筆されている。これが特集号の特徴であり、さらに、特集号は宗教学・宗教現象学の新たな動向を知るうえでも重要である。シュッツへの言及の仕方は執筆者によってさまざまであるが、すべての論文で彼の「現象学理論」を宗教現象の解明・分析に応用した点は共通している。

第二項　シュタウディグル氏による「序論」の冒頭

特集号の編者であるシュタウディグル氏は、序論「アルフレッド・シュッツと宗教現象学――曖昧な領域の探究」の冒頭で、シュッツ流の宗教現象学の基本的特徴について論じ、その後、特集号に収められた各論文の紹介をしている。冒頭の三つのパラグラフはきわめて重要なので、以下では、それら三つのパラグラフから検討しよう。

第一パラグラフ

〈非基礎づけ主義的現象学〉〈脱基礎づけ主義的現象学〉という術語（以下、前者で一括）に注目すべきである。これらの術語は特集号の立場を鮮明にしている（後述）。これらの術語をふくんだ最初の一文から読み取れるように、特集号に収められている諸論文は、フッサールのいわば「万学を基礎づける」現象学を念頭においているのではなく、〈非基礎づけ主義的現象学〉の観点から、宗教現象に立ち向かおうというのである。さらにいうなら、これまでの宗教学に本格的な「シュッツ流の展望」をもたらし、宗教学に「活気」を与えようというのだ。

第二・第三パラグラフ

フッサールを始めとする多くの現象学者たちの場合と同じく、シュッツが「宗教」を主題にして本格的な議論を展開しているところはほとんどない。筆者は「その理由が書かれているのではないか」という期待をもって、ワーグナーの『アルフレッド・シュッツ』を読んだが、残念ながら、その明確な理由はほとんど書かれていなかった。

ただ、次のことはわかった。(1)フェーゲリンとの遣り取りで、「シュッツは宗教的知識を思想家たちの正当な関心の一領域として認めたが、社会科学の諸領域に基本的に宗教的・倫理的見解が侵入することには頑なに反対した」こと（ワーグナー、三二一頁）。(2)ナタンソンは「シュッツの付帯現前〔＝間接呈示〕の理論が〈象徴化の究極の水準〉を構成する〈神秘主義の分析のための興味深い基盤〉を提供している」と指摘したのだが、シュッツはこの指摘をそれほど心にとめなかったこと（ワーグナー、三九九－四〇〇頁）。

おそらく、現象学と社会学のいわば「統合」を構想していたシュッツには、フェーゲリンが証言しているように、「社会科学の諸領域に基本的に宗教的・倫理的見解が侵入すること」を許容できなかった、もしくは、その必要性を感じなかったのであろう。

しかしながら、まったく違う視点からだが、次のようなことも推測できる。反ユダヤ主義、とりわけ一九世紀以降の反セム主義によって、ユダヤ人は激しい迫害にあうようになった。ユダヤ人のシュッツは、まさにこの迫害から逃れるためにアメリカに渡ったのである。われわれ日本人には感覚的になかなか理解できない反ユダヤ主義を、まさに肌で感じていたであろうシュッツは（なんらかの理由で）どうしても宗教について語る気になれなかったのかもしれない……。

右のことを念頭において、第二・第三パラグラフの解説をしよう。

⑴シュタウディグル氏の見解では、シュッツが最も関心を懐いていたのは、「自然的態度」の構成様式と「日常生活世界」の関連〔性〕構造であって、宗教ではなかった。フェーゲリンやナタンソンとの遣り取りやシュタウディグル氏のこの指摘から、〈シュッツが正面から宗教を論じていない事実〉は、学問的レベルでは〔反セム主義のことを度外視すれば〕、シュッツの研究〔現象学的社会理論〕において宗教が第一義的な重要性をもたなかったことによる、と推測できよう。

⑵シュッツが宗教／宗教現象について言及した部分はごくわずかである。それでも、「この事実は、〈シュッツの諸著作は宗教の統合的な説明を精緻化するために使用できる包括的枠組みをまさに提供しているように見える〉からこそ、驚くべきなのである」。彼は「非常に明確な文脈で宗教に言及することで、個々の社会－現象学的論述をどのように進め発展させるかについて、貴重な指針を

残した」のだ。そして、このことが本稿でいう「シュッツ流の〈宗教現象学〉の可能性」に直結するのである。

(3)シュッツの理論と宗教が関連付けられるのは、主として「多元的現実」「限定された意味領域」をめぐる議論においてである。論文の寄稿者たちも、例外なく、宗教を限定された意味領域の一つとして捉えている。「個々の社会‐現象学的論述をどのように進め発展させるか」という文脈において最も重要な考え方は、「多元的現実」の理論と、そうした諸「現実」間の架橋／往来／意思疎通を可能にする「象徴」の理論とにある。そして、シュッツは「〈多元的現実〉の役割は生活世界の全体的な説明の本質的な部分である」ことを強調した。そのうえで、「宗教もまた多元的現実のうちの一つとして言及されているのは、明らかにこの文脈においてである」。ということは、限定された意味領域としての宗教は、各論文を読めば即座に理解できるように、生活世界とも重要な関係を結ぶのである。また、生活世界自体も、意識が他の意味領域に向けられその意味領域が支配的になると、その背後に退き、一つの意味領域に格下げされる。

(4)宗教／宗教現象をめぐって「個々の社会‐現象学的論述をどのように進め発展させるか」で大切なのは、宗教学における従来の二つの立場に陥らないことである。すなわち、宗教の主観的側面を偏重する立場と、宗教の社会的側面を偏重する立場、ないしは、宗教の主観的側面に焦点を当てる立場と、宗教の独自性を宗教以外のものに還元する立場である。前者は、個人の主観性を重視するあまり、宗教の社会的側面を軽視することになる。後者は、社会に存在する宗教以外の諸要素で宗教を説明しつくすことになり、宗教の独自性を見失ってしまう。そこで、シュッツ流の宗教現象学の展開は、こうした二つの立場に陥ることなく、個人と社会の双方をバランスよく視野に入れ、次の三つの理論を駆使して、宗教・宗教現象に迫ることである。(1)「生活世界の全体的な説明の本質的な部分」である「多元的現実」論、(2)多元的現実のうちの個々の現実を構成する「限定された意味領域」論、(3)「変換公式」の発見によってではなく、「間接呈示」によって、多元的現実間の架橋／往来／意思疎通をもたらす「象徴」論。

なお、第四パラグラフ以降で「宗教的エポケー」という術語が登場する。この術語は注意を要する。これは、(1)フッサール本来の「エポケー」とはまったく異なる。(2)また、第一節で「宗教現象学では、自らの神学や宗教哲学による宗教的信念を留保する。この文脈におけるエポケーは、まず自分の信じている宗教の真理を唯一絶対とする態度を括弧に入れることである」と述べたが、シュッツ流の宗教現象学における宗教的エポケーは、こうしたエポケーとも異なる。(3)さらに、シュッツ自身の「自然的態度のエポケー」とも異なる。

筆者の理解にしたがって最大公約数的に述べれば、シュッツ流の宗教現象学では、「宗教的エポケー」は次のようなことを意味する。(1)宗教的世界／意味領域に入っていく手段として、日常世界を括弧にいれること、(2)いったん宗教的世界／意味領域に入ってしまえば、日常世界はほかの限定された意味領域の一つに格下げされ、括弧に入れられ、自明視されなくなっていること。

第三節　J・タケットの「宗教現象学」批判の紹介とその吟味

第一項　タケットの「宗教現象学」批判

まず、タケットの論文の「論文要旨」の全文を紹介したい（以下、タケットとフッサールからの引用にある強調の傍点は、すべて原著者のものである）。

この論文では、『ヒューマン・スタディーズ』の特別号（第四〇巻）にある「アルフレッド・シュッツと宗教」という特集についての批判を行なう。ドミニク・ジャニコーの方針と似たような方針に従いながら、[1]著者はさまざまな寄稿論文の中で展開された「宗教現象学」のまさに現象学的地位に疑問を投げかける。著者の批判は、フッサールの〈無前提性の原理〉(Prinzip der Voraussetzungslosigkeit, principle of freedom from presuppositions) に訴えながら、これらの〔寄稿論文の〕宗教現象学が「宗教」について語る方法に焦点を当てている。これらの宗教現象学の核心において、諸論文の中に含まれている失敗は、大学における学部の宗教研究のプログラムを始めるさいの質問（つまり「宗教」とは何か？）を適切に考慮していないことである。[2]寄稿された諸論文は、何が宗教「である」かを「自明の」ものとしているので、諸論文はそれらの現象学への形而上学的主張の侵入を許すのだが、この主張は無前提性の原理が要求される「中立」〔の立場〕に違反する。著者はこうしたことを非難したい。著者はさらに、〈宗教研究における批判的宗教プロジェクト〉の研究を参照しながら、この形而上学的主張が避けられないイデオロギー的主張（植民地主義の排除の力学に役立つ主張）をどのように叙述するかを、際立たせたい。（Tuckett, p. 1.)

英文で二六頁にもおよぶ長大な批判論文なので、タケットの批判は多岐にわたるが、その根底にあるのは、傍線部(1)（および(2)）から理解できるように、フッサール現象学と寄稿された諸論文との関係である[11]。本稿では、このことを論じているタケットの批判論文の冒頭部分を考察の対象とし、寄稿された諸論文が「植民地主義の排除の力学に役立つ主張」をしているとする論点の是非については割愛する。

参考までに、見出しだけではその内容は掴みにくいだろうが、タケットの批判論文の見出しを紹介しておく。(1)前提とされる宗教観、(2)宗教現象学のディレンマ、(3)「宗教」と偶像崇拝、(4)「宗教」のイデオロギー的主張、(5)宗教と暴力。以下において直接に考察の対象とする部分は、主として(1)に先立つ導入部分であり、批判論文全体に関わる事柄である。

さて、傍線部(1)からいえることは、もしもタケットの「フッサールの〈無前提性の原理〉に訴え」ることに妥当性・正当性がなければ、論理的に、彼の批判全体が崩壊する、ということである。ここでは、この一点に絞って彼の批判に応えたい。また、傍線部(2)の「中立」（の立場）に対する批判も、「無前提性の原理が要求される」とあるように、同系の批判である。

論文要旨にみえる「フッサールの〈無前提性の原理〉」というのは、フッサールの『論理学研究』第二巻にある序論の第七節「認識論的研究の無前提性の原理」(一九〇一年)のことである――タケットの論文ではどういうわけか「認識論的研究の」という部分が欠落している。しかしながら、タケットが批判論文の最初で(デリダの主張との関連で)長く引用するのは、フッサールの『イデーン』第一巻の第二四節「一切の諸原理の原理」(一九一三年)である。まず、こちらについて考えることにしよう。

「……一切の諸原理の中でもとりわけ肝心要の原理というものがある。すなわち、それは次のようなものである。」すべての原的に与える働きをする直観こそは、認識の正当性の源泉であるということ、つまり、われわれに対し「直観」のうちで原的に(いわばその生身のありありとした現実性において)呈示されてくるすべてのものは、それが自分を与えてくるとおりのままに、しかしまた、それがその際自分を与えてくる限界内においてのみ端的に受け取られねばならない、ということである。この一切の諸原理の原理に関しては、考えられうるどんな理論も、われわれを迷わせることはできない。なぜかといえば、どんな理論もみな、当の自分の説く真理そのものを、ふたたび原的所与性から汲み取ってくる以外にはないであろうということを、われわれは何といっても洞察するからである。[4]このような(原的)所与性をただもっぱら解明しながら、かつまた正確に適合する意義によりながら、これに表現を施そうとする以上のいかなることをもしないような言表こそはすべて、……本当に、一[3]

つの絶対的な端緒であり、真正の意味において基礎づけ（Grundlegung, foundation）の使命を担ったものであり、原理にほかならない。[12]〔独語原文・英語訳文には共に強調されている部分（ゲシュペルトとイタリック）があるが、タケットの引用にはどういうわけか強調（イタリック）はまったくない。〕

ここで、次のことを確認しておきたい。

傍線部(3)からは、「すべての原的に与える働きをする直観こそは、認識の正当性の源泉である」こと、および、「われわれに対し〈直観〉のうちで原的に（いわばその生身のありありとした現実性において）呈示されてくるすべてのものは、それが自分を与えてくるとおりのままに端的に受け取られねばならない」ことである。これらについては、宗教現象学の理念としても理解できる（ただし、「認識」をめぐっては、後述するように、問題もある）。

傍線部(4)からは、「〔原的〕所与性をただもっぱら解明しながら、かつまた正確に適合する意義によりながら、これに表現を施そうとする以上のいかなることをもしないような言表は、真正の意味において基礎づけの使命を担ったものである」ことである。先にもシュタウディグル氏の「序論」から引用したが（「非基礎づけ主義的現象学」）、この「基礎づけ」は、後にタケットを批判するさいに、重要な論点となる。

右の『イデーン』の引用に続けて、タケットは次のように語る。

しかしながら、著者はこの方針を取り上げながらも、フッサールが『論理学研究』でそれを定式化したように、〈諸原理の原理〉の「否定的な」定式化を適用するつもりである。これは「したがって、形而上学的主張・自然科学的主張、特に心理学的主張は、前提としての機能を果たし得ない」という無前提性の原理である。(Tuckett, p. 3.)

そして、『イデーン』第一巻よりも『論理学研究』第二巻のほうが先に執筆されたため、「無前提性の原理という古い〔『論理学研究』の〕定式にシフトする」ことによって、タケットは以下のことを意図しているという。

著者の意図は、寄稿者たちが、彼らの宗教現象学を貧弱にしないように、〈神という純然たる所与に訴えている〉と非難することではない(この訴えはいくつかの〔論文の〕場合には暗示されているが)。そうではなく、この〔『論理学研究』の〕原理に焦点を当てることによって、著者は〈寄稿者たちの失敗——その〔特集号の〕研究が「現象学的」であるか否かをめぐる問題にとって極めて根本的な失敗——がまさに〔寄稿者たちの〕宗教現象学が「宗教」について語っている方法にある〉ことを理解するのである。ある寄稿者は〈宗教がどんなものであるか〉について確信を持っているかもしれない。だが、寄稿者たちが〈宗教とはこうあるべきだ〉と思っているものと、〔彼ら以外の〕他者が〈宗教である〉と思っているものとが、一致する保証はないのだ。たしかに、この確信は次のようなことを意味しうる。すなわち、寄稿者たちが〈他者が宗教とは何であるかについて異なる理解を持っているかどうか〉——あるいは、さらに微妙だが、〈寄稿者たちが「宗教」について充分に理解しているかどうか〉——を問題にしようと思わないので、その寄稿者が論点を自明視することである。(6)これ〔論点の自明視〕は、「宗教」についての形而上学的・科学的・心理学的な主張に適用されているので、〈無前提性の原理〉の不履行である。(Tuckett, p. 3.)

一言でいうと、傍線部(5)の寄稿者たちの「根本的な失敗」が、傍線部(6)の「〈無前提性の原理〉の不履行」だというわけである。

さらに、同種の「〈無前提性の原理〉の不履行」という批判が、寄稿者たちが「宗教は超自然的なものを指示する」と考えていることをめぐってなされる。

ここで著者が主張しているのは、〈(7)超自然的なものを指示するものとしての宗教という考え方は、無前提性の原理の不履行である〉ということである。なぜなら、その考え方は研究の成果ではなく、研究に持ち込まれた主張だからである。あるいは、少なくとも、(8)その

> 考え方は〈宗教は超自然的なものへの関係によって理解されるべきだ〉とする理由の明確化または正当化がなされていない前提である――〈これは自明的に事実である〉と想定されている。(Tuckett, p. 8.)

要するに、傍線部(7)(8)から、寄稿者たちは宗教を「超越的なもの」に関係づけながら理解しているのだが、このことが、いわば〈寄稿者たちの間違った宗教現象学的前提〉であり、正当な理由なしに最初から「研究に持ち込まれた」ものであり、フッサールの「無前提性の原理の不履行」であるというのだ。[13]

第二項　フッサールの「無前提性の原理」

タケットがフッサールの『論理学研究』から引用しているのは、わずかに「したがって、形而上学的主張・自然科学的主張、特に心理学的主張は、前提としての機能を果たし得ないのである」のみである。

この引用に先行するフッサールの言葉を引用しよう。これを踏まえないことには、タケットの引用部分に反映されているフッサールの真意が理解できないからである。『論理学研究』にある「認識論的研究の無前提性の原理」は数頁であるが、タケットの引用までを部分的に引用する。

[9]学問であることを真剣に要求する認識論的研究は……無前提性の原理を充足しなければならない。しかし、われわれの見るところ、この原理は現象学的に完全に実現されえないような言表はすべて厳密に排除するということ以上を意味することはできまい。認識論的研究はすべて純粋現象学的基礎に基づいて行なわれなければならない。……[10]思考作用がたまたま超越的客観に向けられていようと、あるいは非実在的な客観や不可能な客観に向けられていようと、それはいま述べたことにとってなんの妨げにもならない。なぜなら、このような〔思考作用の〕対象的方向は……その当該体験の記述的特徴だからである。……

意識を超越した「心的」および「物理的」実在をわれわれが想定する権利の問題、つまり、それらの実在に関する自然科学者の言表は現実的な意味に理解されるべきか、それとも非本来的な意味に理解されるべきであるか、[11]現出する自然、すなわち自然科学の相関者たる自然に、さらに第二のいっそう高次の意味での超越的世界を対置することに意味と正当性があるかどうか等々の問題は、純粋認識論とは別の事柄である。……[12]諸理論の理論というこの点で、諸理論を解明する形式的認識論は、あらゆる経験的理論に、したがってあらゆる説明的実在学に、つまり一方では物理的自然科学に他方では心理学に、そしてもちろんあらゆる形而上学にも先立つ（vorliegen）ものである。それは、認識という客観的自然の中での事実的出来事を、心理学的ないし精神物理的意味で説明しようとするものではなく、認識の理念をその構成的諸要素および諸法則について解明しようとするのである。……このような解明は、認識の現象学の枠内で、すなわち……「純粋」体験とそれに内属する意味成素の、これら両者の種々の本質構造を研究目標とする現象学の枠内で、成就されるのである。このような解明は、それ自身の学問的論定のうちには最初から、またどこまで進展したとしても、リアルな現存（reales Dasein）に関する主張を少しも含んではいない。〔したがって、ここでは、形而上学的主張・自然科学的主張、特に心理学的主張は、前提としての機能を果たし得ないのである〕[14]。

ここで、宗教現象学との関わりにおいて、次のことを確認しておきたい。

傍線部(9)に、タケットの引用とも関係するが、「学問であることを真剣に要求する認識論的研究は……無前提性の原理を充足しなければならない」とある。榊原もこの原理について「認識論は、諸理論の理論としてあらゆる他の理論に先立つものであるから、心理学的、心理物理的な理論によって認識を説明してはならず、むしろあらゆる理論的前提を取り払って、直接に直観に与えられてくる体験そのものにもとづいて認識を解明しなければならない」と論じている[15]。だが、寄稿者たちはフッサールのように哲学者として「認識論的研究」や「認識の解明」を行なっているのではない。

また、「認識論的研究はすべて純粋現象学的基礎に基づいて行なわれなければならない」とあるが、やや飛躍を承知の上でいうと、ここには「基礎づけ」というフッサール現象学の学問的性格が垣間見える。このことは、先に引用した『イデーン』の傍線部(4)にある「真正の意味において基礎づけの使命を担ったもの」という表現と呼応するであろう。フッサールは「諸学問の究極的基礎づけ」「認識の絶対的基礎づけ」を目的として、哲学的思索を展開しているのである。しかしながら、寄稿者たちはフッサールのように哲学者としてこうした「基礎づけ」をしているのではない。

傍線部⑽に「思考作用がたまたま超越的客観に向けられていようと、あるいは非実在的な客観や不可能な客観に向けられていようと、それはいま述べたことにとってなんの妨げにもならない」とあるから、宗教現象学の場合、記述対象（思考作用の対象）は「神体験」（例えばパスカルの「見神体験」）を始めとして、いかなるものでもかまわないことになる。

傍線部⑾には「現出する自然よりもさらに高次の意味での超越的（「超越論的」ではない！）世界を対置することに意味と正当性があるかどうか等々の問題は、純粋認識論とは別の事柄である」とある。筆者は、この部分を傍線部⑽の解釈と同様に、宗教現象学の場合、記述対象は（神体験など）この世を超越する現象でもかまわない、と解釈する。

傍線部⑿の「諸理論を解明する形式的認識論」は物理的自然科学・心理学・形而上学に先立つのだが、それは「認識の理念」を「その構成的諸要素および諸法則について解明しようとする」からである。そして、このような解明は「認識の現象学の枠内で」成就されるのであり、「それ自身の学問的論定のうちにはリアルな現存に関する主張を少しも含んではいない」のだ。宗教現象学の場合、この「認識の理念」「認識の現象学の枠内で」という規定との関連づけは微妙である。というのも、宗教現象学は、「認識の理念」そのものの研究を行っているのではないが、「宗教現象の諸形態から探求される〈本質構造〉が、どのように〈リアルな現存〉として理解されうるのか／理解されえないのか」については、フッサールの方法論に属する本質直観のプロセス全体についての考察をとおしてはじめて的確な判断をくだせるからである。

右のフッサールの論述の後、タケットが引用した（〔 〕で挿入した）「したがって、ここでは、形而上学的主張・自然科学的主張、特に心理学的主張は、前提としての機能を果たし得ないのである」が来るのである。

タケットが省略したフッサールの一連の引用を見ると、傍線部⑽⑾で示したように、それなりに宗教現象学と整合性を保てるように見える。しかし、フッサールは一貫して「認識論的研究」「形式的認識論」「認識の現象学」「純粋認識論」の話をしているのである。引用冒頭（傍線部⑼の一行目）には、たしかに「無前提性の原理を充足しなければならない」とあるが、これはあくまでも（それに先行する）「学問であることを真剣に要求する認識論的研究」についての話なのである。引用した部分の「認識論的研究の無前提性の原理」という見出しが端的にこのことを示しているであろう。故意か故意でないかは知らないが、事実として、タケットは一貫して「認識論的研究の」という部分を削除している。くり返しになるが、宗教現象学はこのような哲学的な「認識論的研究」そのものとはまったく異なるのである。まず、このことを確認しておきたい。

第三項　タケットの主張の吟味

以上を踏まえたうえで、タケットの主張を吟味しよう。タケットは "principle of freedom from presuppositions"（無前提性の原理）という術語を、論文の中で一四回使用している。使用している頁数をあげると、一頁、三頁、八頁、九頁、一四頁、一五頁、一九頁、二二頁、二三頁と、全体にわたっている。そして、「論文要旨」の二か所以外の一二か所では、すべてイタリックで強調されている。いかにタケットがフッサールの「無前提性の原理」を重視しているかがわかる。

だが、認識論に限定して論じられているフッサールの無前提性の原理を、宗教現象学にそのまま適用していいのだろうか。ここで考えるべきは、フッサールの「哲学的現象学」と特集号の「宗教現象学」の「現象学」の相違である。[16] 結論を先に述べると、この問いに対する答えは「否」である。タケットは、論文の寄稿者たちの研究が「〈現象学的〉であるか否かをめぐる問題にとって極めて根本的な失敗」というのだが、これはあまりにも単純な決めつけである。

フッサールの「無前提性の原理」に依拠してなされる、タケットの批判は宗教現象学にはあまり意味のない批判である。その理由は、第一に、宗教現象学は、フッサール現象学のように「学問であることを真剣に要求する認識論的研究」とか諸学問の「基礎づけ」を目的としたものではないからである。そして、『論理学研究』の基本的構想は、おそらく、「純粋論理学が成立するためには、それは形式的認識論によって基礎づけられていなければならない」というようなものであろう。

一口に「基礎づけ」とはいっても種々の局面をもつ。しかしながら、フッサールの学的営為を、神谷にならって、「学の究極的基礎づけ」「認識の絶対的基礎づけ」をめざし、自然的態度における存在定立を括弧に入れ、必当然的明証を有する超越論的主観性へと遡行する超越論的還元の方法を見出し、超越論的現象学を確立した[17]、と要約するならば、「基礎づけ」は超越論的現象学にとってきわめて重要なものである。

おそらく、こうした事情を考慮したからこそ、シュタウディグル氏は「序論」の冒頭で「アルフレッド・シュッツの社会‐現象学的論述は、社会世界の〈非基礎づけ主義的現象学〉または〈脱基礎づけ主義的現象学〉と呼ばれてきたものにとっての模範である」（傍点引用者）と明言しているのである。宗教現象学は「学の究極的基礎づけ」「認識の絶対的基礎づけ」を目指しているのではない。つまり、宗教現象学は「基礎づけ主義的現象学」としてではなく、「応用現象学」としてしか成立しない。さらにいえば、シュタウディグル氏は寄稿された諸論文を紹介するにあたり、寄稿者たちは「〈応用現象学／社会‐現象学の観点から「生きられた宗教」の諸現実を具体的に探求する〉という意図ももちながら、この任務をひき受けたのである」と述べているのであった。

タケットは、フッサールの〈基礎づけ主義的現象学〉のレベルにおける「無前提性の原理」をめぐる議論を、寄稿者たちの〈非基礎づけ主義的現象学〉〈応用現象学〉〈社会‐現象学〉のレベルに持ち込んだのである。基礎づけ的な学問的営為と応用的な学問的営為とは異質である。タケットは一種の「カテゴリー・ミステイク」を犯しているのだ。

タケットの批判が当たらない第二の理由は、以下のようになる。『論理学研究』の傍線部⑿に「諸理論を解明する形式的認識論は、あらゆる経験的理論に、したがってあらゆる説明的実在学に、つまり一方では物理的自然科学に他方では心理学に、そしてもちろんあらゆる形而上学にも先立つものである」とあった。「形式的認識論はあらゆる経験的理論に先立つもの」だとしても、第一節で示したように、宗教現象学は、比較宗教学や宗教史学から資料の提供を受けて、もしくは研究者自身の参与調査から素材を得ることによって成立することから、これらの経験科学の研究を積極的に本質直観の方法（とりわけ本質直観の第一段階である「事例化（Exemplifikation）」）に取り込んでいるのである。その意味で、狭義の純粋な形式的認識論はのりこえられており、フッサールの広義の意味での認識論に属する本質直観の方法にそくして、宗教現象学は、「あらゆる経験的理論に先立つもの」では決してないばかりか、経験科学の研究を統合しうるのである。[18]このことから、タケットがフッサールの純粋認識論の「無前提性の原理」に固執することは、フッサールの後期認識論の展開にみられる本質直観論の展開が完全に欠落した、生産的現象学的分析の可能性を閉ざす盲目的な「自縄自縛」に他ならないのである。

もちろん、宗教現象学が祈りや儀礼の諸事例を超えて、祈りや儀礼の一般構造（本質）や意味を求めることに間違いはない——これがたんなる記述的宗教学・宗教史学とは違うところである。だが、「本質直観」という現象学の手法を使用するとしても、宗教現象学が探求する宗教現象の一般構造（本質）や意味は、あくまでも「経験科学」的な資料・素材をもとにして探究されるべきものなのである。

以上の二つの理由から、タケットの批判は妥当ではない、といえる。タケットはわざわざフッサールの「無前提性の原理」を持ち出す必要はなかったのである。フッサール抜きで、たんに学問の一般的立場から「宗教現象学は研究をすすめるにあたって前提を立ててはいけない」といえば良かっただけのことである。そうすると、フッサールの「無前提性の原理」に依拠する彼のもろもろの批判は、その基盤を失い崩壊することにならざるをえない。なぜなら、タケット自身が述べているように、「著者〔タケット〕の批判は、フッサールの〈無前提性の原理〉に訴えながら、これらの〔寄稿論文の〕宗教現象学が〈宗教〉について語る方法に焦点を当てている」からである。

英文でわずか二行のフッサールの引用に依拠して展開される、寄稿者たちへのタケットの批判の根拠はあまりにも薄弱である、といわざるをえない。

第四項　宗教現象学は「前提」を立ててはいけないのか

タケットは「宗教現象学は前提を立ててはいけない」ことをくり返して強調している。しかし、彼の主張から離れて考えてみると、宗教現象学は、「前提」にもよるが、「無前提性の原理」を死守しなければならないのだろうか。もちろん、第一節でみたように、宗教現象学は「ある宗教の真理を出発点にする神学や、ある種の哲学的真理を前提としている宗教哲学などの規範的学問とは、一線を画する」。つまり、神学的前提や哲学的前提は立てないということだ。

しかし、「前提」がある宗教現象（例えば神秘体験）の「本質構造」ならどうだろう。再度、武内の言葉を引用するが、「宗教的本質直観はそのような〔神秘体験という〕現象の内にある本質的構造を導きとして一つ一つの個性豊かな宗教の内容を理解し、また個性的な体験に即しながら、しかもこれを理想類型に昇華させることによって、その本質構造を追求していくこととなる」。「本質的構造を導きとする」ことは、研究に先立って本質構造の理解があるからこそできることである。だがその一方で、「本質構造を追求していく」とも述べている。すなわち、ある時点で得られた宗教の本質構造が事例研究を先導し、具体的な事例研究がその本質構造の理解にフィードバックされ、本質構造の理解がさらに洗練されるということであろう。これは宗教現象学の健全なあり方ではないだろうか。

ここで、「前提」に「本質（的）構造」も含まれるとすれば、宗教現象学はフッサールの「無前提性の原理」を死守しなくても良いのではないだろうか（議論のレベルが異なることはすでに論じたとおりである）。プラグマティックな観点からは、宗教現象学にとってはこの方が実りが多い。その理由は、右のように考えなければ、種々の宗教現象の本質構造が確定された時点で宗教現象学が終焉をむかえ、その時点で宗教現象学は死んでしまうことになるからだ。また、「本質構造」といえども変化する可能性は否定しきれないのではないか。それとも、変化するものは「本質」たりうる資格に欠けるのであろうか……。

さらにいうと、フッサールは本質構造の把握に向かう過程ばかりを論じているようにも見えるが、哲学的現象学者がいったんそれを手中に収めたら、つまり、いったん「純粋現象の本質構造」が明らかになれば、哲学的現象学者の意識が個々の現象に向かうとき、その本質構造が「導き」となる可能性は否定できないのではないだろうか。やや論点は異なるが、和田は「個体的直観は本質直観へと転化されうるが、他方で後者（本質直観）をもとにして、本質に対応する個体が範例的に意識化されることも可能であり、両者は原理的に区別される一方で、不可分に結びついてもいる」[19]（傍点引用者）と論じている。

そうであれば、宗教現象学には、フッサールの観点からも、「宗教現象の研究→宗教現象の本質構造の把握→その本質構造の前提化→それに基づく宗教現象の研究→その成果の本質構造理解へのフィードバック→本質構造理解のさらなる洗練」という深化過程における循環があっても良いのではないだろうか。というのも、フッサール自身が『経験と判断』（第九三節）において、本質直観をとおして「おのおのの事物の無限性（Unendlichkeit）が相対性の多様性（Mannigfaltigkeit von Relativitäten）のなかに織り合わされている」ことが明らかにされることを論じて、本質直観の事例化に含まれる「超越論的相対性」の循環的解明に言及しているからである。[20]

おわりに――シュッツ流の「宗教現象学」の可能性

シュッツ流の「宗教現象学」の可能性については、すでにシュタウディグル氏が「序論」で詳細に論じているから、ここで同じことをくり返す必要はない。

ただ、まったく問題がないわけではない。シュッツの諸概念・諸理論を宗教現象の現象学的研究に応用しようとすると、「日常生活世界」「認知様式」「多元的現実」「限定された意味領域」「飛び地」「関連性」「間接呈示」「知識のストック」などのシュッツの諸概念・諸理論がすでに与えられていることになる。これらを駆使しながら宗教現象を研究するということは、概念・理論を対象に押し付けることになり、「宗教現象をその現われたままの姿で捉えることにはならないのではないか」という疑念をもたれる可能性がある。

だが、これらの概念・理論を利用するとしても（利用する概念・理論の数は問題ではない）、事例によって宗教現象の内実が異なることに変わりはないし、むしろ、これらの概念・理論は宗教現象の内にある本質構造を記述するための有力な手段となりうる、と筆者は考える。また、「記述」という行為自体も言語や概念なしでは成り立たないだろう。「シュッツ流の〈宗教現象学〉の可能性」は、まさにここにあるのである。

初期の宗教現象学者たちが生きた時代とくらべて、現代においては、宗教の世俗化や個人化という現象をあげるまでもなく、「宗教」そのものが存在形態や存在意義などをめぐって大きな変容を遂げている（もちろん、揺り戻し現象もある）。現代のインターネット社会において変貌した宗教でも、実利的世界への「抵抗」（バーバー）、「来世」「死後の世界」（アヤス）、「刑務所」「自己改善」（グリエラ）、「祈り」（ホシカワ／シュタウディグル）、「暴力」「コミュニケーション」（スルーバー）などのアクチュアルな主題と深い関係を結んでいる。特集号において、現実に、シュッツ流の宗教現象学はまさに豊かな研究成果をもたらしたのである。

そろそろこの辺で、一三〇年以上の歴史をもつ宗教現象学の抜本的な見直しをして、新たな時代における宗教現象学の方向性を見出すための徹底した議論がおこなわれるべきではないか。そのさい、シュッツ流の宗教現象学――「応用現象学／社会‐現象学の観点から〈生きられた宗教〉の諸現実を具体的に探求する」（シュタウディグル氏）というシュッツ流の宗教現象学――は、新たな宗教現象学の在り方に貢献するであろう。さらに、一言だけ筆者の推測を述べれば、宗教現象学全体の方法論としては（やや詳しく論じた）「本質直観」の再検討ならびにその洗練が最大の課題となるであろう。

†

拙著『宗教哲学論考――ウィトゲンシュタイン・脳科学・シュッツ』（明石書店、二〇一七年）の「あとがき」で「残念ながら、進行性の眼病のため、本書がおそらく最後の著作となる」と書いた。これまで何冊か翻訳書も上梓してきた訳者だが、今回は「残念ながら、進行性の眼病のため、本訳書が間違いなく最後の訳書となる」と書かねばならない。

学部の学生の時に初めて、故・井門富二夫先生から「アルフレッド・シュッツ」の名前を聞き、大学院では「現象学的社会学派の批判的考察」という修士論文を執筆した。いわば、訳者の研究者としてのスタートがシュッツだったわけである。ただし、恥ずかしいことだが、彼についてのまとまった著書は、「関連性」(レリヴァンス)という難問にぶちあたり、上梓できなかった。

その後、二つの大学および幾つかの学部・学科に所属したが、「蔵書構成論」「人文系資料論」から始まって、実にいろいろな授業を担当した。最後に作った授業は、人間の立場から考察した「時間論」と、太平洋戦争を中心とする「戦争論」とである。その間、その都度の必要に応じて、学部・大学院において「多元的現実」ならぬ「多元的授業」を展開してきた。

ただし、訳者が最も得意とする「宗教学」は、残念ながら、ついぞ講義する機会がなかった。その思いもこめて、この訳書――さしあたり「シュッツの視点から展開された応用現象学的宗教学」とでもいえよう――を上梓できるのは嬉しい限りである。一九五九年に亡くなった、シュッツの六三回目の命日(五月二〇日)に、万感の思いをこめて、本訳書を世に送り出したい。

二〇二一年四月二九日

星川啓慈

【謝辞】
本論文集の編集作業も、最後の研究書(前記の『宗教哲学論考』)と同様に、学生時代からシュッツに関心をもってきた、明石書店の柴村登治氏にお世話になった。心より感謝申し上げる。

註

1――この「〈あとがき〉に代えて」は、もともと中部大学編『アリーナ』（第二二号、風媒社、二〇一九年）に収められた論考「シュッツ流の〈宗教現象学〉の可能性」をもとに、改稿したものである。元原稿とまったく同じではないにせよ、転載を許可してくださった編集部（小島亮先生）に御礼申し上げます。
また、本原稿に目を通し、貴重な助言を下さった山口一郎先生（東洋大学名誉教授）に、心より感謝いたします。

2――"Special Section: Alfred Schutz and Religion" in *Human Studies*, Vol. 40, Issue 4, 2017.

3――J. Tuckett, "The a Priori Critique of the Possibility of a Phenomenology of Religion: A Response to the Special Issue on 'Schutz and Religion'," April, 2019. https://doi.org/10.1007/s10746-019-09502-w 二〇一九年八月一日閲覧。
ダウンロードしたタケットの論文には頁数がふられていない。本稿における彼の論文の頁数は、先頭頁を一頁とする頁数である。

4――本節の執筆に際しては、長谷正當「宗教学と現象学」（木田元ほか編『現象学事典』弘文堂、一九九四年、所収）、武内義範「宗教現象学」（小口偉一ほか監修『宗教学辞典』東京大学出版会、一九七五年、所収）を参考にさせていただいた。とくに執筆者名を明記する必要があると思われる部分は、そのようにした。

5――以下は、久保田浩氏（明治学院大学）のご教示による。ソーセイは『宗教史教本』の第一版の四八頁で、"die Phänomenologie der Religion"という術語を（説明はほとんどないが）二回使っている。そして、「現象学」の名の下に諸「宗教現象」の類型化が提示されている。第二版では、この"die Phänomenologie der Religion"という術語はなくなり、かわりに"die religiöse Phänomenologie"という術語が、五頁に、一回登場する。第三版は第二版と同じで変更はない（第四版にはソーセイは関与していない）。『宗教史教本』は、版を追うごとに宗教史編が修正されつつ大幅に増補されていく一方で、体系編／理論編が大幅に縮小されていく。それにもかかわらず、ソーセイの次の姿勢は一貫している。(1)「宗教学」を「宗教哲学」と「宗教史」とから構成される「新たな学問分野」として捉えていること、(2)おおむね「宗教哲学」の下位分野として「現象学」を位置づけていること、である。

ちなみに、オランダの宗教学者モレンダイクは次のように述べている――「シャントピー・ド・ラ・ソーセイは、〈宗教現象学〉という術語を一八八七年に最初に使用した人である。彼は〔このことによって宗教学に〕新しい方法を導入する意図はなかった。しかし、明らかに、彼の教本（『宗教史教本』）の読者に（ユダヤ教とキリスト教の伝統における宗教現象をふくんだ）宗教の諸現象の概要を提供することが重要である、と考えていた」（A. L. Molendijk, *The Emergence of the Science of Religion in the Netherlands*, Brill, 2005, p. 30.）。この見解を見ても、ソーセイの「宗教現象学」とフッサールの「現象学」とはまったく関係がないことが分かる。なお、『宗教史教本』の第二版は、次のURLで、四〇〇頁以上もある全巻を読むことができる。**https://archive.org/details/lehrbuchderrelig01chan/page/4**　二〇一九年九月一二日閲覧。

6――和田渡「本質直観」（前掲『現象学事典』四二九－四三〇頁）。

7――しかしながら、宗教現象学がフッサールの本質直観をそのまま継承しているか、という問題がある。フッサールと同じく、宗教現象学も本質直観によって宗教現象をそれが自らを顕わにするままにおいて捉えようとする。だが、武内によれば、宗教現象学においては「本質をとらえる本質直観あるいは形相的直観は、フッサールよりもシェーラーの考え方に近い」。こうした事情も、フッサールの現象学と宗教現象学の関係についての考察を難しくしている一因であろう。

8――H・ワーグナー著（佐藤嘉一監訳）『アルフレッド・シュッツ――他者と日常生活世界の意味を問い続けた「知の巨人」』明石書店、二〇一八年。本訳書に対する筆者の書評は、『アリーナ』（第二一号、二〇一八年、三六六－三七〇頁）に掲載されている。

9――この会議において、シュッツは「フッサールにおける超越論的相互主観性の問題」という発表をした。フッサールの超越論的現象学の重要部分の論駁を構想したにもかかわらず、シュッツに対して学識ある現象学者たちから何の反論もなかった。それどころか、インガルテンはシュッツの述べた「基本点」を承認し、フィンクは自分の見解はシュッツのものと「完全に一致する」と述べたのである（ワーグナー、五〇〇頁）。このときの模様は、次の資料に収められている。「超越論的相互主観性をめぐるオイゲン・フィンクらとの討論」（『アルフレッド・シュッツ著作集　第4巻　現象学的哲学の研究』マルジュ社、一九九八年、一三九－一五五頁）。なお、次のURLで、右の会議の内容、発表者と発表タイトル、シュッツの姿などを見ることができる。錚々たる現象学者たちが参加している。http://hua.ophen.org/2016/01/29/1197/　二〇一九年八月一日閲覧。

10――シュッツは「自然的態度のエポケー」という術語を使用するが、これは「世界やそこにある諸々の対象が、彼〔自然的態度にある人〕に対して現れている以外のものであるかもしれないという疑念」を「停止」することである（矢田部圭介「〈自然的態度の構成的現象学〉の視座――シュッツ社会理論の二つの系」一九九六年、一八二頁、参照）。https://www.jstage.jst.go.jp/article/kantoh1988/1996/9/1996_9_175/_article/-char/ja/　二〇一九年八月一日閲覧。

11――筆者個人に限れば、シュタウディグル氏との共著論文の批判には不満である。論文要旨の第一行目に「本論考はキリスト教に限定する」旨を明記しているのだが、一般性ももつことを述べたため、論文全体がタケットの目論見に合わせて解釈されている。つまり、「無前提性の原理の不履行」などの視点から、他の論文と同様の批判がなされているのだ。それは仕方のないことだが、ないものねだりを承知のうえでいうと、「シュッツ現象学と言語哲学とを融合させて祈りを分析する」という筆者のオリジナルな観点から執筆した論文の斬新さを少しは評価してもらいたかった。

12——E・フッサール著（渡辺二郎訳）『イデーン　I-I』みすず書房、一九八四年、一一七-一一八頁（Husserliana, Bd. III/1, S. 51.）。ごく一部、表記を変更した。

13——ちなみに、タケットは、仏教の「涅槃」は「水平的な」イメージでとらえることができ、「垂直的な」イメージで言及される「超越的なもの」とは対照的である旨を主張している（see Tuckett, p. 6 and p. 13）。そうすると、仏教も宗教だから、寄稿者たちの「垂直的な」イメージをもつ宗教の「前提」はいわば独善的である、ということになる。

14——E・フッサール著（立松弘孝ほか訳）『論理学研究　2』みすず書房、一九七一年、二六-二八頁（Husserliana, Bd. XIX/1, S.24-29.）。ごく一部、表記を変更した。

15——榊原哲也「無前提性」（前掲『現象学事典』四四一頁）。

16——タケット自身が「哲学的現象学は〈宗教〉という話題にほとんど関心を示していない」（Tuckett, p. 1.）と述べている。この事実は、哲学的「現象学」と（本稿で論じている）宗教現象学の「現象学」との相違とも、どこかで関係しているであろう。

17——神谷英二「後期フッサール現象学における相互主観性の研究」（一九九八年）。http://www.l.u-tokyo.ac.jp/postgraduate/database/1998/110.html　二〇一九年八月一日閲覧。

18——フッサール現象学における本質直観の方法の詳細については、山口一郎『発生の起源と目的——フッサール「受動的総合」の研究』知泉書館、二〇一九年、二一五-二二四頁を見よ。

19——和田、前掲事典項目（前掲『現象学事典』四二九頁）。

20——「事例化」に含まれる「超越論的相対性」については、山口一郎『他者経験の現象学』国文社、一九八五年、二一五頁以下を見よ。
「超越論的相対性の循環的解明」に関する箇所を『経験と判断』（長谷川宏訳、河出書房新社、一九八〇年）

の第九三節から二つほど引用しておく。ただし、ごく一部、表記を変更した。(1)「見本となる出発点の直観——最初の一時的な有限に完結した直観——のなかで、「実物」として、しかし開かれた無限性をもつものとして思考される事物は、思考のなかでこの「無限性」を潜在的にふくむにすぎず、しかも、それぞれの事物は多様な相対性に巻き込まれているのだ」(三五〇頁。*Erfahrung und Urteil*, Felix MeinerVerlag, 1972, S. 439.)。(2)「ここで、客観的現実的な事物の本質にかんして問題となっていることは、原初の感性的直観という低次段階で捉えるのは無理だとしても、直観的に捉えうるものである。ただ、その本質直観のうちに捉えられる本質一般性は、完結した具体性が獲得されて、すべての関連する相対性が本質洞視にひきいれられるまでは、さしあたり一定の段階にとどまるものにすぎないけれども」(三五二-三五三頁。*Erfahrung und Urteil*, S. 442.)。

第四論文
ケイジ・ホシカワ（大正大学、日本）、シュタウディグル
Keiji Hoshikawa and Michael Staudigl
Department of Humanities, Taisho University, Tokyo, Japan
Institut für Philosophie, Universität Wien, Wien, Austria
"A Schutzian Analysis of Prayer with Perspectives from Linguistic Philosophy"
Human Studies vol. 40 (2017), pp. 543–563.

第五論文
イリヤ・スルバール（社会学研究所、ドイツ）
Ilja Srubar
Institut für Soziologie, Erlangen, Germany
"Religion and Violence: Paradoxes of Religious Communication"
Human Studies vol. 40 (2017), pp. 501–518.

※序論から第五論文までは、2017 年に刊行された学術誌『ヒューマン・スタディーズ』第 40 号の特集「アルフレッド・シュッツと宗教」の全訳である。

著者の所属、論文名、初出

序論
ミハエル・シュタウディグル（ウィーン大学、オーストリア）
Michael Staudigl
Institut für Philosophie, Universität Wien, Wien, Austria
"Alfred Schutz and Phenomenology of Religion: Explorations into Ambiguous Territory"
Human Studies vol. 40 (2017), pp. 491–499.

第一論文
マイケル・バーバー（セントルイス大学、アメリカ合衆国）
Michael D. Barber
Department of Philosophy, Saint Louis University, St. Louis, USA
"Resistance to Pragmatic Tendencies in the World of Working in the Religious Finite Province of Meaning"
Human Studies vol. 40 (2017), pp. 565–588.

第二論文
ルーツ・アヤス（クラーゲンフルト大学、オーストリア）
Ruth Ayaß
Institut für Kulturanalyse, Universität Klagenfurt, Klagenfurt, Austria
"Life-World, Sub-Worlds, After-Worlds: The Various 'Realnesses' of Multiple Realities"
Human Studies vol. 40 (2017), pp. 519–542.

第三論文
マー・グリエラ（バルセロナ自治大学、スペイン）
Mar Griera
Departament de Sociologia, Universitat Autònoma de Barcelona, Barcelona (Catalonia), Spain
"Yoga in Penitentiary Settings: Transcendence, Spirituality, and Self-Improvement"
Human Studies vol. 40 (2017), pp. 77–100.

訳者紹介

星川啓慈（ほしかわ・けいじ）

大正大学文学部教授。

1956 年、愛媛県生まれ。1984 年、筑波大学大学院博士課程哲学・思想研究科単位取得退学。博士 (文学)。専門は宗教学・宗教哲学。1990 年「日本宗教学会賞」受賞。

主な著書に、『悟りの現象学』法藏館 1992、『言語ゲームとしての宗教』勁草書房 1997、『対話する宗教——戦争から平和へ』大正大学出版会 2006、『宗教と〈他〉なるもの——言語とリアリティをめぐる考察』春秋社 2011、『宗教哲学論考——ウィトゲンシュタイン・脳科学・シュッツ』明石書店 2017、『増補 宗教者ウィトゲンシュタイン』法藏館文庫 2020 など。訳書に、A･キートリー『ウィトゲンシュタイン・文法・神』(同文庫、近刊) など。その他、共編著書など多数。

シュッツと宗教現象学
宗教と日常生活世界とのかかわりの探究

二〇二一年五月二〇日　初版第一刷発行

著　者——ミハエル・シュタウディグル、マイケル・バーバー、ルーツ・アヤス、マー・グリエラ、ケイジ・ホシカワ、イリヤ・スルバール
訳　者——星川啓慈
発行者——大江道雅
発行所——株式会社 明石書店
一〇一-〇〇二一　東京都千代田区外神田六-九-五
電　話　〇三-五八一八-一一七一
FAX　〇三-五八一八-一一七四
振　替　〇〇一〇〇-七-二四五〇五
https: //www.akashi.co.jp

印　刷——モリモト印刷株式会社
製　本——モリモト印刷株式会社

（定価はカバーに表示してあります）
ISBN 978-4-7503-5211-4